13

collection lettres

BERBÈRES

Mourad CHETTI

BERBÈRES

LE CODEX D'AYLIMAS

★ ★ ★

Villa n°6, lot. Saïd Hamdine, 16012, Alger

À Dynah, mon alter ego et garçon manqué.
Il te sera légué la lanterne sacrée pour éclairer
tes sœurs sur la route de Tamanart.

Je suis Massinissa fils de Gaïa, descendant d'Aylimas, unificateur de la Numidie et roi des tribus intérieures. Maître des Gétules et Aguellid du peuple de la terre. Voici mes 53 jubilés et il me tarde de laisser mon témoignage avant de rejoindre ma place auprès de ceux qui m'ont précédé sur la voie de Tamanart.

Je chevauche encore tous les matins sur le dos de Tamelka, ma jument grise, et ceci par tous les temps, mais j'ai entrepris de noter les instants de mon passé, tant qu'il me reste encore cette lueur de vie qui éclaire sereinement les recoins de ma mémoire. Ceux qui viendront après moi auront la tâche ardue de consolider l'œuvre que j'ai accomplie avec succès et de garantir en même temps à mon peuple, la paix que j'ai gagnée sur ceux que j'ai chassés de mes terres : l'envahisseur de l'Est et mon frère ennemi, allié aux forces de la Mer intérieure.

Les victoires que j'ai remportées sur mes adversaires je les relate dans ce manuscrit, soucieux de consigner mes actes terrestres pour l'éternité et indiquer une voie, un exemple à suivre à tous ceux qui me survivront.

J'ai traversé bien des rivières en furie, bien des fleuves démontés et des mers trop calmes pour être rassurantes, mais j'ai franchi chaque obstacle et vaincu les ténèbres grâce au pacte avec les anciens, scellé avec le sang de ma mère, la grande reine et prophétesse Titrit l'aimée. Ils ont été mes guides pour ces longues années pendant lesquelles j'ai régné sur des sujets libres, ainsi qu'une inspiration pour toutes les décisions importantes de ma vie. Qu'ils s'expriment par les voix intérieures ou par la bouche de la grande prêtresse, j'ai toujours été à l'écoute de leurs sages paroles. Le parcours de ma vie ainsi que ses multiples chemins ont été tracés par eux, sur Tamanart. C'est de là que mon peuple est issu et c'est vers cette étoile d'origine que mon esprit retournera quand viendra le moment d'éteindre la flamme qui anime mon âme.

La nombreuse progéniture qui me survit est la preuve que j'ai aimé les femmes, sans retenue. J'ai autant donné que reçu d'elles, de l'affection, du plaisir et même de la passion. Cependant, celle qui a marqué mon cœur des profondes cicatrices que je porte encore, celle qui a ouvert le flot de sentiments qui couvaient mon adolescence, a rejoint le territoire de la mémoire à l'aube de ma royauté. Elle s'est libérée de ce monde depuis mon accession au trône de mon père et je lui garde toujours une place de choix, prisonnière de ma passion intrépide, pour le jour où nous nous retrouverons unis à nouveau par le serment éternel de l'amour. Alors nous nous libérerons à jamais de ce fardeau terrestre et nous régnerons ensemble sur l'Afrique des cieux.

J'ai été comparé à une plume qui a incliné la balance de l'histoire du monde alors que deux grandes nations, Rome et Karthage, se disputaient la maîtrise de la mer intérieure. J'ai fait le plus juste des choix et cela n'était pas le fait du hasard ou du destin. Lorsque je n'étais qu'un fugitif avec seulement cinq compagnons de lutte, blessé et traqué, personne n'aurait parié que je réussirais à reconquérir un royaume, celui de mes ancêtres et annexer celui de mes ennemis. Personne ! À part Markounda, grande prêtresse de la montagne des sept cornes, ma grand-mère maternelle.

Voici donc l'histoire d'un peuple et d'un souverain qui l'a aimé en lui offrant une nation prospère et puissante. J'ai fédéré toutes les ethnies des hommes libres sous une seule et même tutelle, en aguellid éclairé. Loin d'être un despote, j'ai été pour eux un espoir. Nous avons traversé ainsi les murailles du temps et j'ai pu les mener vers la lumière.

Fait en l'an 804 du calendrier berbère.

RÉSUMÉ DES OPUS PRÉCÉDENTS

La Numidie aux origines des royaumes Massylès et Massaeylès fut soumise à l'incursion des envahisseurs étrangers qui, après avoir occupé le littoral, s'enfoncèrent à l'intérieur des terres et y découvrirent un peuple libre, réuni pour le besoin de survie en une confédération de tribus qui vivait en parfaite liberté au gré des pâturages et des saisons.

Les guerres que menèrent les Karthaginois, d'abord hôtes des Africains, puis s'émancipant des autochtones grâce à leurs ambitions marchandes autour de la Méditerranée, impliquèrent fortement les Numides qui formèrent des alliances infructueuses avec les ennemis de Karthage dans le but de se libérer de l'emprise grandissante de la cité des marchands.

Depuis l'Aguellid Yarbaal qui assista à la construction de la cité d'Elyssa jusqu'à l'Aguellid Gaïa, père de Massinissa qui apporta son concours à Abdmelkart dans la guerre civile qui embrasa l'Afrique durant la révolte des mercenaires, tantôt alliés tantôt opposés à Karthage et à son hégémonie politique, les Numides menèrent un combat constant pour leur survie et leur liberté. Naar Baal, neveu d'Abdmelkart, renforça l'influence des Massylès à Karthage, contre celles des Massaeylès que convoitaient les Romains pour affaiblir leur rivale en Méditerranée.

La conquête de l'Espagne du Sud par le général Abdmelkart permit à Karthage de trouver rapidement les ressources pour s'acquitter du tribut imposé par le sénat romain lors de leur défaite en Sicile. Elle fut aussi l'occasion pour le général barcide d'installer un empire qui sera transmis après sa mort brutale à son gendre, Astour Baal le beau, qui pactisa avec les Romains, puis à son fils le général Hanni Baal, qui reprit la guerre contre les Romains.

Les frères Scipion, qui combattaient les Karthaginois en Espagne réussirent à convaincre l'Aguellid des Massaeylès, Syphax, d'unir ses forces aux leurs pour mettre fin à la souveraineté de Karthage sur le sol africain, obligeant celle-ci à rappeler une partie de ses troupes engagées en Ibérie. Fort de cette nouvelle alliance avec les Romains, l'Aguellid des Massaeylès, Syphax, entama une série de conquêtes vers l'Est, menaçant la république de Karthage et son nouvel allié l'Aguellid Gaïa, roi des Massylès, qui se trouva entre le marteau et l'enclume, contraint de quitter sa capitale Kirthan pour s'installer à Hibboune la royale, son ancienne capitale d'été.

C'est sur ce décor que le jeune prince Massinissa s'initie à l'art de la guerre et de la vie de cavalier. L'invasion de son pays par les Massaeylès le contraignit à quitter sa ville natale Kirthan, juste après son Ergaz pour découvrir Hibboune la royale, la nouvelle capitale des Massylès, après les affres de l'exode. Le jeune prince restera sous l'influence de son maître Aberkan et bénéficiera de la bénédiction des dieux qui s'expriment toujours par la bouche de sa mère, la prophétesse et reine des Massylès, Titrit.

REPÈRES CHRONOLOGIQUES

– *226 : Traité de l'Èbre entre Astour Baal le beau et Rome*
– *221 : Assassinat d'Astour Baal le beau, Hanni Baal Barak lui succède en Ibérie.*
– *219 : Après un siège, Hanni Baal s'empare de Sagonte, cité côtière en Ibérie, alliée des Romains*
– *218 : Hanni Baal entreprend le périple de l'Èbre jusqu'à la vallée du Po - Début de la 2ᵉ guerre punique - Hanni Baal passe le Rhône et franchit les Alpes*
– *217 : P. Scipion rejoint son frère Cnaeus en Espagne. Défaite romaine à la Trébie et à Trasimène devant les troupes d'Hanni Baal.*
– *215 : Succès des Scipion en Espagne.*
– *214 : Conflit de frontière entre les royaumes numides. Syphax s'allie avec les Scipion ; Gaïa avec les Karthaginois. Retrait karthaginois d'Espagne. Statorius forme une infanterie pour Syphax. Syphax attaque le territoire des Massylès et assiège Kirthan. Exode des Massylès vers Hibboune la Royale.*
– *213 : Hanni Baal est aux portes de Rome.*
– *214 : Massinissa est à Karthage comme otage royal.*

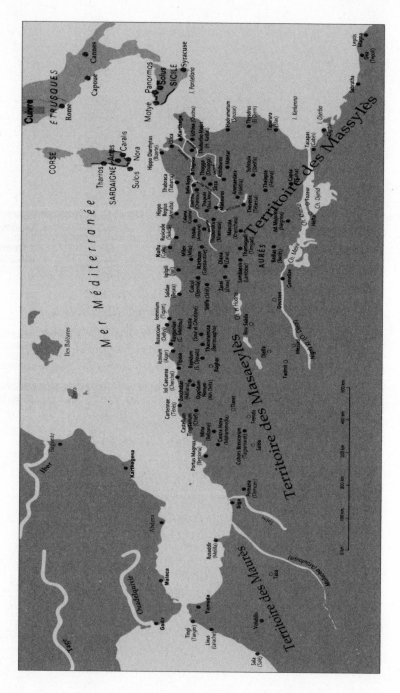

*Ce n'est pas en tirant sur la tige de la fleur
qu'elle poussera plus vite !*
Aguellid Archobarzane, roi des Massaeylès

*Une vieille inimitié opposait les Massylès aux Massaeylès. À
l'ouest de l'Ampsaga régnait l'Aguellid Syphax, qui ne cachait
pas ses ambitions expansionnistes, ainsi que l'exigeaient les
coutumes ancestrales. Coutumes qui avaient prévalu depuis
les temps où les Numides vivaient avec leurs troupeaux de
pâturage en pâturage, au gré des saisons, et ce malgré leur
sédentarisation.*

— La terre n'appartient pas aux hommes, ce sont les
hommes qui lui appartiennent, rappela Gauda, le conseiller
de l'Aguellid Syphax, roi des Massaeylès.

— Cette règle est obsolète depuis l'invasion des
Karthaginois, rétorqua Syphax.

— Pourquoi donc ? demanda Vermina.

— Il fallait bien défendre cette terre contre des marchands
venus de Tyr. Au début, ils nomadisaient sur les mers et
nous demandaient juste de quoi installer des entrepôts
pour leurs marchandises, moyennant un tribut.

— Tu parles des Phéniciens, père ! observa Vermina.

Syphax ignora la réflexion de son fils.

— Ils ont fini par se sédentariser sur nos terres pour
gérer leurs biens et surtout leurs finances.

Le roi des Massaeylès n'avait pas tort. Karthage était
l'exemple même de leur projection du futur. Elle avait été

bâtie pour durer éternellement et survivre à leur destin de mortels avec l'aide de leurs dieux tyriens.

— Nous, les Numides, nous n'aurions jamais pu offenser nos divinités ainsi, car la vie terrestre n'est pas une fin en soi. La loi de nos ancêtres nous enseigne qu'il faut œuvrer dans cette vie pour assurer un passage agréable dans l'autre vie, en se surpassant en bravoure, en courage et en témérité, rappela Syphax à son fils aîné.

— Ce sont des vertus guerrières ! Nous sommes connus aussi pour notre hospitalité légendaire, compléta Vermina et c'est ce trait de notre caractère qui a facilité l'intrusion des marchands sur nos terres.

— Pour sûr ! Pour sûr ! admit Syphax. Mais au départ, les relations étaient simples. Nous échangions des étoffes, des vases et même des armes contre des moutons, de la laine, des plumes d'autruche, du miel et de l'huile.

À l'origine, les Phéniciens étaient un peuple de marins navigateurs qui ne s'éloignaient jamais des côtes et ne naviguaient jamais la nuit. Le soir venu, ils accostaient et tiraient leurs bateaux légers sur le rivage et profitaient de ce laps de temps pour faire du commerce avec les autochtones venus spécialement des tribus de l'arrière-pays pour les attendre et faire du troc.

— Sur les côtes des pays qu'ils visitaient, les Phéniciens prenaient le soin de construire de grands dépôts qu'ils appelèrent des comptoirs, sorte de maisons à toit plat en chaume servant d'entrepôts ou d'habitations aux quelques marchands et aux gardiens permanents qui protégeaient leurs marchandises. Une citerne recueillait les eaux de pluie. C'était autant d'escales pour les bateaux phéniciens qui se rendaient en Espagne où ils s'approvisionnaient en métaux précieux. C'est ainsi que les premiers comptoirs furent installés, comme celui de l'île de Rachgoun, en face de la capitale des Massaeylès, Siga. Cette île, d'origine volcanique, est un plateau de pouzzolane qui émerge à quelques distances de l'embouchure de la Tafna.

— Pourquoi ont-ils choisi cette île alors que nous avions un mouillage fluvial à l'embouchure !

— Les connaissances maritimes des Phéniciens me dépassent. Ils prétendirent que le mouillage n'était pas favorable et ils avaient sans doute raison parce que la baie dans laquelle se jette la Tafna est en effet ouverte aux vents et à la houle.

Des falaises escarpées sur presque tout le pourtour de l'île lui donnent l'aspect d'une forteresse naturelle. Au Sud, là où émergent quelques récifs au pied de la falaise orientale, fut creusé le port phénicien, qu'ils appelèrent le Cothon. C'est un bassin taillé dans la falaise et on y accède par une échancrure naturelle de la côte par laquelle les embarcations pouvaient trouver refuge dans ce port par mer agitée et être hissées sur le rivage.

La vie était monotone dans ces comptoirs sauf quand les navires chargés de marchandises accostaient, donnant lieu à des activités de grands marchés que fréquentaient les tribus berbères du voisinage.

— Les Phéniciens vivaient donc en bonne entente avec nos tribus ?

— Oui, ils ne s'occupaient que de leurs affaires.

— Pourquoi est-ce différent avec les Karthaginois ?

— Parce que ceux-là ne se contentent plus d'exploiter la mer, nos terres les intéressent aussi !

— Avons-nous à nous plaindre alors que les terres en question ne sont pas les nôtres, mais celles de nos cousins massylès ?

— Nous sommes en dehors de la zone d'influence de Karthage, en effet ! Mais cela peut changer rapidement !

— Nous n'avons donc rien à craindre pour l'instant, n'est-ce pas, père ?

— Crois-tu vraiment, mon cher fils, pouvoir cacher les rayons du soleil avec un tamis ? Le monde est en guerre. Beaucoup de nos Numides se battent actuellement aux côtés des Karthaginois.

— Des mercenaires, engagés par Hanni Baal, le fils d'Abdmelkart Barak, dont on sait en fait peu de chose. Il a ton âge. C'est un personnage mystérieux et aux multiples facettes, qui a réussi jusqu'à ce jour à échapper judicieusement aux conspirations militaires des Romains !

— J'imagine que c'est la raison pour laquelle il est idéalisé comme nul autre par ses ennemis et maudit à la fois, concéda Vermina.

Pendant que l'Aguellid Syphax conversait avec son fils, le prince Vermina à propos des affaires de leur royaume et de celles du monde, le jeune général Hanni Baal quittait Karthagène, la capitale de son empire en Espagne qu'il venait se sécuriser, ainsi que sa famille, et s'apprêtait à faire mouvement sur l'Iber avec la ferme intention de porter la guerre en Italie.

Si ton ennemi avance vers toi avec folie,
va à sa rencontre avec sagesse.
Aylimas le grand, vers −450

À Karthage, les suffètes se virent forcés de ratifier le choix de
la guerre, malgré l'opposition du grand Hanna, rival acharné
des Barcides qui avait eu déjà à s'exprimer sur la nomination
d'Hanni Baal, y voyant la certitude de la reprise de la guerre
avec les Romains. Les évènements qui suivirent ne tardèrent
pas à lui donner raison. À Karthagène, la cité vivait une
effervescence inhabituelle.

— Voici les dernières nouvelles en provenance de Rome,
annonça Adonis Baal, le chef du réseau d'espionnage
punique.

Hanni Baal se retourna vers le fils de feu le général
Astour Baal le beau. Grâce à une aptitude innée au
commerce et à la discrétion, ce neveu avait réussi en très
peu de temps à placer des espions partout et jusqu'au sein
de la capitale romaine.

— Sont-ils toujours empêtrés en Cisalpine ?

— Ils sont en train de fortifier leurs frontières Est et
Ouest, oui. Les débats du sénat tournent autour d'une
action définitive contre les pirates illyriens.

— Bien, fit Hanni Baal. Cela retardera la flotte romaine
supposée nous barrer la route !

— Le consul Scipion trouvera en face de lui l'armée de Sadar Baal. Le nouveau gouverneur de Karthagène est paré pour le recevoir.

— Et l'autre consul ?

— Sempronius est arrivé en Sicile. Ses légions sont prêtes à faire voile vers l'Afrique.

— Alors nous devons l'en empêcher. Nous devons respecter notre plan de marche et partir au plus tôt !

*

On se souvient que pendant la trêve hivernale précédente, le général Hanni Baal avait fait tous les préparatifs nécessaires pour assurer la tranquillité de l'Espagne durant son absence. Afin de réduire le nombre d'ennemis possibles, il recruta une armée de douze cents chevaux et quatorze mille fantassins parmi les tribus les plus turbulentes de l'Ibérie et les envoya en garnison à Karthage et dans les autres cités où la présence karthaginoise risquait d'être menacée par les Romains.

Il envoya Mahar Baal auprès de l'Aguellid Gaïa pour recruter un nouveau corps de cavalerie et une trentaine d'éléphants afin de renforcer les garnisons karthaginoises en Espagne dont une partie fut mise à la disposition de son frère Sadar Baal Barak, nouvellement nommé gouverneur à Karthagène.

Mahar Baal, avant de retourner en Espagne avec quatre mille cavaliers et vingt-neuf éléphants, avait promis à ses cousins, les princes Massinissa et Kabassen, de leur écrire de temps en temps afin de les tenir au courant de cette conquête inédite.

Un mois plus tard, la troupe karthaginoise arrivait près de l'Iber en passant devant les ruines de la cité de Sagonte qui n'était plus que cendre et poussière.

— Nous réserverons à Rome le même sort que celui de Sagonte ! déclara Mahar Baal à l'adresse d'Hanni Baal qui chevauchait à ses côtés.

— Je n'ai aucune intention de détruire Rome ! répondit le général.

— Mais alors à quoi bon toute cette marche ?

— Je veux l'isoler en ralliant le maximum de cités italiennes à ma cause.

— Ta cause ?

— Oui, Mahar Baal, ma cause. Celle qui consiste à fonder un nouvel empire karthaginois, plus ouvert sur le peuple, où il y aurait plus de tolérance, plus de justice.

Hanni Baal ordonna une halte au bord de l'Iber afin de consulter ses officiers sur les conditions du passage de l'armée sur l'autre rive. Après avoir consulté les cartes de la région et donné la parole à chacun d'eux, il prit une longue inspiration avant d'annoncer sa décision.

— Nous traverserons sur trois points avec des barques ! Le temps nous est compté car nous devons franchir les Alpes avant l'hiver !

*

Des mesures avaient été prises à l'avance et surtout des relations avaient été nouées avec les tribus celtes et gauloises afin d'assurer le succès de l'expédition, mais le danger n'était pas moins présent tout au long du parcours des troupes karthaginoises.

Afin de donner confiance aux soldats, Hanni Baal prévoyait tout d'une manière claire et hardie et ses décisions étaient sans équivoque. Son instinct militaire s'était développé sous les armes, avec son père. C'est pour cela que les hommes le suivaient avec une foi aveugle dans des voies inconnues. Il leur parlait avec des mots enflammés pour leur rappeler la patrie humiliée, les exigences et les insolences de Rome, l'asservissement imminent de cette Karthage qui leur était chère.

L'armée campa de l'autre côté de la rive de l'Iber. Ce fut à cet endroit que se présentèrent les premières difficultés de l'expédition. Les trois armées durent affronter les Espagnols opposés à leur passage en assiégeant les cités rebelles et en capturant leurs chefs dans des combats qui coûtèrent cher à Hanni Baal.

Le général chargea Adonis Baal de mener les pourparlers avec eux et tenter de les séduire.

— Ta mission sera de tester cette réputation de farouches et d'indomptables que leur attribue la rumeur. L'objectif est de mettre un terme aux actions de ces montagnards qui nous disputent le passage. Je fonde un grand espoir sur ta capacité à les convaincre.

— En somme, tu m'envoies dans la gueule du loup !

— Pour assurer ta sécurité, Mahar Baal t'accompagnera avec un fort détachement de cavalerie !

— Je m'assurerai de leur bonne disposition à notre égard malgré cette réputation qui, à mon avis est surfaite.

Les généraux Hanni Baal et Mahar Baal se chargèrent de combattre les tribus rebelles quand elles se présentaient au combat tandis qu'Adonis Baal usa de diplomatie. Cependant, il n'eut pas le résultat escompté. Aussi, son langage devint-il plus ferme.

— Nous serons obligés de vous combattre jusqu'à votre soumission totale. La Catalogne sera mise à feu et à sang et vous en porterez l'entière responsabilité.

— Qu'importe vos menaces, plutôt mourir que de nous soumettre !

— Qu'il en soit ainsi !

C'est sur ce constat que débuta la conquête de la Catalogne pour assurer le passage des troupes karthaginoises. Elle fut foudroyante grâce à la cavalerie légère numide.

Hanni Baal passa la frontière de la péninsule ibérique pour la dernière fois de sa vie. Résolu et inébranlable dans sa vision barcide, il s'apprêta à ouvrir d'une main assurée un livre d'histoire jalonné de batailles et d'opérations militaires qui marqueront dans la mémoire des hommes un souvenir ineffaçable. Lorsqu'il ordonna de lever le camp d'Ampurias en ce mois d'octobre, l'armée s'ébranla vers les Pyrénées avec un effectif réduit de soixante-neuf mille soldats, à cause des désertions et des licenciements. Cependant, cette armée était d'une solidité à toute épreuve lorsqu'elle arriva au pied du massif montagneux.

— La cité Illyberris se trouve derrière ces trois cols, indiqua Archobanès, le chef des éclaireurs.

Après avoir examiné attentivement la carte actualisée par l'éclaireur, Hanni Baal décida d'éviter le col du Perthus et de passer à l'Est afin de rester le plus près possible de la côte pour ne pas s'éloigner de la flotte.

— Par Banyuls alors, proposa Mahar Baal.

— Difficile ! objecta Archobanès, l'armée n'aura pas de mal à le passer, mais le sentier est trop étroit pour nos trente-sept éléphants.

— Je vois. Nous ne passerons pas par là non plus. Une proposition ?

— Oui, général. Le col de Massane présente un passage plus large. Nous ne sommes pas trop loin de la mer et le passage est aussi aisé que celui du Perthus, affirma Archobanès.

— Dans ce cas, ma décision est prise. Le gros de la troupe passera par Massane et une partie de la cavalerie que tu commanderas passera par Banyuls ! Faut-il craindre une résistance de la part des Bébrykes après le passage du col ?

— Non, général. La descente des Pyrénées se fera dans les plaines d'Illyberris, ce qui ne présente aucun danger apparent. Nous avons obtenu l'accord du chef de ce peuple.

— Je sais, Atalès m'a déjà fait part de la somme convenue, répondit Hanni Baal, le front soucieux.

— Aurais-tu des craintes ?

— Des craintes et de la méfiance oui. Les peuplades gauloises ont une réputation de malveillance, surtout celles qui sont retranchées dans leurs montagnes impénétrables. Là est mon sujet d'inquiétude. Archobanès, tu presseras le pas avec tes chevaux pour en avoir le cœur net. La plaine devra être sécurisée totalement.

— Dans ce cas, puis-je te suggérer de prendre la tête d'un escadron de cavalerie pour passer le col du Perthus ? Nous aurons une totale maîtrise des passages des cols.

— On agira ainsi, cousin.

Partant d'Ampurias et prenant Elne pour première destination, Hanni Baal fit passer son armée en longeant la côte d'aussi près que possible. Grâce à ses éclaireurs, il assura la sécurité de ses troupes quand elles engagèrent la montée des Pyrénées et plus tard la descente. Ainsi, comme lors de la traversée de l'Iber, trois colonnes grimpèrent jusqu'à Castillon de Ampurias et lorsqu'elles y parvinrent, se séparèrent pour emprunter l'itinéraire convenu secrètement par le général. Elles opérèrent leur jonction plus tard et arrivèrent sous les murs d'Elne, où elles se déployèrent en bon ordre et campèrent quelques jours afin de récupérer de la fatigue.

Les officiers se retrouvèrent sous la tente du général pour rendre compte de la marche et du passage des cols.

— Nous avons eu maille à partir avec des maraudeurs isolés qui ont tenté plusieurs fois de harceler nos colonnes, dit l'un d'eux.

— Certaines peuplades sont hostiles à notre présence sur leur territoire, enchaîna un autre.

— Nous aurions pu prendre d'assaut certains villages en livrant des combats d'arrière-garde pour montrer notre force, mais cela aurait retardé notre marche, regretta un troisième. Mais nos trois colonnes ont eu finalement raison des mauvaises dispositions des montagnards !

— Oui et sans trop de pertes finalement ! confirma l'un des interlocuteurs.

De fait, cette marche mémorable avait été effectuée d'une manière si hardie qu'elle imposa une admiration particulière pour celui qui l'avait conçue : le général Hanni Baal était le premier stratège à avoir frayé le passage par les Pyrénées orientales à une armée régulière, et le succès de cette opération extraordinaire était bien de nature à subjuguer les esprits de ses ennemis.

Les tribus espagnoles exprimèrent ouvertement leur stupeur et leur admiration quand elles apprirent que le jeune général barcide avait réussi à vaincre tant de difficultés en circonvenant par les armes ou par la diplomatie les peuples rencontrés sur son chemin.

— Jusque-là, tout va bien, constata impassiblement Hanni Baal. Mais est-il possible de traiter de la même manière avec les montagnards des Alpes ?

— Nous avons envoyé des agents découvrir les cimes enneigées et leurs habitants et nous avons leurs rapports, affirma Adonis Baal !

— Je sais tout cela mon neveu ! J'ai en mémoire tous les écrits qui s'y rapportent, mais cela ne dit pas qui ils sont réellement ! Les écrits ont ce défaut de ne pas exprimer la juste vérité.

— Nous avons analysé chacun de leurs documents, nous ne partons pas à l'aventure, oncle !

— Oh, non, mon neveu ! Ce n'est pas une aventure ordinaire, en tout cas. Tes agents ont fait de l'excellent travail, et toi aussi.

Ces agents avaient rapporté tous les renseignements concernant les peuples qu'ils avaient rencontrés. Bien avant de partir de Karthagène, le général Hanni Baal savait donc déjà tout de leurs origines, de leurs noms, de leurs caractères, de la religion qu'ils pratiquaient et de leurs mœurs. Il savait à quoi s'attendre grâce à ce réseau d'agents qui n'avait rien négligé en étudiant minutieusement les pays qu'ils avaient traversés.

Et c'est ainsi que le général put constater, contrairement à ce que les auteurs de son époque en disaient, que la majorité du pays des Alpes était habitable et qu'à l'exception de la région des cimes, réputée ingrate, hostile aussi bien aux hommes qu'aux animaux, les deux versants étaient habités.

L'audace et la peur sont d'imprudents conseillers.
Citation de Platon. Timée –IVe s.

À Rome, le Sénat savait gouverner et agir, mais ni en temps utile ni d'une manière efficace. Le chemin des Alpes était toujours ouvert et les tribus cisalpines toujours aussi redoutables. Philéménus, l'espion d'Adonis Baal, sous les traits d'un marchand de chevaux ruiné lors du siège de Sagonte, se tenait informé grâce à un contact au sein même de l'institution, qu'il retrouvait les après-midi aux thermes.

— On aurait pu vivre en paix avec Karthage. Une paix durable même, déclara le sénateur Caius Sextus, enveloppé dans une large serviette.

— Après le désastre de Sagonte, j'en doute fort ! répliqua Philéménus, l'air faussement contrarié.

— À condition toutefois d'observer fidèlement nos traités, reconnut le sénateur à demi-mot.

— Si l'on voulait la ruine de Karthage, vos légions l'auraient accomplie depuis longtemps.

— Tu as sans doute raison et je comprends ton animosité contre les Karthaginois. J'aurais aussi nourri une haine farouche contre Karthage si j'avais subi ton triste sort, mon ami.

En réalité, les traités avaient été violés par Rome. En opérant la confiscation de la Sardaigne et profitant des vingt années de répit dont elle avait joui, la cité des marchands avait pu se régénérer. Pendant tout ce temps-là, il ne s'était pas trouvé dans Rome un grand homme d'État qui aurait pu envisager de haut la situation et prendre en main le destin des enfants de la louve !

— Et maintenant voici venir la guerre, se désola Caius Sextus.

— C'est notre ennemi qui choisit à présent librement son heure et le lieu du combat !

— Pire encore ! Tout en ayant pleinement conscience de notre supériorité militaire, nous n'avons pour l'instant ni plan, ni but, ni marche assurée, soupira tragiquement Caius Sextus.

*

En ce début de campagne, les Romains disposaient d'un demi-million de soldats. Leur cavalerie seule était moins bonne et moins nombreuse que celle d'Hanni Baal. La flotte romaine comptait deux cent vingt quinquérèmes toutes revenues récemment de l'Adriatique. Nulle nation au monde n'aurait pu en aligner autant dans une guerre et il eût été certainement facile de tirer profit de cette force écrasante !

Depuis longtemps les sénateurs romains avaient convenu qu'à la première levée de boucliers, les légions débarqueraient en Afrique sans tarder. Il aurait fallu aussi penser à envoyer des troupes en Espagne lorsque déjà le général Abdmelkart Barak avait manifesté une hostilité ouverte face aux émissaires romains venus le sonder au début de son expédition ibérique. Une descente combinée sur Karthagène aurait sûrement permis à une troupe d'occupation de retenir les Karthaginois pendant que les légions se portaient sous les murs de Karthage.

Cependant rien ne fut planifié conformément à ce redoutable plan de campagne. La cité de Sagonte était tombée entre les mains d'Hanni Baal après huit longs mois de siège et Rome resta sourde aux conseils d'une meilleure stratégie comme aux appels à l'aide des Sagontins dont l'héroïsme ne servit à rien.

— Le jour où ma cité tomba entre les mains des Karthaginois, Rome n'était pas encore prête pour un débarquement de troupes, se lamenta hypocritement Philéménus.

— J'en éprouve de la peine pour toi, mon ami, assura Caius Sextus. J'ai encore en mémoire, narrées par nos chroniqueurs, les horreurs commises par Hanni Baal lors du siège de ta cité.

— Oh, personnellement je ne suis pas trop à plaindre, car j'ai retrouvé en ta patrie de quoi retomber sur mes deux pieds et mon commerce est florissant, surtout en ce temps de guerre !

— Et tu peux compter sur l'amitié d'un Romain, je te le certifie !

Philéménus savoura cet instant où le sénateur se confiait totalement à lui. Il eut une pensée pour son chef de réseau de renseignements et récapitula dans sa tête les informations urgentes à transmettre à Adonis Baal.

*

Lorsque Hanni Baal traversa l'Iber pour se diriger vers les Pyrénées, son armée marcha sur des contrées dont les peuples étaient encore libres et considérés comme des alliés naturels des Romains. Une promesse d'un prompt secours leur avait été faite comme aux Sagontins. Mais là encore, Rome brilla par son absence.

Une flotte romaine en partant d'Italie aurait mis le même temps qu'une armée en marche de Karthagène pour arriver sur les bords de l'Iber où des légions auraient pu se poster pour bloquer l'avance de l'armée d'Hanni Baal. Si les Romains s'étaient mis en route au mois d'avril, en même temps que les Karthaginois, Hanni Baal aurait pu trouver les légions déjà postées sur la ligne de l'Iber !

Cependant, le gros de l'armée romaine fut réservé pour l'expédition d'Afrique et c'est le second consul, Publius Cornélius Scipion qui reçut l'ordre d'aller défendre le fleuve frontière en Espagne. Malheureusement, il fut retardé par une révolte survenant dans la plaine du Pô et à laquelle il dut faire face.

Les lenteurs coupables de Rome avaient une seconde fois causé la perte de ses alliés espagnols. Ce désastre était facile à prévoir autant que les lenteurs qui auraient pu être facilement évitées. De plus, le débarquement des légions, s'il avait été effectué en temps et en heure, aurait probablement mis en échec le plan de l'invasion de l'Italie par Hanni Baal.

Selon les informations transmises par Phileménus, il était sûr et certain qu'en ce printemps, les Romains n'étaient pas encore préparés à entrer en guerre encore moins à lui barrer la route. Le temps passé au siège de Sagonte et à la soumission de la Catalogne ainsi que le corps d'armée considérable que le général Hanni Baal laissa derrière lui, y compris dans les territoires conquis au nord de l'Iber, démontrèrent bien que si les légions étaient venues lui disputer son empire à ce moment précis, il était dans la pleine capacité de les affronter et de les battre.

— Il ne s'agit pas de se jeter en territoire ennemi, expliqua Hanni Baal à son neveu Adonis Baal qui le tenait au courant des messages en provenance de son agent Phileménus aussitôt parvenus et décodés. Nous n'allons pas agir à chaud et d'une manière désespérée devant la situation des Romains. Nous n'abandonnerons pas non plus notre terre espagnole.

— Si les Romains étaient parvenus à retarder notre départ de quelques semaines, un avantage capital leur aurait été acquis, indiqua Adonis Baal.

— Très juste mon neveu ! Car l'hiver aurait fermé les cols des Alpes.

— Et le corps expéditionnaire à destination de l'Afrique y accomplirait son débarquement sans coup férir !

Arrivé aux Pyrénées, Hanni Baal renvoya une partie de ses soldats chez eux. Et lorsque Mahar Baal s'en étonna, il eut aussitôt sa réponse :

— Cette mesure témoigne aux yeux de l'armée de la confiance que j'ai dans le succès de mon plan ! De plus, c'est aussi un démenti pour ceux qui croient que cette expédition est une de celles dont nul ne revient.

*

Ce fut donc avec cinquante mille fantassins, neuf mille cavaliers et trente-sept éléphants que le général Hanni Baal longea la côte méridionale gauloise au milieu des peuplades rendues favorables par des négociations antérieures, ou achetées sur place par l'or d'Atalès, ou encore domptées par les armes. Les soldats de la légion sacrée, avec leurs casques ruisselants, les escadrons de cavaliers numides et les monstrueux éléphants purent défiler tranquillement sans troubler la campagne. Vers la fin du mois de juillet, ils installaient leur campement sur la rive droite du Rhône. En Gaule Transalpine, Hanni Baal établit son camp près de la ville Illyberris. Il envoya des députations auprès des chefs gaulois des cités environnantes qu'il invita à Ruscino où il les reçut pour négocier son passage à travers leurs territoires. Seuls les Volkes, une tribu habitant les deux rives du Rhône, n'envoyèrent pas d'ambassadeur. À l'approche des troupes puniques, ils rassemblèrent leurs guerriers sur la rive gauche du fleuve, résolus à les empêcher de le traverser.

Le général et ses officiers apprirent de Philéménus, que le consul Publius Cornélius Scipion allait débarquer près de Massalia avec une armée consulaire composée de deux

légions romaines et de deux légions alliées, soit environ
vingt mille soldats et qu'il avait pour consigne de s'avancer
à la rencontre des puniques jusqu'aux Bouches-du-Rhône.

Hanni Baal ordonna alors de quitter la route du littoral
et pour éviter l'armée romaine, il résolut de remonter le
fleuve à quatre journées de marche.

— Il nous sera bien difficile d'entrer en Italie par le
littoral, dit Adonis Baal.

— Nous passerons donc par les Alpes, fit en écho Hanni
Baal. Ainsi nous couperons les voies de communication
terrestres avec Rome. Nous prendrons par le nord pour
éviter d'être retardés dans notre marche par les légions
romaines, trancha-t-il.

Le devoir d'un général n'est pas seulement de remporter une victoire, mais aussi de savoir quand il faut y renoncer !
Général Abdmelkart : −290/−229

Le consul Publius Scipion débarqua à Massalia vers la fin juin. Sa feuille de route précisait : expédition vers l'Espagne pour bloquer l'armée d'Hanni Baal aux bords de l'Iber. Cependant, arrivant sur les lieux, il apprit par les Gaulois fidèles à la cité de Massalia qu'il était trop tard.

— Hanni Baal a non seulement passé l'Iber, mais il a aussi franchi les Pyrénées !

À cette nouvelle, qui confirmait enfin le but du général karthaginois et la direction de son corps expéditionnaire, le consul Publius Cornélius Scipion abandonna momentanément sa feuille de route et décida de faire sa jonction avec les peuples celtes qui étaient alliés avec la cité de Massalia, sous influence romaine. Il tint conseil dans la cité et s'enquit auprès de ses officiers des points à occuper sur le Rhône en retardant sa décision d'intervenir, malgré les messages urgents en provenance des chefs des tribus gauloises. Pour autant, il ne jugea pas opportun de mettre ses légions en marche, faute de renseignements précis

— Nous irons stopper Hanni Baal sur le Rhône ! Nous lui fermerons le passage du fleuve et par conséquent de l'Italie ! affirma-t-il.

Ignorant ou feignant de ne pas donner foi aux nouvelles rapportées par ses alliés gaulois, il se contenta d'envoyer

un léger corps de cavalerie en éclaireur sur les deux rives
du fleuve.

*

Une fois le camp punique installé, Hanni Baal, assisté
de ses officiers et de son nouvel allié gaulois Magilus mit
rapidement sur pied le plan de la traversée du Rhône.

— Quel est ce confluent ? demanda-t-il en désignant
un point sur la carte

— La Durance, répondit le chef Gaulois Magilus. Il n'y
a qu'à remonter le Rhône jusqu'à l'Isère et là, bifurquer
à droite. Cela nous mènera directement dans le pays du
Brenn Halifax, un chef allié. Sa capitale est Cularo.

— C'est là que nous avons stocké des vivres, des
vêtements et des chaussures, compléta Adonis Baal. L'armée
pourra s'y refaire une santé avant la pénible ascension des
Alpes.

— Nous remonterons le Rhône par la rive gauche
jusqu'à cet affluent, décida alors Hanni Baal en cherchant
du regard le consentement du chef gaulois Magilus. Ce
dernier opinant du chef, il poursuivit : de là, nous nous
prendrons vers l'est en direction du col Taurinien.

— Excellent choix, cousin ! Il n'y a pas mieux que la
montagne pour revigorer nos chevaux, fit Mahar Baal.

Là-dessus, un messager arriva, porteur d'une nouvelle
en provenance de Massalia où Adonis Baal avait placé des
espions sous les traits de négociateurs en vin. Le courrier
informait Hanni Baal qu'une flotte romaine commandée
par le Consul Publius Scipion était mouillée depuis peu
aux Bouches-du-Rhône.

Le lendemain matin très tôt, Hanni Baal et son chef
de la cavalerie numide Mahar Baal détachèrent cinq cents
cavaliers sous le commandement d'Archobanès pour une
mission de reconnaissance des positions romaines.

Le général assembla ensuite son armée et lui présenta son nouvel allié, le Brenn Magilus, le chef gaulois venu de la plaine de Pô, se joindre à lui. Aidé d'un interprète, le Gaulois leur fit part de sa résolution de combattre les Romains à leur côté, ce qui donna du cœur et de la confiance aux soldats, car il leur promit en outre de partager avec eux la guerre et de les conduire d'une manière sûre jusqu'en Italie par les chemins les plus courts où ils ne manqueraient de rien pendant leur marche.

En face, sur l'autre rive, des tribus gauloises hostiles aux puniques avaient trouvé refuge, à l'approche de l'armée d'Hanni Baal. Là, elles tentèrent de défendre la ligne du fleuve avec la ferme intention de ne pas faciliter aux puniques le passage du cours d'eau.

— Les riverains du fleuve ont une importante activité commerciale avec Massalia. Leurs embarcations sont nombreuses et d'un assez fort tonnage. Ils cabotent sur les côtes de Ligurie et d'Espagne, indiqua Adonis Baal.

— Fais savoir aux chefs gaulois que j'achète comptant tous les bateaux qu'on voudra bien me céder !

Hanni Baal s'appliqua avant tout à rassurer par tous les moyens possibles les chefs des tribus qui étaient restées sur la rive droite. Il les assura de son amitié et de son aide. Puis il ordonna à ses officiers de maintenir les soldats avec une discipline sévère pour éviter tout accroc avec les populations gauloises qui risquerait de mettre en péril cette nouvelle alliance.

Après avoir inspecté les lieux, il se rendit compte qu'il n'était pas possible de réussir un passage forcé de la rive. Aussi, résolut-il de recourir à une manœuvre audacieuse et risquée.

*

Dès la tombée de la nuit, Hanna et ses soldats précédés de Magilus et de ses guides se glissèrent sans faire de bruit hors du camp et marchant le long de la rive droite en remontèrent le cours pendant trois jours. Ils s'arrêtèrent à un endroit où le fleuve, entrecoupé d'îlots, offrait un lit peu profond et un courant peu rapide qui pouvait être franchi sans trop de difficultés. C'est là que Hanna décida de passer sur la rive gauche du Rhône. A cet effet, il entreprit de faire couper du bois dans la forêt voisine et de lancer les troncs d'arbres à l'eau, où ils étaient immédiatement assemblés et attachés ensemble. Les hommes passèrent sur ce pont de radeaux et une fois sur l'autre rive, prirent position. Aucune présence ennemie ne fut détectée.

De son côté, Hanni Baal ne se contenta pas des ressources existantes, car elles n'allaient pas lui suffire à faire traverser son armée. Les habitants de la rive droite lui livrèrent tous les transports maritimes dont ils disposaient jusqu'aux simples canots employés par la navigation fluviale, mais c'était insuffisant. Il ordonna donc la construction immédiate d'une flottille d'embarcations monoxyles, c'est-à-dire façonnées dans un seul arbre.

Les hommes se mirent immédiatement à l'œuvre, aidés par des Gaulois locaux. Chaque soldat prit à tâche de confectionner sa pirogue et en deux jours, tout le matériel fut prêt. L'armée fut munie de tous les moyens propres pour franchir le fleuve. Après un temps de repos bien mérité et calculé avec précision par le général Hanni Baal en personne, Hanna ordonna à sa troupe de reprendre la marche vers le sud, avant l'aube. Ils descendirent la rive gauche jusqu'à un mamelon désigné à l'avance par le général.

Hanna ordonna d'y allumer un grand feu que l'on pouvait apercevoir du camp karthaginois.

Le jour commençait à poindre et Hanni Baal n'attendait que ce signal pour ordonner la mise en mouvement

de ses troupes qui étaient depuis un moment en alerte.
Dès qu'il vit la colonne de fumée, il ordonna l'embarquement. L'infanterie légère monta les pirogues et une
multitude d'avirons fendit au même moment les eaux du
fleuve.

La cavalerie lourde traversa le fleuve en amont de
l'infanterie, embarquée sur de gros bâtiments afin de
réduire la force du courant qui risquait d'emporter les plus
légères embarcations. Les chevaux occupaient les ponts des
bateaux, bridés et sellés pour être rapidement montés une
fois sur l'autre rive.

À la vue des premières embarcations, les Volkes enton-
nèrent leurs chants de guerre et bâtèrent leurs boucliers à
coups redoublés de javelot. Ils lancèrent ensuite une pluie
de traits sur la flottille punique qui luttait contre la violence
du courant, mais réussit la traversée du fleuve sans perdre
son sang-froid, dans un affreux tumulte.

A ce moment-là, de nouveaux cris se firent entendre
derrière la ligne de défense des Volkes. Des flammes s'éle-
vèrent en tourbillonnant. C'était Hanna et ses hommes
qui incendiaient le camp de leur ennemi. Les Volkes, pris
à revers, sentant leur position impossible à tenir, opérèrent
sans tarder une retraite qui se changea rapidement en
déroute. L'avant-garde de l'armée punique continua à
poursuivre ardemment les bandes ennemies, qui furent
talonnées de toutes parts jusqu'à ce qu'elles atteignirent
leurs inaccessibles refuges.

Le général fit alors tranquillement franchir le fleuve au
reste de son armée. Lorsque le dernier de ses soldats eut
franchi le Rhône, il fut le dernier à gagner la rive gauche
du fleuve où il fit établir son campement.

Les éléphants avaient été volontairement laissés en
attente sur l'autre rive.

Au matin, il fut procédé à leur traversée sous l'œil
vigilant de Hanni Baal qu'accompagnaient son nouvel

allié gaulois et son interprète. Il ne fut pas crédule au point de prêter foi aux propos selon lesquels les populations de la région étaient hostiles aux Romains au point d'être prêts à prendre les armes en faveur des nouveaux venus.

Déroulant une carte de la région, il écouta les explications de Magilus :

— Le Rhône prend sa source au-dessus du golfe Adriatique, inclinant vers l'ouest. C'est dans cette partie des Alpes qui s'abaisse vers le nord qu'il coule vers le couchant et se jette dans la mer de Sardaigne. De l'autre côté, il suit pendant longtemps une vallée dont le nord est habité par les Gaulois Ardyes. Le sud est bordé par le versant nord des Alpes. Les plaines des environs du Pô sont séparées de cette vallée du Rhône par toute la hauteur des montagnes qui s'étendent depuis Massalia jusqu'au fond du golfe Adriatique.

— C'est donc en franchissant ces montagnes que nous entrerons en Italie, conclut Hanni Baal.

La traversée des pachydermes ne fut pas une mince affaire. Les cornacs, aidés par les ingénieurs puniques, montèrent plusieurs radeaux et en joignirent deux l'un à l'autre, faisant ensemble cinquante pieds de largeur qu'ils mirent au bord de l'eau en les arrimant solidement à la terre. D'autres radeaux construits de la même façon finirent par constituer un pont dont le côté exposé au courant fut attaché aux arbres du rivage.

Les radeaux furent ensuite couverts de terre et de gazon afin que ce passage ressemble au chemin que les éléphants avaient l'habitude de prendre. Les cornacs placèrent en tête de cortège deux femelles pour que les autres puissent suivre sans hésitation.

Un seul incident se produisit qui manqua de faire perdre deux des éléphants mais la force prodigieuse de ces derniers leur permit de résister au courant et de gagner l'autre rive sains et saufs.

*

Le consul romain Publius Cornélius Scipion ayant envoyé un détachement de sa cavalerie pour une mission de reconnaissance, celui-ci se heurta aux cavaliers d'Archobanès et il se produisit ainsi le premier engagement, particulièrement violent, entre les belligérants. Beaucoup d'hommes périrent. L'accrochage dura jusqu'à la nuit, à la faveur de laquelle Archobanès ordonna aux rescapés de se retirer en ordre dispersé afin de regagner le camp karthaginois, poursuivis par les éclaireurs romains qui avaient reçu l'ordre d'évaluer la puissance de leur ennemi. Ils parvinrent à proximité du camp karthaginois dont ils purent observer les positions et constater que la cavalerie n'était pas composée que de cavaliers. Impressionnés par la présence des éléphants, ils se retirèrent discrètement et galopèrent à bride abattue en direction du sud, vers Massalia afin d'en informer le consul Publius Cornélius Scipion. Ayant rapidement pris conscience de la gravité de la situation, ce dernier ordonna immédiatement à ses hommes de faire mouvement pour attaquer les Karthaginois mais lorsque les Romains arrivèrent à l'endroit indiqué par les éclaireurs, ils n'y trouvèrent que les traces encore fraîches laissées par les éléphants.

L'escadron de cavalerie commandé par Archobanès le Numide, après avoir protégé le passage des pachydermes, avait déjà rejoint le gros de l'armée karthaginoise.

Scipion retourna sans gloire à Massalia avec des troupes fatiguées et devant ses alliés gaulois, il affecta le mépris de ces Karthaginois qui avaient lâchement pris la fuite au lieu de l'affronter. En réalité il ne s'était jamais douté que ses adversaires allaient emprunter ce passage pour pénétrer en Italie.

— Je pensais Hanni Baal incapable de traverser une région peuplée de barbares !

Il lui fallait rapidement regagner l'Italie par mer afin d'arriver aux Alpes par la Tyrrhénie avant l'arrivée des Karthaginois. Il le fit après avoir chargé son frère de poursuivre les opérations en Espagne.

Les pieds finissent toujours par aller là où va le cœur
Le sage Amessan : −293/−205

À Kirthan, on suivait les exploits du général Mahar Baal avec une attention presque fanatique. Les nouvelles en provenance d'Espagne étaient attendues et commentées avec frénésie collective. L'Aguellid Gaïa se chargeait de les lire en compagnie de son épouse, la grande prêtresse Titrit, de ses proches conseillers, Aberkan, Amessan et Mastanabal, et des princes, Kabassen et Massinissa.

— A-t-on des nouvelles de Mahar Baal ? demanda Massinissa au prince héritier de retour de chevauchée.

— Oui, à l'instant, répondit Kabassen. L'armée d'Hanni Baal est en marche vers le fleuve Rhône.

— Mahar Baal tient ses promesses, il est digne de confiance, commenta Mezhian le palefrenier en prenant en charge Tzil, la jument de Massinissa.

Les deux princes arrivèrent dans la salle du trône où le comité de lecture habituel s'était installé pour écouter le roi Gaïa en personne lire les paroles de Mahar Baal. Puis, tous furent attentifs quand débuta la relecture du premier parchemin.

— « Nous avons traversé les Pyrénées sans trop de problèmes et nous avons continué le long du littoral méditerranéen sans rencontrer d'animosité de la part des peuplades locales. Les comptoirs commerciaux nous ont apporté une aide remarquable lors de cette marche vers l'est. Nous nous sommes ensuite écartés de la grande cité phocéenne de Massalia, car nous avons appris qu'une armée romaine nous y attendait pour nous bloquer. Nous avons eu une première bataille avec un escadron de cavalerie romaine pendant laquelle Archobanès faillit perdre la vie. Il s'en est tiré, sain et sauf. Nous nous apprêtons à franchir le Rhône au moment où je vous écris. »

— Que dit-il à propos de la bataille ? A-t-il engagé les éléphants ?

— Attends, Massinissa ! Ma vue n'est plus ce qu'elle était, mon fils. Tiens Kabassen ! Veux-tu bien nous lire la suite, demanda l'Aguellid en se frottant les yeux.

— Hanni Baal n'est pas homme à ignorer que les éléphants sont là une arme à double tranchant. Ils peuvent apporter la défaite dans les rangs amis aussi souvent que dans les rangs ennemis.

— Nous n'avons pas manqué de lui rappeler qu'il faut utiliser les pachydermes avec circonspection et en petit nombre, ajouta Mastanabal.

— Nous t'écoutons Kabassen, fit le roi en levant la main pour imposer le silence.

— « Une fois la conquête de la Catalogne effectuée, lut Kabassen, nous avons passé la frontière de la péninsule ibérique, résolus et déterminés. Hanni Baal s'apprête à ouvrir d'une main assurée un livre d'histoire jalonné de batailles et d'opérations militaires qui marqueront dans la mémoire des hommes un souvenir ineffaçable. Lorsqu'il ordonna de lever le camp d'Ampurias en ce mois d'octobre, notre armée s'ébranla vers la chaîne des Pyrénées avec un effectif réduit de soixante-dix mille soldats, à cause des désertions et des licenciements. Cependant, cette armée est d'une solidité à toute épreuve. »

— Le temps est plus précieux que le sang des soldats, songea l'Aguellid Gaïa en prenant un air circonspect. Continue Kabassen !

— « Pendant l'hiver dernier, nous avions fait tous les préparatifs afin d'assurer la tranquillité de l'Espagne pendant notre absence. Afin de réduire le nombre d'ennemis possibles, Hanni Baal avait recruté une armée de douze cents chevaux et quatorze mille fantassins parmi les tribus les plus turbulentes de l'Ibérie pour les envoyer en Afrique servir de garnisons à Karthage et aux autres cités où la présence karthaginoise risquait d'être menacée par nos ennemis. J'étais venu auprès de mon Aguellid Gaïa pour recruter un *nouveau* corps de quatre mille cavaliers et une trentaine d'éléphants afin de renforcer les garnisons karthaginoises en Espagne dont une partie fut mise à la disposition de notre cousin Sadar Baal Barak, nouvellement nommé gouverneur à Karthagène. Je suis reparti vers l'Espagne avec la promesse faite aux princes, mes cousins, de leur écrire de temps en temps pour les tenir au courant de cette conquête inédite. Dont acte. Signé : Mahar Baal, fils de Masigrada.»

*

De l'autre côté de la mer intérieure dans le camp karthaginois, et presque au même moment, le jeune général barcide sortit de sa tente au moment où le disque solaire commençait à basculer vers la mer infinie. L'air s'étant rafraîchi soudainement, il jeta sur ses épaules le manteau en lion qu'il avait ramené de Karthagène. Il fut aussitôt rejoint par son cousin Mahar Baal qui l'attendait autour d'un feu.

— Allons inspecter tes cavaliers et profiter du spectacle !

En chemin, d'autres chefs de guerre ibères leur emboîtèrent le pas, curieux de découvrir les secrets de leur réputation. Parmi eux se trouvait Magilus.

— Pour celui qui n'a jamais vu un escadron de cavaliers numides en action, armés de lances et de boucliers, c'est sidérant, promit Mahar Baal.

En effet, arrivés sur les lieux, ils en eurent plein les yeux. La cavalerie manœuvrait avec aisance et les hommes faisant corps avec leurs destriers obéissaient naturellement aux différents ordres des chefs d'escadrons. Ils faisaient demi-tour, chargeaient et se retiraient en harmonie, avec une célérité remarquable, les armes s'entrechoquant et les chevaux filant à une allure folle au milieu d'un nuage de poussière. Un spectacle fait pour tétaniser l'ennemi.

A la fin de l'exercice équestre, les deux généraux allèrent saluer les cavaliers et féliciter les chefs d'escadron pour leur prestation remarquable. Hanni Baal proposa aux chefs celtibères et gaulois de partager le souper alors qu'ils s'apprêtaient à retourner dans leurs tentes. Il leur fit savoir également que le conseil de guerre se tiendrait en fin de journée.

Au cours du repas, Magilus s'approcha de Mahar Baal et s'adressa à lui avec un air solennel.

— Dis-moi général, nos peuples semblent très proches de par leurs coutumes.

— Tu veux dire, nous, les Berbères ?

— Oui. Je connais assez les Karthaginois. Vous semblez différents d'eux !

— Notre richesse n'est pas dans les constructions pharaoniques, ni dans un commerce à grande échelle. Nous attachons beaucoup d'importance à nos chevaux, à notre bétail et tout comme vous, nous ne pratiquons pas l'esclavage.

— Et quel rôle la femme tient-elle dans votre société berbère ?

— Il est important. Elle monte à cheval et sait se battre aux côtés des hommes, car pour se défendre, il faut savoir se rassembler pour lutter contre l'ennemi. Contre les razzias des autres tribus, des bras supplémentaires ne sont jamais de trop.

— Cela en fait des femmes farouches !

— Cela rend nos femmes plus difficiles à maîtriser en cas de rapt. Certaines ont même eu la réputation d'être des tueuses d'hommes, comme les amazones.

— Et le cheval, comment est-il arrivé à être lié à votre histoire ?

— Comme tous les peuples initialement nomades, nous avons adopté la cavalerie. La configuration géographique de la Numidie et notre mode de vie ne permettent pas aux fantassins de rivaliser avec des cavaliers. Aylimas décrit d'ailleurs dans son codex la société berbère qui trouve dégradant lors d'une razzia de combattre à pied, allant même jusqu'à qualifier de lâche un homme qui se bat à pied.

— Cela explique l'importance que vous accordez à l'art équestre !

— Nos cavaliers apprennent l'équitation dès leur plus jeune âge, avec des chevaux d'assez petite taille, vifs et robustes, castrés pour éviter qu'ils ne soient attirés par les juments.

— L'exercice que nous avons vu tantôt est édifiant, reconnut le chef gaulois.

— En effet, notre cavalerie est entraînée à exécuter rapidement une attaque massive, suivie d'un repli, puis d'une autre attaque éclair, d'un autre repli et ainsi de suite. Nos guerriers frappent fort avant de battre en retraite, ce qui présente l'avantage d'affaiblir l'ennemi en lui causant des pertes nombreuses et de l'obliger à rester toujours sur le qui-vive pour éviter d'être surpris. Cette tactique pèse énormément sur le mental des troupes ennemies sur les champs de bataille. Pour notre part, nous accordons beaucoup d'importance à la préservation des vies de nos cavaliers et avec cette tactique, nous ne perdons pas trop d'hommes lors des affrontements.

La majorité des cavaliers numides ne connaissent pas l'usage du bouclier, cependant l'arc et la lance restent incontournables pour tous les combattants à cheval. Ainsi, ils ont pour eux l'immensité de la plaine, l'endurance et la vélocité de leurs montures. Habitués au pillage et aux raids éclairs, ils sont en mesure de détruire une légion entière qui ne s'attend pas à la rapidité des attaques, l'arme légère que constitue l'arc permettant de combattre à distance en feignant de fuir devant les poursuivants.

Le cavalier Numide est exercé à poursuivre et à fuir. Il sait se débander et prendre de l'espace pour mesurer ses coups. Il mise tout sur des attaques à distance pour affaiblir l'ennemi avant la bataille ; c'est pour cette raison qu'il doit arriver au plus vite au contact, ainsi, léger, il ne risque pas grand-chose. Ce qui n'est pas le cas de sa monture qui peut très bien se faire abattre par les projectiles ennemis.

Les charges lancées par la cavalerie numide avaient un effet dévastateur et les Romains le savaient. C'est pourquoi ils cherchèrent constamment à en faire une alliée.

Ce n'est pas en ignorant les choses
qu'elles cessent d'exister !
Hanni Baal Barak

Le sénat romain venait de nommer les deux magistrats
que le peuple avait élus pour cette année, lors des comices
centuriates. Ces consuls formaient un collège qui exerçait
l'imperium, c'est-à-dire le pouvoir suprême civil et militaire.
Ils commandaient aussi les armées romaines, mais sans détenir
le pouvoir absolu, car ils l'exerçaient sous le contrôle du Sénat.

— L'élection exige de nombreux appuis et cette magis-
trature n'est pas rémunérée ! Pour être exercée, elle nécessite
de plus en plus de moyens, affirma Caius Sextus en poussant
une coupe de vin frais vers son invité, le marchand de
chevaux.

— C'est pour cette raison que le consulat n'est réellement accessible qu'à l'aristocratie, dit Phileménus.

— C'est une charge qui a été réservée pendant très
longtemps aux membres des anciennes familles patriciennes
avant que les lois en ouvrent l'accès aux plébéiens.

— C'est que l'exercice du pouvoir consulaire à la tête
de l'armée permet d'acquérir gloire et popularité pour
soi-même et sa famille, reprit Phileménius.

— Ainsi qu'influence et richesses, enchaîna son interlocuteur avec un clin d'œil complice.

— J'y vois un excellent moyen pour Rome d'étendre
sa domination sur le monde grâce à des succès militaires !

— Lorsque des généraux ambitieux ne l'utilisent pas pour asseoir leur domination sur la République, rectifia Caius Sextus.

— Cela n'a pas toujours été le cas ?

— Oh ! L'histoire se répète tristement, tu sais… Et celle de Rome ne fait pas exception. De nombreuses peuplades de toutes les contrées s'y sont rencontrées. Des populations entières se sont heurtées en son sein, certaines se sont expulsées les unes les autres, mais toujours en laissant sur place des tribus. Les plus anciennes sont les Pélasges que l'on considère comme les autochtones. Les Liburnes, les Sicules et les Vénètes franchirent les Alpes et vinrent s'y installer par la suite pour former la grande nation des Illyriens. La tribu ibère des Sicanes vint s'installer en Ligurie en poussant les Sicules plus au sud.

— Et les tribus du nord ? interrogea Philéménius, intéressé par ce cours d'histoire improvisé.

— Les Celtes descendirent du nord et forcèrent à leur tour les Sicanes à suivre le même chemin que ceux qu'ils avaient chassés auparavant pour finir par se mélanger avec eux. Les Étrusques finirent par se fixer sur les bords du Pô après avoir traversé les Alpes Rhétiennes. Finalement, ils imposèrent au pays une civilisation avancée et fondèrent douze cités pour en faire une ligue.

— On dit qu'ils maîtrisaient l'art de diriger la foudre…

— Ils furent aussi très habiles dans la science menteuse des auspices et des présages. C'est le Troyen Enée qui en épousant la fille du Latinus, un roi d'une contrée du centre de la péninsule, posa les fondations d'une nouvelle cité qui allait devenir la Rome d'aujourd'hui.

— L'âge heureux du règne de Janus, le symbole du chaos et de l'organisation !

— Mais tu m'as l'air instruit pour un éleveur de chevaux, l'ami.

— Je n'ai pas toujours été dans les chevaux. Avant la destruction de Sagonte, je passais pour un homme instruit et riche. À propos du règne de Janus, on dit que c'est un temps où vécut Saturne, comme une réminiscence des temps primitifs.

— Ces récits relèvent plus de la poésie que de l'histoire.

— Comme la légende des jumeaux ?

— Les enfants de la vestale Rhéa, la mère de Romulus et Rémus.

— Elle était en réalité la fille d'un roi détrôné par son frère qui s'empressa de faire disparaître toute descendance pour lui contester son pouvoir. La légende dit qu'ils ont été allaités par une louve sur les bords du Tibre et sauvés par des bergers qui en firent d'intrépides chasseurs. Quand ils apprirent la vérité sur leur naissance, ils renversèrent leur oncle usurpateur et réinstallèrent le vrai roi sur son trône.

— J'ai appris que c'est sur les bords du Tibre, à l'endroit où s'élevaient les sept collines que s'installèrent Romulus et Rémus. Ils bâtirent leur cité sur le mont Palatin, l'une des collines.

— C'est en effet là qu'a pris naissance la légende de Rome, acquiesça Caius Sextus. Romulus tua son frère dans une querelle puis il ouvrit sa cité pour la peupler de bandits et d'esclaves fugitifs. Grâce aux conquêtes faites sur le voisinage, il distribua à ses compagnons des terres et se fit chef religieux. Il s'entoura d'une garde de trois cents soldats, les Célères, et nomma un sénat de cent vénérables personnes âgées, les pâtres, que l'on nomma par la suite les patriciens. Le reste du peuple composa l'ordre des plébéiens.

— Et les femmes ?

— Ah, les femmes ! Elles manquaient beaucoup à cette nouvelle nation de brigands et de proscrits. Leurs voisins les méprisaient à juste titre et leur refusaient leurs filles en mariage. Romulus eut alors recours à une ruse originale :

il donna une fête somptueuse à laquelle il invita ses voisins dont il enleva les femmes et les filles qui s'y étaient rendues.

— Les Sabines…

— Oui. Et les sabins attaquèrent Romulus pour se venger. Ils entrèrent dans la cité grâce à une trahison, mais quand les hommes en arrivèrent à se battre face à face, les Sabines s'interposèrent entre leur père et leur époux. Elles établirent la paix et les Sabins occupèrent la roche tarpéienne, nommèrent de nouveaux sénateurs et imposèrent leur roi pour diriger la nation conjointement avec Romulus.

— Ainsi s'acheva la légende de Romulus …

— Sans doute. Cinq ans après, le roi sabin Tatius fut assassiné. La puissance de Romulus inquiéta le sénat qu'il avait cessé de consulter depuis fort longtemps. Au milieu d'un orage qui éclata en plein milieu d'une assemblée du peuple, il disparut tout simplement.

— Assassiné ?

— L'un d'entre eux jura devant le peuple qu'il lui était apparu en songe, annonçant qu'il était ravi d'être dans l'Olympe et qu'il demandait à être adoré sous le nom de Quirinus… Histoire de duper le peuple et d'écarter les soupçons des meurtriers qui se hâtèrent d'élever des autels à leur victime.

— Peu leur coûtait de l'adorer au ciel pourvu qu'ils n'eussent plus à le redouter sur terre !

— Très juste, l'ami étranger. Les sénateurs tentèrent de gouverner tour à tour, mais ce fut le chaos. Alors, le peuple voulut un roi et ce fut ce dernier qui posa les fondements de notre constitution romaine.

— Impressionnant ! A présent, qu'en est-il de l'élection des consuls de cette année ?

— Les deux consuls désignés se partagent les provinces consulaires et reçoivent leurs ordres directement du sénat. Pour cette année, Tiberius Sempronius Longus sera envoyé en Sicile avec les forces de deux légions et de plusieurs milliers d'alliés ; il commandera une force d'environ vingt-quatre mille fantassins et deux mille cavaliers.

— Au fait, pourquoi le sud ?

— Il s'agit de porter la guerre en Afrique. Pour cela il doit se rendre au plus vite sous les murs de Karthage. Pour transporter ses troupes de Sicile en Afrique, il disposera d'une flotte de cent soixante quinquérèmes.

Disant cela, Caius Sextus ignorait que le soir-même un courrier allait porter l'information au neveu du général Hanni Baal, le chef des renseignements de l'armée punique.

Il poursuivit : Le consul Publius Cornelius Scipion devait, de son côté, partir avec deux légions pour l'Iber mais on vient d'apprendre qu'une révolte des Boiens et des Insubres dans la plaine du Pô vient d'éclater. Sa mission initiale de débarquer à Massalia et de se porter au-devant de l'armée d'Hanni Baal avant qu'elle ne franchisse le Rhône est donc retardée.

C'est ainsi que la légion qui se rendit par mer à Massalia pour bloquer la route à l'armée d'Hanni Baal trouva en face d'elle le vide laissé par le général punique en partance pour l'Italie. Hanni Baal avait réparti efficacement son armée pour défendre l'Ibérie sous le commandement de son jeune frère Sadar Baal et aussi pour protéger Karthage, en y envoyant des soldats loin de leur lieu de recrutement, avec son fils Asbar Barak et son épouse Himilkié. Aux Berbères qui rentreraient vainqueurs de cette expédition, il fit le serment de leur donner le droit de cité à Karthage.

Un peu plus tard, le sénateur Caius Sextus et Phileménus se retrouvèrent pour parler chevaux, sujet devenu la passion actuelle du sénateur romain. La discussion s'orientait toutefois très vite sur l'actualité politique et militaire du moment. C'était l'occasion pour le Romain de faire étalage de ses sources d'information et de montrer à son ami qu'il avait le bras long au sein du sénat.

— Il n'y avait que deux chemins pour arriver d'Espagne en Italie, dit-il. Le plus facile est celui de Massalia par la côte ligurienne. Il est cependant trop long. Le plus court s'élève sur les Alpes par le territoire des Vocontiens, mais il est ardu.

— Et c'est celui qu'a pris Hanni Baal, n'est-ce-pas ? souffla Philéménus, jouant parfaitement à l'ignorant.

— Très juste ! En s'approchant du Rhône, qu'il a franchi à quatre jours de marche de son embouchure, où se trouvait justement Publius Scipion, il s'est dirigé vers le nord pour dérober sa marche à notre consul.

— Je te sens très contrarié par cette nouvelle, Caius Sextus ! N'est-il pas de bonne guerre que chacun d'eux utilise la ruse pour arriver à ses fins ?

— Ce qui m'attriste, c'est plutôt que l'armée que Scipion Publius vient de confier à son frère Cnaeus est actuellement en Ibérie aux prises avec les Karthaginois et qu'on ne peut donc la rappeler ! pesta Caius Sextus.

— Et celle de Sempronius ?

— Toujours en Sicile. On se demande bien si un jour ce consul voudra partir contre Hanni Baal !

— Qu'est-ce qui l'en empêcherait ?

— Tiberius Sempronius a choisi, selon les dires, de nettoyer les îles autour de la Sicile. Il a passé cet été à faire quelques reconnaissances en Afrique.

— Quelques reconnaissances ! Quel doux mot pour de telles incursions chez nos ennemis. Moi, j'ai plutôt entendu parler d'un temps des ravageurs !

— Quoi qu'il en soit, la moitié de nos légions sont stationnées en Sicile !

— Il n'y a donc, pour arrêter l'armée d'Hanni Baal, que deux légions affaiblies par les combats livrés aux Boiens et aux Insubres !

— Ce sont vingt mille soldats qui ont fort à faire pour pacifier la Gaule Cisalpine, rappela Caius Sextus.

Philéménus pensa au message qu'il ferait partir dès ce soir à l'armée punique. Il mentionnerait sans ambiguïté aucune que le lionceau (nom de code de Hanni Baal) est libre de poursuivre sa route !

*

Dès le début du printemps −218, les consuls romains achevèrent donc tous les préparatifs nécessaires à leurs expéditions. Publius Scipion prit la mer pour l'Espagne avec soixante vaisseaux et Tiberius Sempronius, avec cent soixante vaisseaux longs à cinq rangs, se rendit en Afrique en faisant une halte en Sicile pour organiser son débarquement sur les côtes africaines. Il s'installa à Lilybée en attendant.

— Pourquoi tant d'impétuosité et tant de préparatifs ? s'indignèrent les magistrats locaux de Sicile en voyant débarquer chez eux une telle démonstration de force, les troupes du consul sont si nombreuses qu'on pourrait croire qu'il veut mettre le siège devant Karthage même.

Publius Cornelius Scipion longea la côte de Ligurie et arriva le cinquième jour dans le voisinage de Massalia à la première embouchure du Rhône. Il mit ses troupes à terre et apprit là qu'Hanni Baal avait déjà passé les Pyrénées.

Lorsque la nouvelle arriva à Rome, le Sénat romain fut très consterné.

Les débats furent à nouveau très animés et la séance dura tard dans la nuit. Publius Cornelius Scipion n'avait pas pu arrêter Hanni Baal avant qu'il n'ait franchi le Rhône alors que les légions romaines se trouvaient à l'embouchure du fleuve !

Il s'était replié sur l'Étrurie en espérant croiser à nouveau l'armée d'Hanni Baal quand elle arriverait en Gaule Cisalpine ! Il avait confié le commandement à son frère Cnaeus, qui avait déjà été consul quatre années auparavant,

avec la mission de se rendre en Espagne. Il pensait ainsi
obliger les Karthaginois d'Ibérie à laisser des soldats sur
place et les empêcher d'apporter leur aide à Hanni Baal
en Italie.

Si tu enseignes le bien sans le faire,
tu es comme cet aveugle qui porte une torche.
Aguellid Aylimas 2

En cette fin de juillet –218, l'armée du général Hanni
Baal marchait à travers la Gaule méridionale tandis que le
consul Publius Scipion confiait ses légions à son frère Cnaeus
pour les convoyer par bateaux vers l'Ibérie. Le débarquement
en Afrique fut abandonné et les légions positionnées en Sicile
vinrent en renfort pour contenir l'avancée des Barcides. Hanni
Baal fait le point sur la situation.

— Jusqu'à présent, nous avons réussi à ouvrir un passage
au milieu de la Gaule méridionale sans aucune difficulté
et à pacifier nos arrières, déclara-t-il.

Ses officiers approuvèrent. Ils connaissaient les risques
encourus pour cette expédition, mais avaient une totale
confiance en leur chef.

— Mis à part cette première escarmouche contre les
Romains, corrigea Mahar Baal.

— Et contre les Volkes, ajouta le général Hanna.

*

La première rencontre se fit entre un détachement
d'éclaireurs romains et un détachement d'éclaireurs
numides sous le commandement du jeune Archobanès.
C'est à cette occasion d'ailleurs que le consul Scipion qui

venait de débarquer avec son frère Gnæus à Massalia fut
informé de l'avance des troupes ennemies.

— Hanni Baal est déjà sur le Rhône, lui apprit-on, à
peine débarqué.

— Cela ne me surprend pas du tout, pressé qu'il est
d'en découdre avec nous. Au moins, cela nous renseigne
sur sa direction et son but, expliqua-t-il à son frère Gnæus.

— Poursuivons-les ! dit ce dernier, pressé de justifier sa
présence en ces lieux.

— Du calme, mon frère ! Faut-il prêter foi aux informations des Gaulois qui s'affolent prématurément, il me
semble !

— Dans ce cas, nous n'avons qu'à envoyer un détachement de cavalerie en éclaireurs pour confirmer la présence
des puniques dans les parages !

Il en fut ainsi et à leur retour, les éclaireurs lui confirmèrent la présence de l'ennemi. Scipion décida d'avancer
avec son armée, malheureusement pour lui, il n'atteignit
le Rhône que trois jours après le passage des Karthaginois.
Désespérant de les rattraper, il retourna à Massalia et divisa
ses forces.

— Gnæus, prends deux légions et vingt navires et
continue vers l'Espagne. Je dois remonter vers le pays des
Ligures pour barrer la route à Hanni Baal.

— Tu comptes l'affronter seul ?

— Non, je ferai jonction avec notre armée qui occupe
la Haute-Italie.

Gnæus Scipion partit de l'embouchure du Rhône et
aborda à Emporium où il attaqua successivement toutes
les cités de la côte jusqu'à l'Iber, s'en rendit maître et en
soumit par les armes celles qui lui résistèrent les forçant
à conclure une alliance avec les Romains. Se présentant
comme le vengeur des Sagontins, il n'eut pas de mal à
convaincre les peuples Celtibères qui n'avaient pas été
soumis aux Karthaginois, d'accepter l'alliance des Romains.

Il se heurta à l'armée karthaginoise qui campait dans les parages et qu'Hanni Baal avait laissée dans le pays après sa traversée du Rhône.

Cette première bataille qui se livra en Espagne entre les deux républiques se solda par une défaite Karthaginoise. Hanna fut surpris et son armée entièrement défaite. Gnæus Scipion put s'emparer de son camp où il trouva tous les bagages qu'Hanni Baal avait laissés avant d'entrer en Gaule. Le butin fut considérable.

Apprenant la nouvelle du désastre, le gouverneur Sadar Baal Barak accourut pour secourir le général Hanna. Il traversa le fleuve Iber à la tête de son armée, constata la défaite punique mais réussit à disperser les troupes romaines. Toutefois, il ne put les vaincre. Il se retira à Karthagène où il prit ses quartiers d'hiver.

Scipion Gnæus en profita pour réunir les troupes de terre et de mer afin d'occuper la cité de Tarragone où son frère Publius vint le rejoindre avec de nouvelles troupes.

*

Depuis un an, la guerre battait son plein dans le sud de l'Europe. L'Italie était à feu et à sang, comme l'avait prédit la pythonisse africaine lors du serment d'Hanni Baal en présence de son père Abdmelkart. La cité de Rome elle-même était sérieusement menacée par les troupes du général Karthaginois et l'Espagne était le théâtre désolant d'affrontements entre forces romaines et puniques, qui subissaient tour à tour des revers et des succès. Les Karthaginois étaient devenus maîtres d'une partie de l'Italie et les Romains, grâce aux frères Scipion, contrôlaient à présent une partie importante de l'Espagne du sud. Mais une autre guerre, plus sournoise, moins ravageuse en vies humaines et en matériel, cependant tout aussi efficace, commença parallèlement aux affrontements des armées :

C'était celle de la propagande et de la déstabilisation psychologique de l'ennemi, celle qui portait sur le moral des troupes et leur détermination à emporter la victoire.

Tandis qu'Hanni Baal s'attachait à désolidariser des populations italiotes du giron de Rome, les frères Scipion de leur côté faisaient en sorte d'encourager des désertions dans l'armée karthaginoise de Sadar Baal Barak, dans laquelle il y avait un fort contingent de recrues numides appartenant au royaume des Massaeylès. Au vu des résultats obtenus sur le terrain, ils songèrent à pousser leur audace jusqu'à étendre leurs actions en Afrique même et faciliter la création d'un parti défavorable à Karthage parmi les royaumes voisins. Les deux frères réunis au cours d'un repas auquel ils avaient convié leurs officiers envisagèrent des actions tactiques à mener dans ce sens.

— En portant la guerre sur notre sol, Hanni Baal menace sérieusement la survie de nos citoyens ! Nous devons trouver tous les moyens nécessaires pour affaiblir Karthage ! déclara Gnæus, l'aîné des deux frères.

— En effet, admit celui-ci, cette présence Karthaginoise en Italie pèse beaucoup sur nos populations. La solution est de l'éliminer de notre sol le plus vite possible.

— Voilà qui est indiscutable, la question est de savoir comment affronter un adversaire aussi décidé que cet ambitieux Karthaginois.

Les deux hommes étaient convaincus de la certitude que le destin les avait choisis pour détruire leurs ennemis ensemble. Un moment, Gnæus, l'aîné, parut perdu dans ses pensées jusqu'à ce que Publius, son cadet, le surprenne par son intervention.

— La seule solution est de porter la guerre en Afrique ! lança-t-il.

Le défaut le plus apparent de Publius était probablement celui qui consistait à systématiquement simplifier les choses quand il s'agissait de la guerre avec les Karthaginois, mais cela ne déplaisait nullement à Gnæus qui prit le temps de la réflexion. Il se leva et alla se servir une coupe de vin espagnol. Voyant qu'il lui en fallait un peu plus, il demanda à une servante de lui en préparer une amphore pour le dîner. Le vin, mêlé souvent à de la résine et de la poix, elle le filtra avec une passoire dans un cratère puis y ajouta un bon tiers d'eau, car il était trop épais pour être bu pur. Quand elle eut fini, elle salua et disparut de la tente.

— À présent, frère aimé, dînons ! Le ventre creux n'est pas bon conseiller !

Désignant un lit, il suggéra à Publius de s'y allonger ; ce dernier ne se le fit pas répéter. Il s'y étendit de tout son long, puis, prenant appui sur son coude, il réajusta son épée qui ne le quittait jamais.

— Bientôt toute cette guerre sera derrière nous comme un mauvais souvenir, mon cher frère.

Gnæus claqua des mains et des serviteurs chargés de victuailles entrèrent sous la tente. Ils commencèrent par servir la *gustatio*, en entrée, composée d'œufs, de salade verte ainsi que de crustacés fraîchement pêchés en mer. Ensuite vint le tour de la *prima mensa* durant laquelle plusieurs services furent présentés à la table des généraux. Ils dégustèrent ainsi la *patina*, un mélange de purée de légumes et de poissons avec des œufs, ensuite le *minutal*, une sorte de hachis de viande avec des fruits, puis des boulettes de viande appelées les *ofellae* accompagnées d'une sauce fortement relevée. Enfin, ce fut le dessert : des fruits et des pâtisseries confectionnées sur place. Repus, les deux frères reprirent leur conversation :

— Commençons par envisager une stratégie qui nous permette de débaucher les alliés de Karthage qui se battent en Ibérie, dit Gnæus.

— Pour un début, c'est bien. Cependant il faudra sans doute étendre cette stratégie sur le sol africain, qu'en penses-tu ?

— Chaque chose en son temps, mon impétueux frère!

— C'est justement le temps qui nous manque.

— La situation en Espagne semble indiquer que nous sommes face à un succès, timide certes, mais un succès ! Il faut donc consolider cet acquis et ne pas risquer de le perdre par précipitation.

— Voyons les choses concrètement ! Dressons une liste des tribus espagnoles sur lesquelles nous avons une faible influence et qui sont susceptibles de revirement !

Publius fit appeler son aide de camp, le tribun Marcellus, connu pour avoir établi très tôt des relations avec les autochtones et maîtrisant les alliances récentes, effectuées avec les Espagnols. Ils firent le tour des tribus Celtibères et se rendirent compte en effet que beaucoup d'entre elles avaient rejoint le camp romain depuis peu.

— Veux-tu à présent que nous fassions de même avec les tribus africaines ?

— Pourquoi pas ? Avons-nous parmi nos soldats quelqu'un qui peut nous éclairer sur la situation en Afrique ?

— Oh, oui ! dit le proconsul. C'est même quelqu'un qui a rendu des services immenses à Rome et qui continue à le faire, malgré son âge. Le tribun Massala. Il a servi naguère sous mes ordres. On va le ramener sur le champ.

Ils convoquèrent le tribun Messala qui avait en effet servi assez longtemps sous les ordres du général Regulus, celui qui porta le premier la guerre aux portes de Karthage. Bien qu'un peu âgé, l'homme servait encore la légion romaine et avait de l'Afrique une connaissance utile au Scipion. Après lui avoir exposé leurs objectifs, ces derniers cherchèrent à en savoir plus pour mener à bien leur projet. Messala livra tous les renseignements qu'il possédait, puisés dans sa propre expérience et dans les informations qu'il avait collectées sur l'Afrique.

— Maintenant que tu connais notre dessein, tribun Messala, dis-nous quels sont les royaumes en présence de Karthage susceptibles d'être intégrés facilement à notre plan, demanda Publius

— Il y a tout contre Karthage, le royaume des Massylès, dont le roi Gaïa, voisin malchanceux, est maintenu dans une alliance précaire, entre l'enclume Karthaginoise et le marteau massaeylès, dont le roi Syphax est plus féroce en appétit territorial aux dépens des Massylès. C'est forcément lui le plus intéressant à attirer dans une alliance !

— On dit de Syphax qu'il cherche tous les moyens opportuns pour annexer les territoires de la Numidie orientale. Si cela est avéré, nous pourrions peut-être lui proposer de l'aide pour cette entreprise?

— Je suis entièrement d'accord avec ton point de vue, mon frère, assura Publius en recherchant du regard l'approbation du tribun.

— En effet ! La pression Karthaginoise est trop accentuée sur nos fronts hispaniques, une alliance avec Syphax pourrait les contraindre en conséquence à réduire le poids exercé sur nos troupes ! répondit Messala, allant dans le sens de la réflexion du proconsul Gnæus.

— Si Syphax s'emparait des cités puniques sur le littoral numide, les armées karthaginoises qui sont actuellement sur le front ibérique en face de nos troupes risqueraient d'être isolées, voire complètement coupées de leurs bases africaines, résuma Publius. Il donnait l'impression d'être à l'unisson avec son frère aîné.

— Et le général Sadar Baal Barak, le frère d'Hanni Baal aurait fort à faire à défendre karthage, si elle se sentait menacée sur son sol, par un ennemi inattendu !

— Karthage serait même probablement amenée à demander l'aide d'Hanni Baal, renchérit Gnæus, satisfait d'ébaucher son plan judicieusement et heureux de le partager avec son frère.

— Tu es donc d'accord pour adopter cette option avec
le roi des Massaeylès, Syphax ! Il représente une clef qui
pourrait nous ouvrir bien des portes afin d'abattre notre
ennemi !

— Je suis d'accord, Rome s'en réjouira ! Il ne nous reste
plus qu'à obtenir les faveurs du sénat. Allons préparer le
courrier !

Ils remercièrent le tribun Messala et se retrouvèrent tous
les deux seuls dans le prétoire.

— Je propose que nous envoyions dans un premier
temps une délégation à Syphax pour sonder son avis. Nous
aurons toujours l'occasion d'étudier la seconde opportunité
que pourrait nous offrir Gaïa, le roi des Massylès, conclut
Publius, l'air pleinement satisfait.

Les espions au service de Rome connaissaient toutes
les dissensions d'abord entre les Numides et puis entre
les Numides et leur voisin karthaginois. Apprenant que
Syphax était devenu l'ennemi déclaré des Massylès, les
frères Scipion projetèrent donc d'un commun accord de
lui envoyer une ambassade officielle afin de négocier avec
lui un traité d'alliance durable avec le sénat romain.

Cette alliance devait contribuer à achever une partie de
leur projet, déstabiliser le pouvoir militaire karthaginois,
à l'intérieur de l'Afrique même, en portant la guerre sur
le sol africain, là où la cité des marchands n'avait aucune
expérience de la guerre, à part celles qui les opposèrent
d'une manière chronique aux tribus numides.

Une louve ne peut engendrer un agneau
ni une brebis un louveteau !
Abdmelkart Barak : - 290/-229

Quand tout fut prêt pour reprendre la route, le général
Hanni Baal donna le signal du départ et quitta les rives du
Rhône en chevauchant à la tête de la cavalerie aux côtés de
son neveu Adonis Baal. Le soleil se levait à peine et irradiait
la mine réjouie du général. Adonis Baal n'osa pas en connaître
la raison. Hanni Baal s'en aperçut, mais fit mine de guetter
le retour des éclaireurs gaulois.

— Grâce aux guides du Brenn Magilus et ton esprit de
prévoyance, dit-il, je ne doute pas que du haut des Cieux,
ton père veille à nous gratifier de sa bienveillance !

— Il n'aurait pas approuvé cette expédition, n'est-ce
pas ?

— Tu te trompes ! Au contraire, toute sa vie il a œuvré
pour cette expédition.

— En traitant avec les Romains ?

— Non, en leur faisant croire qu'il était d'un abord
pacifique et diplomate, il a travaillé à rendre possible la
préparation de notre projet.

— Ainsi, le projet de grand-père était donc dans ses
priorités !

— Tout à fait !

— Je viens de découvrir qui était mon père, finalement.

— Tu tiens beaucoup de lui !

Le chef gaulois Magilus se montra dévoué aux intérêts de l'expédition d'Hanni Baal. Depuis le début, sa fidélité était à toute épreuve. Le général karthaginois savait qu'une fois sur l'Isère, une partie des Allobroges allaient lui prêter main-forte jusqu'à son arrivée aux pieds des Alpes.

— Général ! Nos hommes ne manqueront de rien pendant la route. On peut y aller d'un pas rapide et sûr, assura Adonis Baal.

L'armée punique s'ébranla pour remonter la rive gauche du Rhône qui, depuis les gorges des Alpes où il prenait sa source jusqu'à la Méditerranée, où il se déversait, arrosait généreusement une merveilleuse et fertile vallée. Cette plantureuse richesse donnait de la joie au cœur des soldats puniques. Après une journée de marche paisible, Hanni Baal ordonna la halte du soir et on planta les palissades du camp.

Trois jours après, Hanni Baal arriva enfin sur les bords d'une sorte d'île qui appartenait aux Allobroges. Les trois colonnes s'y regroupèrent. Une fois dans sa tente, il demanda à voir ses officiers ainsi que les chefs gaulois qui étaient ses alliés.

— Les vins de Vienne ont une excellente réputation, général indiqua Magilus

— Il y a d'autres richesses agricoles qui n'ont pas moins bonne réputation, celles pour lesquelles j'ai choisi cet itinéraire des rives de l'Isère, répondit Hanni Baal !

Une fois parvenue à Grenoble, l'armée se ravitailla. Hanni Baal réunit son état-major en conseil et tandis que ses services de la logistique distribuaient les vivres et le matériel, il convoqua ses officiers topographes pour faire le point de leurs dernières informations. Comme l'avait fait avant lui son modèle, le général Iskander, c'est avec eux qu'il étudia et mit à jour, jusque dans les moindres détails, les cartes destinées à préparer le succès de ses opérations militaires.

Le service topographique du général Hanni Baal était composé d'officiers très habiles. Ils étaient chargés de la reconnaissance des Alpes suivant des méthodes rationnelles en opérant de manière à obtenir une bonne représentation graphique des terrains. À chacune de leurs missions, ils produisaient des mémoires descriptifs et des tableaux statistiques qu'ils joignaient aux cartes en possession du général, pour les mises à jour. Ils avaient déjà réalisé pendant deux années un excellent travail en explorant les bassins de l'Iber, du Rhône et du Pô, avant d'envoyer les résultats de leurs premières reconnaissances à Karthagène.

— Nous tenons notre premier succès, déclara Hanni Baal.

— Oui, mon oncle ! C'est ici notre base de secours des opérations. Magilus est chargé de nous livrer les ressources nécessaires que nous avons emmagasinées sous sa garde, assura Adonis Baal.

Les fonctionnaires administratifs de l'armée punique placés sous ses ordres n'y avaient pas seulement aménagé des dépôts de subsistances, mais aussi des magasins d'habillement, d'armement, de chaussures, de rechanges d'objets de tout genre. Les agents explorateurs et ingénieurs militaires karthaginois revinrent de leur mission à Grenoble, ils remirent leurs rapports respectifs au général Hanni Baal. Ce dernier les lut soigneusement, étudia attentivement les cartes qu'ils avaient dessinées et prit le temps de mettre à jour les siennes. Puis il fit part de sa décision : La ligne directrice de marche passerait par les vallées du Drac, de la Durance et du Chisone.

*

Hanni Baal venait de faire des dépenses importantes chez les Allobroges et les Voconces. Ses agents de la monnaie avaient payé en numéraire, grâce à l'or que le Numide

Atalès continuait à frapper avec sa machine ambulante. Les caisses du Trésor de guerre semblaient inépuisables et l'argent bien utilisé servit à refaire à l'armée une santé, car elle ne manqua jamais de vivres, d'équipements, ni d'habillement.

Les campements aussi était toujours bien équipés en outils, en armement non seulement complet, mais en parfait état. Les ateliers mobiles profitèrent de la halte de Grenoble pour réparer le matériel de guerre et fournir les arsenaux en pièces de rechange dont l'armée de campagne avait besoin.

Depuis les Pyrénées, le général avait là un corps bien discipliné, bien équipé et bien vêtu. L'armée défila sous ses yeux et il put inspecter attentivement hommes et chevaux, attentif au moindre détail.

Puis, avant de faire passer ses soldats sur la rive gauche de l'Isère, il les regroupa pour les haranguer à nouveau, afin de ranimer leur ardeur. La veille, après le repas du soir, déguisé en homme de troupe, il s'était mêlé aux soldats régroupés autour d'un feu, comme il le faisait habituellement quand il voulait prendre la température du moral de ses hommes, et, alerté par quelques bribes de conversations, il avait en effet constaté que l'enthousiasme des débuts s'était quelque peu émoussé.

— Comment allons-nous affronter ces espaces dévastés par le vent ? … Il paraît qu'il y règne un hiver éternel… Le général croit qu'il est possible d'avoir raison de la neige et des glaces sous lesquelles ils sont ensevelis ?…Non, ce sont d'horribles déserts, de funèbres chaos de terres bouleversées par tous les éléments, des forêts de pics, d'aiguilles, de rochers sauvages que nul homme n'a encore foulés de ses pieds ! … Non, jamais la cavalerie de l'armée, jamais les éléphants, ni même l'infanterie légère ne sauraient triompher de ces obstacles insurmontables… Il est bien certain qu'elles sont absolument infranchissables, ces Alpes !… Se frayer un passage au travers de ces sinistres gorges, ce serait accomplir un prodige. Et, le prodige accompli, s'il pouvait l'être, que deviendrions-nous une fois de l'autre côté de ces gigantesques escarpements ?... Où trouverait-on, s'il en était besoin, une ligne de retraite ? On n'aurait plus qu'à périr de désespoir, car on serait dans une impasse, acculés à d'inexorables murailles ! » Tels étaient les doutes des soldats.

Mais ce qu'ils ne disaient pas, ce que le jeune général karthaginois devinait à leur attitude, c'était la peur particulière qu'ils ressentaient. Il ne pouvait pas s'y tromper, ses hommes étaient en train de se laisser envahir par un profond sentiment de terreur sacrée, car l'aspect des montagnes impliquait une dimension insaisissable de la puissance divine. À leur vue, l'homme perçoit avec frisson une intuition dramatique du cycle de la création avec ses bouleversements, ses séismes et les cataclysmes qui s'ensuivent. Ces montagnes colossales apparaissaient à leurs yeux comme le témoin tragique du chamboulement du globe terrestre.

Il parla, et les mots qu'il prononça semblaient se perdre dans le vide. Les soldats l'écoutaient impassiblement, les yeux baissés. Il lui semblait même que dans les rangs de ses guerriers régnait une froideur glaciale !

Il s'en inquiéta et voulut leur donner du courage et de l'espoir. Une sinistre rumeur courait dans les rangs, qui paralysait les cœurs les plus trempés et bouleversait les imaginations ! Ces terribles et vertigineuses hauteurs semblaient en effet fabuleuses. La légende disait que ces pics rocheux étaient les piliers de la voûte céleste. Il était donc bien naturel qu'une telle impression soit de nature à frapper l'esprit des simples soldats, toujours prompt à se soumettre à l'emprise du merveilleux. Alors, comment leur en vouloir de ressentir l'épouvante devant ces sommets égarés dans les nuages alors que la montagne elle-même faisait figure de divinité !

— Soldats, leur dit-il, vous qui êtes d'habitude si fermes face au danger et si déterminés les jours de bataille, voilà que vous cédez sans résistance et si facilement au pouvoir qu'exerce sur votre esprit un mystérieux cycle de légendes ! Vous vous troublez au récit des horreurs qu'on raconte sur les Alpes et voilà qu'elles apparaissent à votre esprit sous un aspect terrible jusqu'à vous saisir d'épouvante... Bon sang ! C'est vous qui êtes gagnés par une stupide frayeur ! Vous les vainqueurs de Sagonte ! Vous avez, non sans danger traversé l'Iber, les Pyrénées, le Rhône après avoir affronté les Volkes et les Romains, vous allez vous arrêter au pied des Alpes ! Quelle est la cause de cette frayeur ? De quels fantômes peuplez-vous ces Alpes dont le seul aspect vous perturbe ? Ce ne sont que des montagnes, même si leur hauteur que vous pensez infranchissable vous agite. Certes, elles sont plus hautes que celles des Pyrénées, mais les pensez-vous vraiment infranchissables ? Demandez à nos guides gaulois qui viennent de les traverser ! Ils y sont passés par des chemins battus. Vous ne supposez pas que les oiseaux leur aient prêté des ailes. La chaîne n'est pas seulement praticable aux voyageurs isolés, elle a déjà par le passé livré passage à des armées, à des populations entières, à des colonnes embarrassées de femmes, de vieillards et d'enfants. Vous, soldats ! Vous qui ne portez que vos armes, vous n'oseriez pas en ce jour prendre le même chemin ! Allons, marchons sans crainte, et que les dieux nous protègent !

À ces mots, la plupart d'entre eux eurent honte de leur moment de faiblesse. Les voilà ranimés par ce discours et résolus à relever à nouveau la tête. Cette harangue dynamique, véritable nourriture morale telle une ration de pain, fut suivie, comme à chaque engagement de troupes, d'un sacrifice aux divinités karthaginoises. En les invoquant d'une voix ferme, le jeune général les conjura de protéger chacun de ses compagnons d'armes.

Ce fut d'un pas assuré que l'armée punique sortit de Grenoble, le lendemain. Ses arrières étaient à présent couverts par des guerriers gaulois que le nouveau Brenn des Allobroges venait de mettre à leur disposition. Elle marcha durant une dizaine de jours, le long du fleuve sur une distance de huit cents stades, avant d'arriver aux pieds des Alpes.

Tant qu'elle marcha dans la plaine, les Allobroges ne représentèrent pas de danger à cause de la présence de la cavalerie numide qui les dissuada de s'en approcher, mais aussi à cause des nouveaux alliés d'Hanni Baal qui couvraient les arrières de la troupe et qui réussirent ainsi à tenir en respect les assaillants. Mais, dès que ces derniers se retirèrent avec leur chef, et que l'armée punique entama l'ascension des Alpes en empruntant des détroits de montagnes, les Allobroges accoururent en nombre pour se poster aux passages stratégiques que l'armée d'Hanni Baal devait nécessairement emprunter, ne prenant en cela même pas la peine de se cacher ainsi que le constata Archobanès, à l'arrière.

— Nous allons camper au pied de ces montagnes et envoyer des éclaireurs gaulois pour reconnaître la position des ennemis, dit Hanni Baal à Mahar Baal, qui chevauchait à ses côtés.

Les éclaireurs revinrent plus tard rendre compte au général Hanni Baal du résultat de leur reconnaissance.

— Les Allobroges surveillent scrupuleusement leurs postes de garde pendant le jour. La nuit ils se retirent dans une cité voisine.

Alors Hanni Baal dressa un plan. Le lendemain, il fit avancer en plein jour son armée près des défilés et établit son campement le plus près possible de ses ennemis. La nuit venue, il ordonna à Mahar Baal de faire allumer des feux afin de faire croire aux Allobroges que toute l'armée est là.

— Nous allons, avec un corps d'élite, percer les détroits et occuper les postes qu'ils abandonnent la nuit, décida-t-il.

Le lendemain matin, les Allobroges revenant à leurs guets, eurent la mauvaise surprise d'y trouver les puniques. Ils se vengèrent sur la cavalerie et les bêtes de charge, qui avançaient serrés sur une longue file, dans les détroits au milieu de rochers escarpés. Ils tombèrent sur eux et provoquèrent une grande panique qui s'empara des animaux au point qu'un grand nombre d'entre eux tomba dans le vide. En représailles rapides, Hanni Baal fit intervenir ses commandos d'élite qui la veille s'étaient rendus maîtres des hauteurs et tomba sur les ennemis par surprise. Beaucoup d'Allobroges furent tués sur place, le reste prit la fuite et se dispersa dans les montages où le général décida de ne pas les traquer comme le réclamait Mahar Baal, qui avait perdu de nombreux cavaliers.

— Nous allons leur faire payer cher cette impudence, mais il faut d'abord que notre armée soit en sécurité !

De fait, une fois les soldats hors des défilés après une progression pénible, il lança une véritable chasse à l'homme.

Les éclaireurs gaulois leur avaient indiqué la cité où se rendaient la nuit les Allobroges. Hanni Baal s'y rendit au galop décidé à l'attaquer, mais une fois sur les lieux, il se rendit compte que presque tous des habitants, dans l'espoir du butin qu'ils comptaient prendre aux puniques, l'avait complètement déserté. Il y trouva des chevaux en nombre suffisant et des bêtes de charge, du blé et de la viande. Ceux des habitants qui étaient restés sur place furent emprisonnés afin de dissuader les autres montagnards qui seraient tentés de lui barrer à nouveau la route.

Il installa son camp à cet endroit et octroya à son armée une journée de repos avant de reprendre la route. Tout se passa dans la tranquillité pendant trois journées où la marche ne souffrit d'aucun danger ni inconvénient. Le quatrième jour, Hanni Baal vit arriver devant lui des hommes et des femmes portant des rameaux d'olivier.

— Notre peuple habite ces lieux ! Nous venons en paix vers toi, grand général karthaginois.

— Quel motif vous amène à ma rencontre ? demanda Hanni Baal, rendu très méfiant vis-à-vis de ces peuples dont il avait éprouvé la versatilité.

— Nous avons appris ce que tu as fait aux Allobroges et à leur cité ainsi que le sort que tu as réservé aux survivants.

— Ils n'ont eu que ce qu'ils méritaient. Je ne suis pas votre ennemi, je le dis !

— Nous ne voulons pas te tenir tête, grand Hanni Baal. Nous te demandons de ne pas nous faire de mal. Nous te promettons de ne pas chercher à te nuire car nous craignons ta force !

— Quelle foi dois-je donner à ces paroles de paix ?

— Si tu doutes de notre bonne foi, prends parmi nos gens des otages, nous sommes prêts à te les offrir pour sceller notre accord !

Hanni Baal hésita un moment puis décida d'installer son camp non loin de leur cité et réunit son conseil sans tarder pour délibérer sur la question.

Il fut convenu d'accepter l'offre et de faire semblant de les prendre pour alliés tout en les surveillant étroitement.

— Envoie un messager gaulois pour leur donner notre réponse, ordonna Hanni Baal.

Aussitôt les Gaulois amenèrent leurs otages. Suivirent des chariots de vivres et de bestiaux. Ils se débrouillèrent si bien que toute marque de défiance disparut vis-à-vis d'eux et que toutes les précautions du début disparurent à un point qu'Hanni Baal accepta de les prendre pour guides dans les défilés qui restaient à franchir

— Voilà que tu te fies à présent à leur bonne foi apparente ! protesta Mahar Baal, quand il apprit la décision de son cousin.

— Cela t'étonne ?

— De ta part oui ! Mais j'ai une entière confiance en ton jugement et je ne saurais le remettre en question, tu le sais bien !

— Alors, qu'est-ce qui t'étonne, dis-moi ?

— Que tu les engages comme guides !

— Aujourd'hui, j'ai décidé de mettre la cavalerie et les bagages en tête de marche ! Cela t'étonne aussi ?

— Bon sang, que oui ! Quelle en est la raison !

— Tu le sauras assez tôt. Allons, en route à présent !

L'armée s'ébranla à nouveau et avança dans les montagnes pendant deux journées entières, guidée par les nouveaux alliés. Au troisième jour, elle déboucha sur un vallon, fermé de tous les côtés par des rochers inaccessibles. Là, ces nouveaux alliés se regroupèrent et se retournèrent contre leurs alliés dont ils attaquèrent l'arrière-garde en faisant rouler sur elle de grosses pierres depuis les hauteurs. L'endroit, cerné de falaises aurait pu être le tombeau de toute l'armée si le général karthaginois n'avait placé à l'arrière-garde l'infanterie lourde encadrée par le bataillon sacré

— Nous passerons la nuit sur ce rocher blanc pour protéger le passage de la cavalerie et des bêtes de somme. Ils auront de la peine à défiler au travers de ce ravin sans protection !

Le lendemain, quand le général Hanni Baal fut assuré que les ennemis s'étaient retirés, il rejoignit son arrière-garde pour avancer vers les cimes des Alpes.

*Imbécile est celui qui allume un feu
et s'en approche de trop près pour se brûler.*
Ankh Sheshonq. 1er pharaon berbère

*À quelques lieues de l'embouchure de la Tafna, sur sa rive
gauche, se dresse Takembrit, la cité royale des Massaeylès. Le
grand-père de Syphax, Syphax 1er avait commencé sa construction sur les hauteurs surplombant la mer, juste en face de la
colonie phénicienne installée sur l'île de Rachgoun. Elle avait
vue sur le port à partir duquel les bateaux remontaient le
fleuve jusqu'aux portes de la cité où régnait continuellement
une intense activité commerciale.*

— Le message précise-t-il combien la délégation romaine
compte de personnes ? s'enquit Gauda, le conseiller de
Syphax.

— Non, répondit le roi. Par contre, nous avons d'autres
détails sur l'objet de leur visite…Mais dis-moi plutôt ce
que pense le peuple de l'actuel nom de notre capitale. Siga
sonne mieux, non ?

— Ils continuent à l'appeler Takembrit, la « verrue sur
le nez », le changement prendra du temps, Aguellid !

L'Aguellid Syphax ne lésina pas sur les moyens pour
accueillir comme il se devait ses invités de marque.
L'hospitalité légendaire des Numides fut encore une fois
louée par les Romains ravis des différentes festivités qu'il
offrit en leur honneur. Ils ne tarirent pas de flatteries et
Syphax n'y fut pas insensible, confirmant ainsi sa réputation

de souverain vaniteux et orgueilleux, soucieux avant tout de sa personne.

Trois jours durant, les Romains purent ainsi jouir de la prodigalité de leur hôte et de ses largesses. Il ne dédaignait pas les plaisirs de la table ni d'ailleurs de ceux qui relèvent de l'exotisme et savaient très bien les partager.

Lorsqu'enfin arriva le moment de la négociation, quand les relations devinrent plus intimes et moins arcboutées sur les différences entre les cultures et les coutumes des uns et des autres, il apparut évident à Syphax que la supériorité militaire des Romains reposait en grande partie sur leur infanterie. Or, les combattants dont lui-même disposait étaient en majorité des cavaliers, car les Numides n'avaient jamais appris à combattre à pied. S'il devait affronter Karthage, il lui fallait donc disposer de fantassins capables à la fois de lutter efficacement contre l'ennemi, qui possédait une excellente infanterie, et mener des sièges pour prendre et occuper des cités.

Une fois la situation bien exposée au roi numide, celui-ci prit le temps de la réflexion nécessaire pour en tirer ses propres avantages et se décida solennellement :

— J'accepte votre proposition d'alliance, cependant j'y poserai une condition, dit-il.

— Dicte ta condition, Aguellid Syphax, répondit le Romain, nullement surpris.

— Vois-tu Romain, si nous sommes d'excellents cavaliers, nous ne connaissons rien aux manœuvres d'infanterie. Si je dois faire face à un ennemi aussi puissant que Karthage, il faut que je puisse le faire avec des armes équivalentes !

— Nous vous fournirons les armes dont vous aurez besoin, dit simplement le Romain.

— Les armes ne sont pas suffisantes. Que l'un de vos centurions ici présents reste pour instruire mon armée, et je signerai le pacte d'alliance sans aucune autre réserve !

Dans la délégation romaine envoyée à l'aguelid des Massaeylès par les Scipion se trouvaient trois centurions. Les ambassadeurs se concertèrent pour savoir lequel des officiers accepterait de prolonger son séjour auprès des Massaeylès jusqu'au retour des ambassadeurs massaeylès qui iraient à Rome pour élaborer les termes du traité d'alliance.

La demande fut acceptée, à la condition – ici encore que, si les généraux n'approuvaient pas la décision des émissaires, l'Aguelid garantisse le retour immédiat de celui qui resterait. Syphas s'engagea sur l'honneur de son royaume et prit à témoin les dieux de sa demeure qu'il la respecterait.

Finalement, Quintus Statorius fut désignér pour procéder à l'instruction militaire des combattants Massaeylès, avec consigne de ne pas dévoiler toutes les tactiques et stratégies que l'on enseignait dans les écoles militaires de Rome. Les bases suffiraient pour le moment. L'instructeur romain aurait à leur apprendre à combattre à pied pour en faire un corps de fantassins passables. Il n'était donc pas question de prendre le risque que s'opposent un jour à leurs légionnaires des hommes de troupe ennemis formés par leurs propres officiers. C'était un principe de prudence !

Le corps d'infanterie numide aurait donc l'apparence d'une armée romaine, surtout pour satisfaire les ambitions personnelles de Syphax qui se crut bientôt de force à affronter en ligne les troupes Karthaginoises. De mémoire de Numide, aucune campagne ne fut menée en dehors de la cavalerie. Ce qui ne leur avait pas permis de tenir tête aux Karthaginois lors des précédents affrontements.

Les ambassadeurs retournèrent auprès des Scipion, accompagnés d'émissaires numides chargés par Syphax de désolidariser les soldats d'origine massaeylès qui combattaient dans les rangs des Karthaginois sur la foi d'une nouvelle alliance prochaine entre leur royaume et la république de Rome.

Aussitôt, on enregistra de nombreux cas de désertion
parmi les mercenaires numides qui combattaient aux côtés
des Karthaginois en Espagne.

Très vite, Statorius réussit à enrôler un grand nombre
de jeunes Numides à qui il apprit à garder les rangs, à
suivre leurs drapeaux, à s'avancer et se retirer en bon ordre,
en un mot, à assimiler tous les mouvements et toutes les
évolutions de l'art militaire à la façon des Romains.

Les jours suivants furent destinés à exercer les troupes
nouvellement recrutées. À leur arrivée au camp d'entraînement, les nombreuses recrues qui affluèrent vers la cité
de Siga à l'appel de leur Aguellid Syphax furent toutes
dirigées vers l'entrepôt d'habillement où on leur remit leurs
uniformes. Statorius avait récupéré de vieilles tenues un peu
usées, ou trop courtes ou trop longues, des stocks de l'armée
romaine qu'il distribua à ces hommes rustres à l'allure de
paysans. Puis on leur désigna leur cantonnement où chacun
se choisit une paillasse pour dormir. Le lendemain, très tôt,
ils reçurent l'ordre de se rendre à l'entraînement sans tarder
après avoir endossé leurs nouveaux habits. Un premier
corps composé d'une centaine d'hommes venait compléter
les gens armés à la légère qui avaient déjà l'expérience du
combat à pied.

— Prenez vos armes ! ordonna Statorius, pour
commencer les entraînements.

Les soldats expérimentés avaient été placés aux premiers
et aux derniers rangs pour encadrer les novices. Les chefs
de file ainsi que les serre-files avaient tous déjà combattu
comme hommes de troupe ou fantassins.

— Valets, sortez de la phalange ! Haut la pique ! Bas
la pique !

Les ordres de Statorius étaient instantanément traduits
par un interprète.

— Prenez vos distances ! À droite ! À gauche !

— Serre-file, dressez les files ! La pique en dedans du bouclier ! Marche ! Halte !

À la voix de Statorius, on voyait la phalange successivement ouvrir les files et les rangs, les serrer, les presser, de manière que le soldat n'occupant que l'espace d'une coudée ne pouvait tourner ni à droite ni à gauche.

Syphax vint en personne assister à l'entraînement. La première journée fut épuisante à cause de la chaleur et de l'indiscipline des Numides.

— Ils ne sont pas habitués à exercer des mouvements en coordination entre eux ! plaida le centurion. Il faut compter plusieurs jours pour transformer un paysan en soldat capable de marcher au pas. Mais ne t'inquiète pas Aguellid ! Ils font des efforts pour apprendre. Je te promets des résultats très prochainement.

— Je ne suis pas inquiet, Romain. J'ai hâte de voir le fruit de ton travail. Ne me déçois pas !

Syphax regagna son palais, laissant Statorius à l'œuvre et, pour l'instant, son inspection furtive au camp d'entraînement de sa future infanterie, même s'il était prématuré d'avoir un avis objectif, ne l'avait pas convaincu.

— Je voudrais que tu ailles superviser nos soldats en formation et surtout garde un œil sur le centurion, ordonna-t-il à Vermina qu'il croisa sur son chemin.

— Aurais-tu des doutes sur sa compétence, père ?

— J'en ai, oui. Je ne le trouve pas assez ferme ni volontaire, malgré ses apparences de chef.

Pourtant, dès le lendemain, des signes d'amélioration apparurent : la phalange commença à présenter une ligne tantôt pleine, tantôt divisée en des sections dont les intervalles étaient quelquefois remplis par des soldats armés à la légère. On la vit, au fur et à mesure des exercices, maîtriser toutes les formes de déplacement : en colonne, en carré parfait, en carré long, soit à centre vide, soit à centre plein, etc.

Ces exercices de troupe étaient à peine achevés que le deuxième contingent arriva, soulevant de loin un nuage de poussière. Il subit le même traitement que le premier et il en arriva d'autres et encore d'autres. Quand le premier corps d'infanterie fut prêt pour la manœuvre de terrain, Statorius fit savoir au roi Syphax que sa tâche arrivait à terme et qu'il l'invitait à venir constater par lui-même le résultat de son travail.

Un corps de mille six cents hommes d'infanterie pesamment armés, rangés sur seize de profondeur et sur cent de front où chaque soldat occupait un espace de quatre coudées, s'apprêtait à exécuter des manœuvres d'entraînement près du mont Balthus, où le roi Syphax et son fils Vermina, accompagnés des quelques membres éminents de la cour, vinrent assister à l'exercice de combat simulé.

Aussitôt qu'on cria aux armes, les soldats coururent prendre leurs rangs et les troupes légères se placèrent vers l'arrière. C'est de là qu'elles devaient lancer sur l'ennemi des flèches et des traits, censés s'envoler par-dessus la phalange. Un groupe supposé d'ennemis, la pique sur l'épaule droite vint sur eux au pas redoublé. Les troupes légères s'approchèrent en poussant de grands cris, mais elles furent aussitôt repoussées et mises en fuite. Vint ensuite un autre contingent d'infanterie qui s'arrêta à la portée du trait.

Un lourd silence s'abattit sur les deux lignes, rompu par le son du cor qui sonna la fin de l'exercice. Alors les soldats baissèrent leur pique et se mirent à frapper leurs boucliers en criant :

— Longue vie au roi ! Longue vie au prince !

Ensuite ils vinrent tous s'aligner en bon ordre devant leurs officiers, sous la bannière du royaume des Massaeylès. Alors, l'Aguellid harangua ses soldats :

— Massaeylès ! Vous devez montrer maintenant le même courage qui anima jadis nos ancêtres lorsqu'ils ont dompté cette nature sauvage. Aujourd'hui, vous ne prenez pas vos armes uniquement pour défendre vos vies, vos cités et vos tribus ! Vous allez vous battre pour chasser de notre Afrique les étrangers qui la spolient, qui l'exploitent sans notre consentement ainsi que leurs vassaux, les traîtres de Massylès. Je vous offre les terres et les butins dont vous rêvez depuis que la cité opulente des marchands nous nargue avec ses belles marchandises de pacotille qui ne brillent que pour les yeux des idiots et des envieux ! Mais avant d'achever ce combat final, nous devons raser de notre chemin cet orgueilleux royaume voisin qui nous gêne pour accomplir cette grande mission qui émane de la volonté des dieux de l'Atlas. Demain, nous marcherons, cavaliers en tête jusqu'au fond de ce territoire que Yarbaal vendit aux marchands et nous vengerons sa mémoire pour que les dieux nous accordent la victoire méritée qui est au bout de vos épées et de vos javelots !

— L'Afrique aux Africains, lança-t-il à ses soldats exaltés.

À ces mots, tous les soldats se livrèrent à une joie intense. La promesse du butin en excitait plus d'un, mais tous applaudirent le discours de leur roi, car il portait en soi de nouvelles espérances et la promesse que bientôt on allait les mener contre leurs ennemis.

Ta tombe ne devrait pas contenir tes rêves,
mais uniquement ton cadavre !
Suffète Zelaslan −296/−229

Les colonnes de l'armée punique passèrent par la vallée
de Drac et empruntèrent ensuite celle de la haute Durance
par l'un des cols qui s'ouvrait sur la ligne de partage des eaux
des Alpes. La vallée de la haute Durance était étroite, stérile
et profondément encaissée. Le fleuve n'était lui-même qu'un
torrent gigantesque au courant capricieux et tumultueux.

— Une fois parvenus aux sources de la Durance, nous emprunterons un col qui découpe la crête des Alpes, indiqua Magilus, s'adressant au général barcide. C'est par là que nous descendrons dans la vallée fertile du Chisone.

— Tu as ma confiance ! assura Hanni Baal.

Le général disposait de renseignements précis, fournis par ses officiers topographes et ethnographes lors du conseil de l'état-major au quartier général de Grenoble. Il aimait à faire croire à son allié que leur relation était basée sur la confiance, cependant rien n'échappait à sa vigilance et à ses agents chargés d'explorer les Alpes.

Malgré une diversité d'ascendances, les peuples qui habitaient les Alpes étaient tous de type galate. Partout leur étrange aspect étonnait les puniques par leur teint éclatant de blancheur, leurs cheveux longs roux et leurs yeux bleus. Ils admirèrent leur haute stature, leurs muscles saillants et leur santé robuste entretenue par une alimentation sobre.

La vallée se dévoila à leurs yeux avec l'éclat d'une végétation variée, d'une diversité de cultures et d'une grande richesse forestière. Tout semblait merveilleux et les soldats ne pouvaient pas se lasser d'admirer le pays des Allobroges et des Voconces, avec ses champs plantureux et ses forêts denses.

De chaque côté se détachaient des chênes, des conifères et des arbres de toute essence. Il y avait des massifs de genévriers, d'arbousiers et des arbustes de toute espèce étalés sur des tapis infinis de verdure.

— La nature est d'une remarquable générosité, dit Hanni Baal !

— Pas que la nature, observa Mahar Baal en désignant un groupe de femmes qui travaillaient dans les champs.

— Nos femmes sont robustes, comme nos hommes, plaisanta Magilus. Les devoirs de la maternité ne les empêchent pas de prendre part aux rudes tâches de leurs époux.

— Je constate qu'elles sont de taille à combattre à côté des hommes et ne sont pas moins redoutables que lui, confirma Mahar Baal.

Comme les hommes, les femmes gauloises avaient de longs cheveux, un teint de neige et des bras musclés.

Ils longèrent les bords du fleuve où croissaient des joncs, des chanvres et le flanc des vallées où poussaient quantité de plantes comme la valériane, la centaurée, la conferve et le nard. Sur le sol fauve de la plaine, avant d'arriver dans la cité, se détachaient en vert tendre de vastes jardins où les habitants cultivaient toutes sortes de légumes.

Plus loin s'étendaient à perte de vue des champs de blé et d'orge. C'est ici que les officiers d'Hanni Baal chargés de la logistique apprirent que les habitants utilisaient le froment et sa farine, une fois blutée, pour fabriquer un pain délicieux !

Ils logeaient en groupe de familles dans des huttes cylindriques, très spacieuses construites avec des montants de bois clayonnés d'osier avec un remplissage en torchis et des toitures en coupole confectionnées faites d'un chaume très épais.

Les officiers chargés de la logistique devaient tenir le compte précis des ressources alimentaires. Ils notèrent aussi la présence de parcelles de vignobles sur les pentes. Le côteaux des Allobroges et des Voconces étaient célèbres depuis que les Massaliotes avaient appris aux Celtes à faire du vin et à le conserver dans des fûts.

— Malheureusement, ces produits ne supportent pas le transport, car il leur fait perdre une partie de leur bouquet, leur fit-on remarquer.

— C'est sur place seulement qu'il est permis de le déguster !

Là où la vigne faisait défaut, la bière et l'hydromel étaient les boissons ordinaires des Gaulois. Les habitants des Alpes obtenaient l'hydromel en faisant simplement macérer et fermenter dans l'eau des rayons de miel ; quant à la bière, ils en fabriquaient plusieurs sortes comme la cervoise, la bière d'orge ou la bière de froment additionnée de miel.

Ainsi le service des subsistances, fourrages, vivres, pains et liquides se trouva assuré le long de la marche. Cependant, leurs rapports indiquaient qui si le pied des Alpes offrait des ressources en abondance, celle-ci diminuait progressivement à mesure qu'on s'élevait vers les sommets.

Ainsi, vers huit cents mètres d'altitude, les chênes cessaient subitement de pousser sur les flancs de la montagne. À mille mètres, le hêtre disparaissait. Jusqu'à deux mille mètres, ils n'auraient plus sous les yeux que des conifères, sapins, mélèzes ou pins communs, se raréfiant au fur et à mesure de l'ascension. Au-delà des deux mille mètres d'altitude, il n'y avait plus que des bouleaux chétifs, quelques maigres pins qui projetaient sur la moraine des glaciers l'ombre sinistre de leur feuillage en berne.

Cependant, bien que cette région montagneuse produisît à grand peine l'indispensable aux besoins de la vie, ce n'était pas un désert. Elle était habitée. Les montagnards y exploitaient le bois ; ils faisaient confire des pommes de pin dans le miel de leurs ruches et les troquaient contre des denrées substantielles. Ils produisaient aussi leur propre fromage.

Le neveu du général Hanni Baal avait supervisé le travail des officiers de la logistique, ceux qui examiné avec minutie la flore des Alpes. Après les approvisionnements en boissons, pain et fourrages, il avait prévu de pourvoir de viande fraîche l'armée punique. Sur les prairies des Alpes paissaient des bovins de belle race. Les vaches, de petite taille, fournissaient en abondance le lait qui formait la base de la nourriture des Gaulois. Les terrains de pâture et de parcours servaient à l'élevage du mouton et les brebis donnaient une grande quantité de fromages. Les pentes boisées étaient abandonnées aux races porcines, qui y erraient à l'aventure en s'engraissant de glands.

— Il est possible de satisfaire largement à nos besoins, assura le chef Magilus. Les habitants des Alpes élèvent de grands troupeaux et la chair de porc est, après le lait, l'élément essentiel de notre alimentation ! De plus, on trouve dans les Alpes toutes les espèces de gibier : chevreuil, chamois, bouquetin, sanglier et lièvre, nous n'aurons que l'embarras du choix ! Le gibier à plumes ne manque pas non plus. On peut allègrement chasser le coq de bruyère, l'outarde ou encore la gelinotte.

Les habitants des Alpes savaient se faire des réserves de gibier. Ils avaient des garennes, des basses-cours à clôtures de planches, où les loirs s'élevaient en compagnie des gallinacés. Des viviers renfermaient le poisson d'eau douce dont regorgeaient tous leurs ruisseaux limpides. Ils parquaient aussi toutes sortes de bestioles et jusqu'aux escargots.

— Nous ne serons donc pas à court de viande fraîche, fit Hanni Baal, satisfait, sans cesser de surveiller la route et les mouvements des éclaireurs gaulois.

Pour le transport, les officiers de la logistique trouvèrent aussi sur place d'excellents chevaux, de races rustiques et à demi sauvages, mais facilement domptables. Ils trouvèrent aussi des mules au pied sûr, capables de supporter les effets du vertige dans les passages les plus difficiles et de nombreux attelages de bœufs dont se servaient habituellement les montagnards.

L'armée franchit un col dangereux, que les explorateurs avaient déjà signalé à Hanni Baal. Cette fois la cavalerie chevauchait en tête du convoi.

— C'est celui qui longe la vallée du Chisone ? s'informa Mahar Baal auprès de son ami gaulois.

— Toute cette vallée n'est qu'un long couloir perfide et sombre, dit le Gaulois. Il faudra garder l'œil ouvert, car à tout moment, l'armée n'est pas à l'abri d'une surprise et on pourrait vite se retrouver bloqués dans notre marche et envasés dans les marécages.

La peau tannée par le soleil et le vent, Mahar Baal contempla avec orgueil cette armée unique en son genre, qui remontait vers le Nord, en direction des Alpes. Au pas de son cheval, le Numide repensait à sa terre natale en imaginant la tête de ses cousins, les princes Massinissa et Kabassen, ébahis par ses exploits, à qui il avait promis de donner des nouvelles.

« *Hanni Baal doit porter la guerre en Italie pour empêcher les Romains de débarquer en Afrique, allait-il leur écrire pendant la halte du soir. Ne l'oubliez pas princes cousins. Tu franchiras les Alpes et tu disperseras les légions, lui avait prédit la prophétesse au temple de Melkart. Il obéit à son destin et le mien est attaché étroitement au sien ! La neige tombe en ce moment et nos soldats s'équipent au mieux pour affronter le froid. J'ai mis mon burnous blanc et je pense à Kirthan où il* doit faire une douceur incomparable avec ce que nous vivons ici ! Les pentes verglacées sont notre quotidien et le froid raidit nos membres et fige nos visages… Tiens ! Nous voilà en face d'une muraille écarlate de rochers perdus dans les nuages. Ils me semblent infranchissables. Hanni Baal vient d'ordonner la halte de la fin de journée. À bientôt, mes cousins chéris. »

Le destin a condamné tous les hommes à mourir ; mais mourir glorieusement est un privilège que la nature a réservé aux hommes vertueux.
Isocrate : −436/−338

L'épisode du passage des Alpes fut sans doute l'évènement le plus saillant de la vie du général Hanni Baal. Depuis la traversée du Rhône jusqu'au sommet des Alpes, ce furent en tout, vingt-neuf jours de route. Mahar Baal consigna par écrit ces moments dans les courriers qu'il adressa régulièrement à ses cousins.

« Le premier jour, le général Hanni Baal a pris position à l'entrée des Alpes et c'est là que nous avons installé notre camp. Le deuxième jour, nous avons combattu les montagnards puis nous nous sommes emparés d'une de leurs cités, où nous avons trouvé chevaux et vivres pour nous ravitailler. Le troisième jour a été consacré au repos ! Les quatrième, cinquième, sixième et septième jours, la marche en avant s'est poursuivie sans incident notable. Le sixième jour, Hanni Baal a engagé des guides locaux qui nous ont égarés et trahis. Le septième jour, notre armée a couru un des plus grands dangers de notre marche. Hanni Baal a été obligé de se protéger en cherchant refuge en haut d'un rocher blanc sur lequel il a passé toute la nuit. Le huitième jour, nous avons repris notre marche normalement et le neuvième, nous avons enfin atteint le sommet des Alpes, où les trois colonnes de notre armée ont fait jonction. C'est *là que le général Hanni Baal a consacré les jours suivants au repos et où j'en profite pour vous écrire !* »

*

En cet automne de −218, un vent glacial balayait le sommet des montagnes, alors que la longue file des cavaliers progressait lentement mais sûrement par des chemins escarpés, guidée par des montagnards locaux qui avaient l'air d'être honnêtes, mais qui n'hésiteraient pas à les égarer à la moindre faille de vigilance, pour les laisser à la merci des hordes gauloises de harceleurs.

Depuis la dernière embuscade, l'armée punique n'eut à subir que quelques escarmouches de harceleurs qui tantôt se présentaient à la queue tantôt à la tête de l'armée pour chaparder quelques bagages, évitant de se mesurer ouvertement aux soldats. Les éléphants lui furent alors d'un grand secours, car ils avaient acquis la réputation d'effrayer les Gaulois et de les mettre en fuite.

Après neuf jours de marche, l'armée d'Hanni Baal arriva enfin au sommet des montagnes, au début du coucher de la constellation des Pléiades, évènement astronomique qui se produisait vers les tout derniers jours d'octobre. Elle y campa deux jours de suite afin de mettre en repos ceux qui étaient parvenus jusque-là et aussi pour permettre aux traînards de rejoindre le gros de la troupe.

Dès le lendemain, Mahar Baal eut l'agréable surprise de voir arriver au camp la plupart des chevaux et des bêtes de somme qui étaient tombés sur la route et qui s'étaient débarrassés de leurs fardeaux !

Une fois parvenu au sommet des Alpes, Hanni Baal jugea utile de motiver ses troupes, la plupart des soldats étaient exténués. Il s'avança sur un piton d'où l'on pouvait apercevoir l'immense plaine de l'Italie. Il la désigna de son index, puis il laissa retomber sa main le long de son corps et montra le pied de la montagne ainsi que la vallée du Pô.

— Après avoir parcouru une si longue route à travers tant de montagnes, tant de fleuves et tant de peuples ennemis, vous êtes arrivés là où le sort a fixé le terme de vos efforts ! C'est ici qu'il vous prépare une retraite digne de vos longs services. Ces plaines fertiles sont à vous !

Puis commença l'opération de la descente sur le versant italiote à travers des chemins étroits, escarpés et couverts de neige en direction de la vallée de la Dora. L'armée punique traversa le pays d'un pas léger et quelques stades plus loin on leur signala qu'elle était enfin en Italie.

Le général Hanni Baal chevauchait en queue de colonne avec Mahar Baal et Adonis Baal au rythme des haltes fréquentes lorsque les colonnes rencontraient des aspérités sur leur passage, qui obligeaient à des pauses irrégulières et brusques. La marche devint aussitôt haletante pour les soldats et les chevaux jusqu'à ce qu'au début de l'après-midi, il y eut un temps d'arrêt plus long que d'habitude.

Mahar Baal remonta le long de la colonne et arrivé en tête, on lui apprit qu'il n'y avait plus de route. Après une journée de marche, l'armée punique se trouvait devant un insurmontable obstacle. Toute trace de sentier avait disparu. La route était coupée par un énorme éboulement et seuls les hommes pouvaient à la rigueur, mais non sans risque, emprunter ce qui restait du chemin.

Mahar Baal retourna en informer Hanni Baal.

— On ne peut pas déblayer ? demanda celui-ci, le front soucieux.

— La neige que nous avons foulée était récente, donc molle et peu épaisse. Celle du dessous, ferme et glissante a causé la chute de nombreux soldats et bêtes de somme, expliqua Adonis Baal. Et les soldats qui tombent entraînent avec eux les autres à qui ils s'accrochent, ajouta-t-il. J'ai convoqué déjà les officiers du génie. Ils sont en chemin, peut-être ont-ils une solution.

Hanni Baal se porta aussitôt à l'avant de son armée pour constater lui-même les dégâts de la route. Il fut rejoint par les officiers du génie. Il s'approcha du précipice aussi près que possible pour en reconnaître les abords. Le calcaire était à pic, avec des fentes où pendaient encore les racines des arbres entraînés dans l'abîme. Une section entière du chemin avait été emportée par le glissement !

— Soit ! La poursuite de notre chemin est impossible. Qu'en pensez-vous ? demanda-t-il aux hommes du génie.

D'un coup d'œil, ils se rendirent compte de la situation et en mesurèrent les conséquences. Ils prirent le temps de se concerter.

— Des maraudeurs Salassi commencent à voltiger sur nos flancs, avisa Mahar Baal, l'œil aussi vif que celui d'un oiseau de proie.

— La colonne est donc prisonnière et cette immobilité est intolérable. Il nous faut à tout prix sortir de cette impasse.

— Messieurs, interpella-t-il les officiers du génie, voici le tracé d'un tronçon qui nous permettra de relier d'urgence les deux amorces de la route coupée. Il faut s'élever au-dessus de l'origine de l'arrachement, pour y jalonner une nouvelle piste qui enveloppera les deux bords.

— Il faudra une bonne journée de travail pour reconstruire une partie du chemin le long du précipice, confirmèrent les ingénieurs du génie militaire.

— Soit ! Nous sommes contraints de camper ici, constata Hanni Baal, contrarié. Faites donc au plus vite.

Les hommes du génie comptaient des maçons, des terrassiers, des charpentiers, des menuisiers, des peintres et des ouvriers d'art qui travaillaient sous les ordres d'un architecte ou d'un ingénieur. La plupart étaient des Berbères venus de Numidie. Ils s'occupaient habituellement et en permanence des camps, des baraquements ainsi que de la construction de machines de guerre, de ponts militaires et de travaux de mine.

Il ne fallut pas plus de trois jours pour réaliser le chemin qui permettait de contourner l'éboulement. Il en coûta cependant aux hommes des efforts surhumains et pendant tout ce temps, les éléphants, privés de fourrage et parqués dans la neige, manquèrent de succomber au froid et à la faim.

Une fois les travaux finis, Hanni Baal s'assura que le chemin était praticable et fit passer d'abord la cavalerie ainsi que les bêtes de charge qu'on envoya aussitôt en pâturage. Ensuite, les ingénieurs procédèrent à l'élargissement de la route pour assurer le passage des pachydermes que Hanni Baal se hâta de faire défiler l'un après l'autre. Il passa ensuite en dernier et alla retrouver son infanterie, sa cavalerie et son convoi.

La descente de la vallée du Chisone se fit sans difficulté. L'armée avança rapidement à travers le pays dont les clans obéissaient au Brenn Magilus. Le chef gaulois répondait des siens et les troupes puniques traversèrent un territoire sûr et pacifique avant de déboucher dans la plaine piémontaise au début du mois de novembre. Quelques jours plus tard, les trois colonnes arrivèrent dans les plaines du Pô où elles purent installer le camp et planter leurs étendards.

— Te voici dans ces champs si fertiles où tu vas dresser tes tentes et planter tes palissades, avisa le Brenn Magilus, fier de sa contribution au succès de la mission.

Ainsi s'accomplit le passage des Alpes alors que le consul Publius Cornelius Scipion, qui n'avait pas su défendre la ligne du Rhône, était à nouveau pris de vitesse. Il était assez loin du pied des montagnes et même les éclaireurs karthaginois ne le signalaient pas sur les rives du Pô.

Si tu sais vaincre tes ennemis,
ne les engage pas à faire la guerre
Aylimas le grand, vers −450

Chaque fois que les Massylès étaient confrontés à une situation difficile, Syphax en profitait pour empiéter sur leur territoire dont il leur contestait régulièrement la propriété. Il clamait haut et fort que le partage à l'origine des deux royaumes n'avait pas été équitable alors qu'il régnait sur un pays plus vaste que celui des Massylès. En outre, il leur jalousait à l'excès leur proximité avec Karthage.

— Pourquoi cherches-tu à lier ton destin à une puissance étrangère à la terre africaine ? lui demanda un jour son conseiller Gauda.

— Une alliance avec les Romains nous apportera la sécurité ! répondit Syphax passablement contrarié. Même si elle te paraît contre-nature. Pour l'instant le suffète Hanna le grand concentre ses attaques sur le territoire des Massylès, mais ses ambitions ne s'arrêteront pas aux rives de l'Ampsaga (Rhumel). Ce ne sont pas les eaux de ce fleuve qui arrêteront la colonisation des terres. Tôt ou tard il les traversera !

— Pour l'instant c'est Gaïa qui encaisse les coups ! Crois-tu qu'il soit utile d'attaquer son royaume et se priver du seul verrou qui nous protège d'une invasion punique ?

— Le fils d'Abdmelkart est en Espagne avec toutes les forces armées et les auxiliaires massylès. C'est maintenant qu'ils sont le plus fragiles !

— Tu entends donc mettre à profit cette vulnérabilité !

— Oui, Gauda. Pour attaquer les karthaginois, il faut d'abord prendre Kirthan, c'est le premier verrou qu'il faut défaire pour atteindre Karthage !

Syphax craignait à juste titre que les karthaginois, qui avaient commencé une politique de colonisation sur les terres de ses voisins massylès ne s'arrêtent pas à la frontière de l'Ampsaga. Déjà les villes côtières de son royaume étaient sous la coupe des marchands navigateurs et les comptoirs puniques installés depuis le temps des Phéniciens appartenaient à présent aux Karthaginois qui faisaient la pluie et le beau temps sur le commerce dans son royaume.

— Ils convoiteront forcément un jour nos fertiles territoires de la plaine de la Mitidja, c'est uniquement une question de temps ! ajouta-t-il.

— Et tu crois que cette alliance avec Rome te permettra de prévenir cette éventualité.

— C'est en effet l'un des atouts majeurs de mon projet final ! Le projet de réunifier les deux royaumes numides, cher Gauda, d'unifier toute l'Afrique et la débarrasser des étrangers.

— Pourtant les étrangers n'ont pas tous été des prédateurs !

La réponse de Syphax arriva sur un ton plus sévère :

— Tous les étrangers, je te le répète, Gauda ! Il est temps de prendre notre destin en main, car nous en avons à présent les moyens.

— Que les dieux t'entendent, mon roi, et que tes paroles volent jusqu'à leurs oreilles ! conclut Gauda…

A présent qu'il disposait d'une puissante infanterie, Syphax pouvait se lancer à la conquête de l'Afrique et son voisin Gaïa allait être sa première cible car sa stratégie

préventive consistant à attaquer Karthage, ses troupes
devaient traverser le territoire massylès. Il n'était pas
question pour lui d'associer Gaïa à ses projets car il le consi-
dérait comme un pion entre les mains des Karthaginois.
Il passerait outre son autorisation et profiterait de cette
occasion pour lui arracher son royaume.

Les troupes Karthaginoises avec leurs mercenaires étaient
occupées sur le front ibérique aussi ne s'attendait-il pas à
une résistance autre que celle de son rival numide.

— Pourtant, reprit posément Gauda, je reste persuadé
que Rome étendra son empire au-delà de l'Italie et probablement sur l'Afrique elle-même !

— Il va falloir agir très rapidement. Notre guerre
offensive nous assurera dans un premier temps une main
mise sur Karthage, avant que les Romains ne puissent
contrecarrer mon projet.

Sur ces entrefaites, Vermina s'approcha de son père
avec un sourire de satisfaction, portant une carte que les
dessinateurs du palais venaient de terminer. Le roi s'en
empara, la déroula religieusement et l'étala sur la table.
D'un signe, il invita son conseiller Gauda à s'approcher.

— Il suffit de regarder cette carte pour visualiser mon
projet d'invasion. Il se fera en deux étapes.

— Kirthan dans un premier temps, dit Vermina.

— Oui, fils ! J'en ferai ma deuxième capitale. Elle me
servira de base arrière pour la deuxième partie de mon
projet.

— L'invasion de Karthage !

— Elle sera la capitale de l'Afrique sous ma puissante
autorité, affirma le roi. Grâce à nos nombreuses alliances
avec des chefs maures et le roi Baga lui-même, je contrôlerai
bientôt la totalité du continent. Alors l'Afrique appartiendra aux Numides ! Il n'y aura pas de repos pour nous
tant que Karthage règnera sur l'Afrique ! Il faut que cette

cité marchande tombe. Alors oui ! Mon royaume sera le plus puissant.

— Pour cela nous devons d'abord attaquer l'armée de Gaïa avant d'affronter les milices urbaines de Karthage, intervint Vermina. Son neveu Mahar Baal est actuellement en Espagne avec le gros de sa cavalerie, ce qui garantit un sérieux avantage à la nôtre !

— Nous attaquerons nos frères, nos cousins ? Ne pouvons-nous pas traverser les territoires des Gétules par le sud et surprendre Karthage ? objecta Gauda.

— Gaïa sera toujours une menace si on l'épargne. Les innocents aujourd'hui ne tarderaient pas à prendre les armes contre nous le moment venu, pour réclamer vengeance, dit l'Aguellid Syphax. Ce sont les règles de la guerre, conseiller !

— Mais les populations, ne pouvons-nous pas les épargner ?

— C'est la guerre, je te le répète, Gauda ! Personne n'est innocent. Il faut frapper les esprits et la terreur est le moyen le plus sûr d'arriver à nos fins. Les populations ne comptent pas.

Syphax envisageait donc de mettre le siège devant la cité de Kirthan dans l'espoir de voir tomber tout le royaume entre ses mains une fois ses troupes défilant devant les remparts de la Cité des Aigles.

Vers la fin de l'année, des ambassadeurs Massaeylès arrivèrent à Rome et demandèrent audience auprès du sénat.

— Quelles nouvelles apportez-vous d'Afrique ?

— Notre roi est très satisfait du travail du centurion Quintus Statorius. Avec son aide, nous avons formé une phalange qui vient de remporter son premier succès sur nos ennemis communs, les Karthaginois !

— Et qu'attendez-vous de Rome à présent ?

— Nous sollicitons la ratification du traité que notre Aguellid avait conclu avec les Scipion en Espagne !

— Vous vous déclarez des ennemis de Karthage et pourtant il y a des soldats massaeylès dans les rangs de son armée. Comment expliquez-vous cela ?

— Ce sont des mercenaires sur lesquels nous n'avons pas prise. Nous n'avons pas comme vous le sens du patriotisme, nos soldats se battent pour gagner leur vie, mais avec votre aide, les choses sont en train de changer !

— En effet, nous avons eu vent de désertions massives de Massaeylès rejoignant l'armée romaine, c'est un bon début !

Le sénat romain accueillit favorablement la proposition des ambassadeurs massaeylès. Il fut décidé de dépêcher au plus tôt une ambassade en Afrique auprès du roi Syphax afin de lui notifier officiellement cette acceptation.

Quand les ambassadeurs romains arrivèrent à Siga, non seulement ils comblèrent le roi Syphax de somptueux cadeaux, mais aussi tous les autres chefs de tribus et petits souverains qui siégeaient à la cour de l'Aguellid des Massaeylès. Ils offrirent au roi une toge et une tunique de pourpre et aux autres chefs massaeylès des robes et des coupes d'or d'un poids équivalent à trois livres.

Cependant, à Karthage, on connaissait déjà l'ambition légendaire de l'Aguellid. Phileménus, l'espion d'Adonis Baal, bien introduit auprès du sénat à Rome avait fait un rapport détaillé sur les termes de l'alliance que la délégation massaeylès était venue ratifier. On connaissait aussi les exigences des Romains et l'on était assuré que tôt ou tard, Syphax projetterait de s'attaquer à la cité punique, une fois obtenue sa victoire sur Gaïa.

On temporisa néanmoins, convaincu qu'après la victoire éventuelle des Massaeylès sur leurs voisins, beaucoup de temps s'écoulerait pendant lequel l'Aguellid serait occupé à réorganiser son royaume et à combattre la résistance des Massylès.

> *L'amertume de la mort est en raison*
> *de la crainte qu'elle inspire.*
> Suffète Zelaslan, père de l'Aguellid Gaïa.

Vers la fin de l'automne de l'an -218, Hanni Baal arriva donc dans la plaine du Pô. La marche de son armée depuis Kathagène avait duré exactement cinq mois et demi. Il mit le siège devant Taurasia* (Turin), dont les habitants avaient refusé de lui ouvrir les portes...

— C'est lui Hanni Baal ? demanda un habitant courageux, du haut des remparts.

— Hanni Baal Barak, précisa un autre. Il est à nos portes pour se venger !

— Comment a-t-il pu arriver jusqu'à nous ?

— Il paraît qu'il a suivi la côte depuis l'Ibérie !

— Il a fallu qu'il s'en écarte un peu pour arriver par le nord, non ?

— Il a passé l'Iber vers Tarragone puis est sorti d'Espagne vers Perpignan. Il a ensuite suivi la route de Narbonne et Nîmes avant de bifurquer vers Avignon, pour aller franchir le Rhône au-dessus de son confluent avec la Durance, expliqua un autre habitant visiblement plus informé.

— C'est astucieux de sa part. Il a ainsi évité à son armée de traverser deux rivières et par un passage des plus faciles !

— Et notre Scipion qui cherchait à l'arrêter dans sa marche s'est porté d'abord au-devant de lui ; mais il paraît qu'il n'a pas osé traverser la Durance, ni pousser ses reconnaissances au-delà ! »

Pendant que les habitants de Turin, inquiets, palabraient ainsi devant les murailles de leur cité, les guerriers gaulois, nouvellement recrutés dans l'armée punique enflaient la voix et jetaient des cris menaçants en même temps qu'ils lançaient des regards farouches. Ils se donnaient une physionomie redoutable et songeaient qu'un tel spectacle allait nécessairement produire de l'effet sur l'esprit de leur ennemi.

Le troisième jour, le général Hanni Baal prit d'assaut la cité. Avant d'engager la bataille, il s'adressa à ses hommes :

— « Soldats ! À l'endroit où vous allez joindre l'ennemi, il faut vaincre ou mourir. Cependant, le destin qui a fait de vous des combattants, ce destin réserve à votre triomphe les récompenses les plus brillantes qu'un mortel ait pu demander aux dieux ! Quand la Sicile et la Sardaigne, enlevées à nos pères, seraient seules reconquises par notre glaive, ce serait déjà un prix à ne pas négliger. Ce que les Romains ont pu conquérir et accumuler par des victoires, tout cela passera bientôt entre vos mains. Allez ! Courez à cette proie si belle, car les dieux sont pour vous ! Aux armes, soldats ! Le jour est venu pour vous, où vous allez faire des campagnes plus fructueuses, qui paieront amplement vos peines et vos sacrifices ! Après avoir parcouru une si longue route à travers tant de montagnes, tant de fleuves et tant de peuples ennemis, vous êtes arrivés là où le sort a fixé le terme de vos efforts ! C'est ici qu'il vous prépare une retraite digne de vos longs services. »

Tel fut le discours de harangue du général Hanni Baal avant l'assaut de la cité de Turtin. Le soir-même elle était prise.

*

Le consul Scipion à la tête de l'armée romaine stationnée en Gaule Cisalpine franchit le Pô, puis son affluent de la rive gauche, le Tessin. Sa mission était de mater dans l'urgence la révolte des Boiens et des Insubres qui avait éclaté alors qu'il se rendait à Massalia, l'empêchant de prendre le commandement de l'expédition d'Espagne.

— Porte-toi sans délai au-devant d'Hanni Baal, car il envisage d'apporter son soutien à la révolte des Boiens et des Insubres, mentionnait le message venant du Sénat.

— Je suis si pressé d'en venir aux mains ! confia-t-il au messager de Rome.

L'armée romaine et l'armée karthaginoise installèrent leurs camps respectifs à une distance assez proche. Le jour où Scipion sortit en reconnaissance à la tête de sa cavalerie, accompagné de son corps de jaculatores, les lanceurs de javelot, il tomba sur Hanni Baal et la cavalerie numide commandée par Mahar Baal, qui avaient eu la même idée ! L'affrontement ne pouvait être évité.

Les jaculatores, surpris par la rapidité d'engagement de la cavalerie numide se replièrent derrière leur propre cavalerie et promptement Mahar Baal, chargé d'envelopper l'ennemi, les encercla par les ailes et réussit à les neutraliser complètement.

Se voyant pris au piège et attaqués par leurs arrières, les cavaliers romains après avoir vainement résisté aux Numides, commencèrent à fuir le terrain par petits groupes. Le consul Scipion lui-même échappa de justesse, blessé gravement à la jambe par un javelot numide. Il prit la fuite, aidé par son fils âgé de dix-sept ans qui le protégea de son bouclier et le fit rentrer dans son camp.

— « Le pont de bateaux sur la rivière vient d'être emporté par une crue subite du Tessin », leur apprit-on aussitôt réfugiés derrière les palissades.

Les pertes romaines étaient lourdes et la défaite engendra la défection d'un grand nombre de tribus gauloises du nord de l'Italie, notamment les Insubres. Rentrés au camp, ils massacrèrent les Romains endormis et se rendirent auprès du général Hanni Baal qui préféra les renvoyer chez eux avec la mission de convaincre leurs chefs respectifs de le rejoindre dans la guerre contre Rome.

Le consul Scipion échappa à la mutinerie des Gaulois et se rendit avec son fils vers la cité de Plaisance accompagné du reste des légionnaires avec lesquels il rebroussa chemin et repassa le Pô. Il se replia sur l'affluent de droite du fleuve, la Trébie. En retraversant le Tessin, il ordonna de brûler le pont puis alla se réfugier sur les collines qui bordent la rivière, à proximité de la cité de Plaisance.

De son côté, Hanni Baal leva son camp et alla s'installer non loin de là, près de Plaisance où il mit la main sur les magasins laissés par les Romains à Clastidium, ce qui permit à ses troupes de se réapprovisionner sans verser une seule goutte de sang.

À son tour, il franchit le Pô et positionna son armée en ordre de bataille, mais Scipion refusa l'engagement de son armée à cause de sa blessure qui l'empêchait de prendre le commandement, préférant attendre l'arrivée de l'autre consul, son collègue Tiberius Sempronius Longus qui, entre-temps, avait été rappelé de Sicile par le Sénat. De fait, les renforts arrivèrent en décembre -218, ce qui mit à égalité les forces en présence. L'impatience de Longus se manifesta lorsque son collègue Scipion fut réticent à tout engagement immédiat, alors qu'Hanni Baal tentait tous les jours de se mettre en ordre de bataille.

On peut facilement comprendre la position de Cornelius Scipion, pourtant remis de ses blessures, mais encore plus affecté au moral qu'au physique au souvenir de sa récente défaite. Il redoutait de se retrouver à nouveau dans la mêlée et sous les javelots des puniques.

Le consul Longus, en revanche, était transporté de joie d'avoir été vainqueur dans un genre de combat où son collègue avait été battu. Il venait le relever et ranimer le courage de ses soldats. À présent, tous, excepté Scipion, demandaient de repartir à la bataille. Il tenta de convaincre son collègue.

— Pourquoi différer la bataille et perdre du temps ? demanda-t-il à son collègue. Attendons-nous un troisième consul ou une troisième armée ? L'armée d'Hanni Baal est campée au milieu de l'Italie, presque à la vue de Rome, relança-t-il avec assurance. Ce n'est plus la Sicile, la Sardaigne, enlevées à des vaincus, que vient attaquer le punique, ce n'est plus l'Espagne, en deçà de l'Iber qu'il essaye d'envahir, c'est notre sol ! Je te parle de la terre de notre patrie dont il veut chasser les Romains.

— J'ai vu sa cavalerie à l'œuvre ! Nous ne sommes pas prêts à l'affronter, objecta Scipion. Notre cavalerie est certes bien supérieure en nombre cependant leur technique de combat est époustouflante !

— Nos valeureux pères, accoutumés à porter la guerre près des remparts de Karthage, se retourneraient dans leurs tombeaux s'ils nous voyaient, nous leurs enfants, s'ils voyaient deux consuls, deux armées consulaires, au milieu de l'Italie, arrêtées dans leurs retranchements par la peur ! gronda Longus

— Hanni Baal l'Africain vient de soumettre à sa domination le pays entre les Alpes et l'Apennin ! répliqua son interlocuteur.

N'écoutant que sa passion et faisant fi des atermoiements de son collègue, Longus était également anxieux à l'idée que les comices approchaient et qu'il serait forcé de remettre à d'autres consuls la suite de la guerre.

« J'ai l'occasion de faire rejaillir sur moi seul toute la gloire d'un succès, pendant la maladie de mon collègue », songea-t-il avec une insolente froideur. Alors, malgré les recommandations de Cornélius, il ordonna aux légions de se tenir prêtes à livrer bataille au plus tôt.

De son côté, Hanni Baal savait que le consul Longus était enclin à l'agressivité et à l'impatience. Les rapports émanant de l'agent Philéménus étaient détaillés à ce sujet et ils concernaient tous les adversaires que le général aurait à affronter. Un matin il demanda à son jeune frère de l'accompagner.

— Allons reconnaître le terrain, Megen.

Entre les deux camps, il y avait un espace plat et sans arbres traversé par un cours d'eau aux rives escarpées. La zone était inculte, marécageuse et couverte de broussailles et d'épineux.

— L'endroit me paraît approprié, dit son jeune frère.

— Idéal pour une embuscade, tu veux dire, renchérit Hanni Baal.

— Je le pense, mon frère. C'est ici qu'il faudra surprendre notre ennemi.

— Le sol n'est pas épais, ils se méfieront moins ici. Ils savent que les Celtes évitent des endroits plats et sans arbres pour tendre leurs embuscades. Cela échappera aisément à leur vigilance !

— Pourtant, ces lieux sont mieux adaptés que les bois pour la dissimulation. Ils présentent de plus l'avantage de permettre d'observer tout autour de soi et sur une longue distance !

— Les roseaux et les fougères des rives de la rivière offrent assez de roseaux et de fougères épaisses pour dissimuler non seulement l'infanterie, mais aussi des cavaliers.

— Megen, dès ce soir tu prendras la tête d'un escadron de cent chevaux et autant de fantassins, décida le général. Mahar Baal t'aidera à les choisir. Dès que ça sera fait, tu viendras me retrouver dans ma tente.

— Une mission spéciale ? demanda le vif et ardent jeune Barcide.

— Je t'en dirai plus, plus tard. Mahar Baal prendra les plus braves d'entre nos soldats, sois-en rassuré. Va !

— Bien, grand frère, j'ai une totale confiance en lui. Inutile de me le rappeler !

— Il faut hâter le moment du combat, conclut Hanni Baal. Nous avons une chance avec l'arrivée du deuxième consul. Il nous faut aussi profiter de la disposition des Gaulois qui pour l'instant sont de notre côté. Je ne veux pas donner à Publius Cornélius Scipion, le temps de prendre l'initiative de l'action.

Mais la vraie raison que le général ne dévoila pas, la plus importante à ses yeux, était celle de ne pas gaspiller du temps pour accomplir le destin que son père avait fixé pour lui. Une autre raison concernait ses alliés. Il était impératif, pour un général entreprenant une conquête inédite et entrant dans un pays ennemi avec son armée, de les maintenir dans l'espoir de nouveaux et rapides exploits. Aussi, ne pensa-t-il plus qu'à se disposer à une bataille, certain que Sempronius allait l'accepter.

— Rappelle-toi de cet endroit, Megen. Tu y placeras tes cavaliers et tes fantassins que Mahar Baal est en train de choisir pour toi, parmi les plus hardis !

*

Dans la soirée, le général Hanni Baal tint un conseil de guerre restreint avec les officiers de son état-major. Il fit part à chacun d'eux du rôle qu'il lui assignait dans son plan global et les invita à partager son repas du soir. À la fin du souper, il congédia son conseil et prit à part son jeune frère Megen Barak à qui il rappela les tâches qu'il devait effectuer la nuit-même.

— Chacun de mes officiers est parti choisir neuf de ses hommes les plus hardis et les plus courageux. Tu viendras me rejoindre avec les tiens à cet endroit du camp, dit-il en désignant un point sur la carte d'état-major.

À l'endroit convenu, mille cavaliers et mille fantassins se retrouvèrent là où Hanni Baal les attendait. Il leur donna des guides et indiqua à son frère Megen, le moment où il devait fondre sur l'ennemi.

Le lendemain matin, de bonne heure, Mahar Baal rassembla la presque totalité de sa cavalerie numide, dont les éléments étaient réputés infatigables et endurants. Il les exhorta à bien se battre et promit des récompenses à ceux qui se distingueraient au combat.

— Nous allons traverser la rivière et nous approcher du camp romain. Nous devons les obliger à s'engager en les provoquant par des escarmouches.

— Mais pourquoi si tôt ? demanda un chef d'escadron. Ce n'est pas dans nos habitudes.

— Hanni Baal veut que nous surprenions l'ennemi avant qu'il n'ait le temps de prendre son repas matinal. Il faut frapper justement au moment où les Romains ne s'y attendent pas !

*

C'était l'hiver et il neigeait. Un vent glacial soufflait en direction du camp romain et le froid provoquait des engelures aux soldats qui ne se protégeaient pas les mains. Dès que les sentinelles romaines aperçurent les cavaliers numides, ils avertirent le consul Sempronius qui n'attendait que cette occasion pour mettre les siens en marche. Dès qu'il vit la cavalerie numide, il exulta.

— Sus à l'ennemi et ne faites pas de quartier ! ordonna-t-il.

La cavalerie romaine fut suivie de six mille légionnaires armés à la légère. Le consul prit enfin la tête du reste de ses troupes et sortit de son camp assuré que la nombreuse armée dont il avait la charge ne manquerait pas de prendre l'avantage sur le terrain.

Les soldats romains sortirent de leur camp sans avoir mangé. Ils se précipitèrent selon les ordres, avec une grande hâte et l'envie d'en découdre. La rivière Trébie était ce jour-là enflée par les pluies torrentielles de la veille. Quand ils entreprirent de la traverser, ils eurent de l'eau jusqu'aux aisselles et lorsqu'ils se retrouvèrent sur l'autre rive, Hanni Baal envoya en avant-garde les soldats armés à la légère et les frondeurs des îles Baléares. Il les suivit à la tête de toute son armée.

À mille pas de son camp, il disposa les vingt mille hommes de son infanterie sur une ligne. Il y avait là tant des Gaulois que des Espagnols et des Africains. Il plaça la cavalerie sur les ailes ainsi que les éléphants, répartis à droite et à gauche de l'infanterie.

Le consul Tiberius Sempronius se rendit vite compte que sa cavalerie s'épuisait inutilement à courir après les cavaliers numides, insaisissables et plus rapides.

— Ces Numides sont d'habiles cavaliers, accoutumés à fuir en désordre au premier choc et à revenir à la charge aussi hardiment qu'ils y sont venus ! cria-t-il à son officier d'ordonnance. Fais rappeler la cavalerie, j'ai une autre tactique pour eux !

Il engagea ses quatre mille cavaliers sur les deux ailes de sa légion et s'avança fièrement vers l'ennemi au petit pas et en ordre de bataille. Le contact se fit entre les soldats armés à la légère de part et d'autre. Cette première charge fut profitable aux Karthaginois et désavantageuse pour les Romains qui depuis le matin souffraient du froid et de la faim. La cavalerie romaine avait, en outre, épuisé la plupart de ses traits, lancés tantôt dans le combat contre les Numides. Les Karthaginois restaient quant à eux frais et vigoureux.

Dès que les soldats armés à la légère se retirèrent par les intervalles pour laisser la place à l'infanterie lourde qui en vint immédiatement aux mains, la cavalerie karthaginoise déboula avec vigueur et impétuosité sur la cavalerie romaine, qu'elle obligea à se replier et prendre la fuite aussitôt.

C'est ainsi que les flancs de l'infanterie romaine se retrouvèrent à découvert et que les soldats karthaginois armés à la légère, précédés des cavaliers numides, s'engagèrent à nouveau pour les fendre.

L'infanterie lourde combattait de pied ferme au centre et en première ligne et avec un avantage égal, jusqu'au moment où Megen et ses hommes, conformément au plan du général, surgirent de l'embuscade et chargèrent l'arrière des légionnaires qui combattaient au centre. Ils semèrent alors une telle confusion que les deux ailes attaquées de front par les éléphants furent culbutées dans la rivière.

Au milieu de la journée, les Romains étaient réellement affaiblis alors que les armées puniques avaient bu et mangé sous leur tente. Au cours de la bataille, le consul romain envoya la réserve, mais elle ne put contenir les Numides qui, fondant sur eux par l'arrière, les attaquèrent et prirent rapidement le dessus.

Seule la première ligne romaine perça avec courage à travers les lignes gauloises et africaines après avoir constaté la défaite de ses ailes qu'elle ne pouvait secourir. Elle ne pouvait pas, non plus retourner au camp, empêchée par la cavalerie numide, la rivière et la pluie. Elle prit alors la route de Plaisance où elle trouva un abri. Les autres soldats périrent sur les bords de la rivière, écrasés par les éléphants ou par la cavalerie.

La victoire de Hanni Baal était complète et les pertes dans ses rangs furent minimes. Cependant, ses éléphants avaient péri, décimés par le froid et les blessures, à l'exception de Cyrus, son éléphant personnel.

*

Devenu maître de la Cisalpine, le général karthaginois renvoya les Italiens prisonniers sans rançon en leur annonçant qu'il était venu leur apporter la liberté. Le soulèvement de la Cisalpine lui apporta de puissants renforts de la part des tribus gauloises.

Le consul Sempronius envoya à Rome un courrier dans lequel il ne donna aucun détail qui aurait pu dévoiler sa honte de la défaite. Il disait seulement qu'il avait livré une bataille et que sans le mauvais temps, il aurait pu remporter la victoire.

Choqués par la Nouvelle, les sénateurs commandèrent de grands préparatifs pour la campagne suivante et positionnèrent des garnisons dans les places y compris en Sardaigne et en Sicile.

Ce n'est pas le jour du combat qu'on aiguise sa lance
Aguellid Madghis –299/–244

Lorsque Syphax s'allia aux Romains, les Karthaginois décidèrent de lui faire la guerre. Ils envoyèrent un message au général Sadar Baal Barak, fils d'Abdmelkart, pour le rappeler d'Espagne et lui faire prendre ses quartiers à Karthage afin d'assurer la défense des remparts de la cité et de rassurer les citoyens karthaginois.

« Suffètes, exhorta Azrou Baal fils de Giscon, vous devez être conscients qu'il nous faut renouer à présent une ancienne alliance avec l'Aguellid Gaïa, car pour atteindre les troupes de Syphax, il nous faut l'autorisation des Massylès de traverser leur territoire.

— A-t-on eu, par le passé, ce genre d'égard ? répliqua Hanna le grand, outré par ces propos.

— Le passé, comme tu le rappelles si bien, nous a causé bien des torts à cause des solutions expéditives que tu prônais ici même ! Nous avons besoin d'alliés et pas de sujets !

— Je ne vois aucune différence concernant les Africains ! dit Hanna avec froideur.

— Sous les Barcides, le monde a changé, cher collègue. Désormais, nous traitons avec des alliés.

— Bah ! Faisons-les rentrer dans cet hémicycle, tant qu'on y est ! s'indigna Hanna.

— Le temps de tes arrogances et de tes manigances est révolu. L'heure est grave. Sadar Baal est en route avec une flotte importante et son frère Hanni Baal est aux portes de Rome. Voilà la situation aujourd'hui. Reste Syphax qui représente un danger imminent si on ne lui oppose pas quelqu'un qui le connaît bien, quelqu'un de son peuple et de sa race !

— Et ce Gaïa, est-il au moins encore capable de sauver son propre trône ?

— Il possède une capacité de résistance hors du commun et continue à fournir des renforts à notre armée en Espagne. Que te faut-il de plus comme preuves de sa vigueur ?

— Eh bien, votons dans ce cas, puisque c'est la seule solution qui se présente à nous !

Craignant les funestes suites de l'union de Syphax et des Romains, les sénateurs dépêchèrent des ambassadeurs auprès de l'Aguellid Gaïa pour négocier avec lui les conditions de passage de leurs troupes sur son territoire. Ils reçurent aussi pour mission de tenter, par la même occasion, de reitérer l'intérêt de cette alliance, justifiée par la menace d'un ennemi commun.

Même affaibli et doté d'un territoire diminué depuis l'annexion par Syphax de la partie occidentale de son royaume, Gaïa disposait encore d'une cavalerie puissante et mobile ainsi que d'une capacité rapide à mobiliser des unités importantes d'éléphants, grâce à ses relations privilégiées avec les tribus gétules, au sud de son royaume. Cependant, devant la menace réelle que représentaient les Massaeylès et à leur tête Syphax qui manifestait les ambitions d'acquérir un grand royaume unique en Afrique, les députés karthaginois qui se rendirent auprès de Gaïa, n'eurent aucun mal à lui représenter la situation dramatique dans laquelle se trouverait son royaume s'il ne se déclarait pas en faveur de leur proposition d'alliance, du moins pour le moment.

— Pour ta propre sécurité, Aguellid, et pour la sécurité de ton royaume, tu devrais rejoindre le camp des Africains avant que Syphax ne puisse te nuire davantage, conseilla Malchus, le chef de la délégation karthaginoise venue à Kirthan. Il était accompagné du sénateur Himilcon, lui aussi partisan barcide.

— Et vous proposez quoi en retour ? interrogea Gaïa.

— Pour faire la guerre à Syphax, nous avons besoin de traverser ton royaume. Nous te proposons des dédommagements pour la nourriture et les frais de nos soldats.

— Et en cas de victoire ?

— La restitution de toutes les cités prises illégalement par Syphax. Le marché est honorable, grand Aguellid !

— Cela ne m'assure pas que Syphax ne veuille pas, une fois battu, reconstituer ses forces et reprendre le chemin de la guerre pour assurer sa vengeance !

— Chaque chose doit être traitée en son temps Aguellid. Pour l'instant nous avons un problème urgent à régler. Il s'agit de stopper Syphax dans son élan, fit Malchus.

— C'est comme ça avec vous, vous ne voyez que le bout de votre nez. Depuis mon exil à Hibboune, je vois les choses différemment. Je viens à peine de reconstituer mes forces après avoir fourni quatre mille cavaliers à Mahar Baal et vous me demandez de les engager dans la bataille !

— Aguellid ! Ce sont les circonstances qui l'exigent. Nous ne faisons que noter la gravité de la situation. Tu es toi-même bien avisé pour évaluer les chances de succès de Syphax s'il lui prenait l'envie de passer par ton royaume pour attaquer Karthage ! avertit Malchus.

Gaïa réfléchit un instant. Les informateurs dont il disposait toujours à Kirthan et qui lui envoyaient régulièrement des informations sur la stratégie de son ennemi confirmaient bien l'intention de Syphax de s'attaquer à Karthage. Avec les forces dont il disposait à présent, il lui était possible aussi d'assiéger Hibboune à sa guise. Gaïa aurait sans doute été contraint encore une fois de trouver refuge dans les montagnes de l'Edough pour organiser la résistance. Mais c'était peut-être aussi le moment pour lui de s'entendre finalement avec ses voisins turbulents et d'en finir avec les Karthaginois. Si Malchus représentait la faction la plus conciliante avec les Massylès, il n'en était pas de même avec la faction des Hanna, véritables colonisateurs et avides de territoires nouveaux pour étendre leurs domaines agricoles. Son voisinage avec la cité des marchands faisait de lui un partenaire de choix dans cette alliance avec son ennemi d'aujourd'hui. Après tout, il n'y avait pas si longtemps, les Numides étaient un seul et même peuple, gouverné par un seul aguellid.

Cette idée fusa dans sa tête, sans aucun calcul. Il avait besoin d'en parler à la reine, sa confidente et conseillère. Elle seule avait les clés pour interpréter les mystères de l'avenir et les présages aussi néfastes puissent-ils être, avec franchise et clarté. Mais pour l'instant il avait besoin de répondre à Malchus.

— Le danger pour vous, c'est que Syphax pourrait faire passer quelques troupes en Espagne ou encore, dans le pire des cas, les Romains pourraient envisager de transporter leurs troupes en Afrique ! dit Gaïa, l'air songeur.

— Actuellement, Syphax n'a encore aucun secours à attendre des Romains et ainsi rien n'est plus facile que de l'écraser tout de suite ! répondit le sénateur Malchus, bien informé aussi de son côté par un réseau d'agents établis dans tous les ports du littoral, qui le tenaient renseigné régulièrement non seulement des faits et gestes des troupes massaeylès, mais aussi de ceux de Syphax lui-même.

— Je comprends, sénateur Malchus et crois-moi, je suis conscient de l'urgence de ta requête. Mais, comme tu le sais, je dois consulter mon conseil et obtenir l'avis des chefs de tribus.

L'Aguellid Gaïa voulait se donner le temps de réfléchir. Les consignes du sénat étaient on ne peut plus claires, les députés avaient pour mission d'obtenir coûte que coûte l'adhésion des Massylès à leur guerre contre Syphax. Aussi n'hésitèrent-ils pas à agiter l'habituel épouvantail.

— Maintenant que Syphax est l'allié des Romains, il est plus puissant que jamais ; il faut donc s'unir pour l'écraser ! insista Malchus. Il sentit cependant que sa phrase n'avait pas plus de poids que ses arguments qu'il avait déjà énoncés.

— Je vous donnerai ma réponse dans la journée, conclut Gaïa. En attendant, profitez de mon hospitalité, l'air de Kirthan est particulièrement vivifiant en cette saison et la vue sur la cité à partir du temple de Baal est insaisissable !

*

Titrit, la reine, avait écouté tout l'entretien, assise derrière un rideau de toile, dans la salle du conseil. En prêtresse expérimentée, elle fit appel à ses intuitions pour évaluer la sincérité de la demande du sénateur Malchus. À la fin de l'entretien, elle sortit de sa cachette et rejoignit son époux, toujours assis sur son trône. Elle s'assit à ses pieds et posa une main sur son genou, avec une affection que seule une prêtresse d'Afrika savait exprimer.

— Syphax se croit à présent puissant grâce au centurion Statorius qui lui a entraîné une armée de fantassins. Les Scipion ont bien manœuvré dans le but d'affaiblir Karthage, qui a besoin de notre aide à présent, après avoir spolié régulièrement notre pays, et ce Syphax qui veut notre mort ! résuma Titrit, en soupirant.

— Pourquoi devrais-je suivre les conseils de ce Malchus dont le seul souci est de sauver son pays sans se soucier du sort de ses voisins ? Le royaume des Massylès doit-il utiliser cette alliance avec ses voisins africains attachés à préserver leurs indépendances respectives mises à l'épreuve par les volontés expansionnistes de chacun d'eux ?

— Karthage n'a pas d'autre objectif que celui d'assurer une plus large sécurité de voies commerciales et politiques autour de sa république, renchérit Titrit. Elle devra de toute manière acquitter à nouveau le loyer qu'elle paie annuellement aux Numides depuis le roi Yarbaal.

— Et dont elle s'était affranchie à plusieurs occasions, sujet de discorde ancestrale, compléta Gaïa.

— Cette nouvelle alliance de Syphax avec les Scipion n'a pas d'autre but que celui de faire diminuer la pression karthaginoise sur les champs de bataille en Italie et en Espagne, fit observer Titrit

— Bien. A présent, voyons quel serait notre intérêt à renouer une alliance avec Karthage.

— Depuis l'Aguellid massylès Aylimas, nous avons combattu à leurs côtés…

— Leur armée recrute librement des soldats numides qui reçoivent une solde à la fin de chaque conflit en plus du butin qu'ils récupèrent sur place lors des opérations militaires, rappela Gaïa.

— Mon époux, Syphax est considéré comme dangereux par les Karthaginois. Soit en ralliant les forces romaines sur le sol ibérique, soit en ralliant Scipion dans son désir de porter la guerre aux Karthaginois sur le sol africain !

Gaïa comprit que l'ambition de Syphax ne s'arrêterait pas aux portes de Karthage et qu'elle irait jusqu'à engloutir le reste de son royaume déjà affaibli par des incursions répétées du chef des Massaeylès sur son territoire. Aussi, l'idée qui traversa son esprit pendant le discours de Malchus s'estompa au profit d'une hargne, en pensant que jamais il ne lui serait possible de pardonner à Syphax la mort de dizaines, voire de centaines de sujets massylès.

— Il me paraît impératif de l'empêcher de prendre une telle importance en Afrique ! décida-t-il finalement. Je vais en informer le Conseil des Anciens sur-le-champ.

Puis il se leva de son trône, s'empara délicatement de la main de son épouse et l'enferma dans la sienne un court instant, puis lui porta un tendre baiser. Elle avait encore une fois réussi à lui rappeler l'importance de sa présence auprès de lui, car il lui suffisait d'être là pour qu'il trouve toute sa lucidité dans les moments de tourments et de cogitations.

Avant de quitter le palais, il lui adressa un sourire amer et son regard s'assombrit quand il songea à la suite des évènements.

— Pour sceller cet accord, il faudra leur envoyer ton fils à Karthage comme otage, le sais-tu, ma reine adorée ?

— Je ne le sais que trop et je m'y prépare depuis longtemps. La déesse Afrika ne laissera pas tomber le fruit de mes entrailles. Va accomplir ton destin, Massinissa aura aussi le sien !

Et Gaïa disparut dans les escaliers de marbre qui le conduisirent sur la place du palais, d'où il se dirigea vers le siège de l'assemblée des anciens, suivi de sa garde personnelle

*

Les anciens reconnurent dans les arguments de leur aguellid des intérêts collectifs, même si une petite partie d'entre eux espérait de cette nouvelle alliance des retombées confortables. Certains rêvaient uniquement d'un séjour à Karthage, tous frais payés par la république des marchands, d'autres avaient des appétits plus ambitieux, mais la plupart d'entre eux étaient assez honnêtes pour épauler Gaïa dans ses démarches. Ils lui accordèrent un vote de confiance pour traiter à nouveau avec les Karthaginois.

*

Aussitôt que Malchus et Himilcon eurent rendu compte au sénat des termes du traité avec les Massylès, Kirthan reçut la visite du général Azrou Baal fils de Giscon, le chef des armées de Karthage, en mission de coordination pour préparer les négociations d'une future alliance militaire et tenter de trouver les moyens de riposter aux attaques de Syphax.

La blessure creuse, mais finit par guérir
alors que la parole qui blesse ne finit jamais de creuser.
Proverbe populaire numide

La présence de l'armée sous le commandement de Sadar Baal Barak, rentrée récemment d'Espagne, dissuada pour un temps l'Aguellid Syphax de s'en prendre ouvertement à la cité des marchands. Les Scipion se hâtèrent de lui rappeler les termes de son engagement par l'intermédiaire du sénat et au nom du peuple romain, contenus par un traité validé.

— Un courrier en provenance de Rome ! annonça le garde royal.

— Je devine son contenu, dit l'Aguellid Syphax, sans bouger de son trône. Il récupéra le message et renvoya le garde.

— Attendons-nous des nouvelles rassurantes, père ? demanda Vermina.

— On rapporte que c'est plutôt une année néfaste pour les Romains, rappela le conseiller Gauda, en faisant la moue.

— Une année de prodiges, plutôt, rectifia Vermina. Il paraît que la foudre est tombée en plein centre de Rome sur le temple de Jupiter, qui a complètement perdu sa toiture. On dit que le feu a pris sans que rien ne l'alimente et que des oiseaux ont abandonné leurs nids sur des arbres du bois sacré de Diane.

— Un marchand m'a raconté que non loin du port de Terracine, on a vu des serpents d'une dimension monstrueuse bondir sur l'eau comme des poissons qui s'ébattent, dit Vermina. On m'a juré aussi que cet été, un porc y est né avec une tête d'homme.

— Et qu'un agneau y était né avec une mamelle pleine de lait, surenchérit le conseiller Gauda…

— Assez de sornettes ! intervint l'Aguellid Syphax. Assez de vos ridicules témoignages par ouï-dire. Ce ne sont que des superstitions officielles que les pontifes servent à un peuple crédule et qui accourt religieusement pour permettre l'immolation de nombreuses victimes. En attendant, nos alliés romains nous mettent la pression.

— C'est le message que tu viens de recevoir ? Que désirent-ils ?

— Rien de moins que d'accélérer le processus de guerre qui figure dans notre traité d'alliance avec les Scipion et je n'apprécie pas ce rappel à l'ordre qui me fait passer pour un subalterne à qui on rappelle ses devoirs ! Quelles manières !

*

L'Aguellid des Massaeylès se vit donc contraint de faire mouvement vers l'est avec ses troupes et marcher une première fois contre les forces massylès alliées aux Karthaginois.

La première rencontre avec ses ennemis le rassura quant à sa nouvelle stratégie, car il obtint un succès qui le conforta dans le choix d'une infanterie pour son armée.

Cette action fut enfin combinée avec celle des Romains qui à partir de la Sicile, mirent à leur tour une pression considérable sur Karthage.

L'année suivante, le consul Lævinus devenu amiral revint avec une flotte de cent navires. Il opéra une descente nouvelle en portant la dévastation sur le territoire de

Karthage, mais il dut précipitamment reprendre la mer en voyant une flotte karthaginoise commandée par Sadar Baal Barak manœuvrer de façon à menacer de couler tous ses vaisseaux au mouillage.

Il appareilla donc en toute hâte mais ne put éviter une bataille navale entre les deux flottes. Le sort fut encore une fois favorable aux Romains, confirmant ainsi combien les Karthaginois avaient depuis un moment déjà négligé leur marine.

Dès que les troupes de Syphax s'ébranlèrent vers l'Est en direction du royaume voisin des Massylès, le Conseil des Anciens se réunit autour de l'Aguellid Gaïa. On ne tarda pas longtemps à délibérer sur l'attitude à adopter. Malgré des avis partagés, le roi eut à trancher. Face à la menace, appuyée par une infanterie qui pouvait tenir le terrain durant longtemps, formée par le centurion romain Statorius, il choisit la prudence. Il exposa aux notables les grandes lignes de son plan.

— Syphax vient de traverser l'Ampsaga, annonça Gaïa imperturbable, aussitôt que les messagers lui annoncèrent l'imminente approche des troupes massaeylès

— Nous allons donc livrer notre cité sans nous battre ? réagirent certains d'entre eux.

— Il est inutile de verser du sang pour protéger les édifices et les temples, les dieux s'en chargeront. Je demande à chacun d'entre vous de faire maintenant le choix de l'exil ou de la résistance.

— Avec quelles forces pourrions-nous résister, si nous choisissons de rester ?

— Ceux qui voudront rester, je les assure de mon soutien et de la présence de ma cavalerie, le temps qu'il faudra, jusqu'à ce que je puisse obtenir la promesse de Syphax de ne point s'en prendre aux innocents.

— C'est risqué ! Cela revient à faire confiance à la parole d'un renégat, pronostiqua Aberkan.

— Syphax n'a jamais caché ses ambitions, mais il aura besoin de tous les notables qui choisiront de rester pour continuer à gérer la cité, après notre départ. Vous n'avez pas beaucoup de temps pour vous décider aussi je vous recommande de le faire sans trop de palabres.

Ainsi parla Gaïa avec la langue crue de la réalité et de l'honnêteté.

Il donna des instructions à la reine Titrit pour préparer l'évacuation imminente des femmes et les enfants et à Mastanabal, son conseiller, de préparer celle des anciens et des impotents ainsi que tous ceux qui n'étaient pas en condition de se battre. Quand il eut donné ses ordres et se fut assuré de leur bonne exécution, il se réunit en comité restreint avec ses proches conseillers et son épouse Titrit. Les princes massylès Kabassen et Massinissa étaient aussi présents.

— Amessan et Aberkan ! Mes amis ! En cette circonstance, je compte sur vous pour conduire notre peuple en sécurité vers la cité de Khullu par la route de Celtlam. Vous devez assurer la protection du prince héritier Kabassen. Donnez ceci à Yuksan, l'amiral de notre flotte. C'est sa feuille de route. Il a pour mission de vous acheminer vers Hibboune par la mer.

Aberkan se saisit du parchemin d'une main tremblante et le cacha dans les replis de sa tunique de sage en pensant à son fils aîné, Amayas, capitaine d'un des navires de la marine massylès, basée à Khullu.

— Quant à toi, Mastanabal ! reprit l'Aguellid Gaïa, tu assureras la défense de la cité dans un premier temps. Il faudra organiser la résistance avec tous ceux qui souhaitent rester dans la cité.

— Et toi Aguellid, que comptes-tu faire à présent ? demanda Amessan, avec un trémolo dans la voix, justifié par l'émotion et surtout l'idée qu'il se fit que c'était peut-être la dernière fois qu'ils se voyaient.

— Défendre la cité d'Aylimas de l'extérieur ! Pendant que Mastanabal résistera de l'intérieur. Mes cavaliers et moi serions plus mobiles et efficaces de l'extérieur. Nous baserons notre campement sur les hauteurs du plateau des mouflons, à la lisière de la forêt de l'oubli.

— C'est une pure folie ! Faut-il te rappeler que les murs ne valent pas mieux que les âmes ! lui rétorqua Aberkan.

— Je sais tout cela, Aberkan. Je dois montrer à mon peuple que je ne les abandonne pas. Ceux qui décideront de rester à Kirthan ont besoin d'être rassurés par ma présence à leurs côtés quand les hordes des Massaeylès déferleront devant la cité.

— Leurs intentions n'ont rien de pacifiques, selon les rapports qui nous sont parvenus des bourgs qu'ils ont déjà ravagés.

— Syphax ne s'en prendra pas aux personnes dont il a besoin pour gérer la cité ! Il aura besoin des artisans et commerçants qui y vivent, assura l'Aguellid Gaïa.

— S'il n'est pas insensé, il les épargnera, manifesta Amessan, qui n'avait pas dit grand-chose, jusque-là.

— Sa soif de vengeance est légendaire et n'aura pas de limites, il voudra éliminer toute forme de résistance au sein de la cité, réfuta Aberkan, conscient du risque qu'il prenait en restant.

— Les riches étalages des échoppes de Kirthan ne manqueront pas d'aiguiser l'appétit de ses soldats ! Il faudra traiter avec Syphax avant que ses soldats ne soient tentés par un pillage systématique, annonça la reine Titrit à regret, car elle aurait aimé rester auprès de son fils et de son époux en cette circonstance.

— Mon épouse adorée, ton conseil est très judicieux. Tu dois accompagner les prêtresses, ton ordre spirituel est capital pour la survie de notre royaume. Ta mère Markounda restera à mes côtés selon sa propre volonté. Cela suffit amplement pour combattre les sortilèges des sorcières qui accompagnent Syphax. Elle le fera avec la même ardeur que la tienne, n'en doute pas !

— L'affronter est une forme de suicide, Aguellid ! insista Aberkan, convaincu de l'inutilité de la résistance face à une armée cinq fois plus nombreuse.

L'Aguellid Gaïa semblait agacé par l'émotivité incongrue de ses vieux compagnons, dont il connaissait la fidélité et surtout la sincérité, mise à l'épreuve depuis très longtemps et pour lesquels il éprouvait une reconnaissance sans limites.

— Soyez rassurés ! Je garderai avec moi la garde royale et mon fils Massinissa. Je ne suis pas suicidaire, Aberkan ! Je vous donnerai le temps nécessaire pour que vous puissiez arriver jusqu'à la cité de Celtlam. Elle est à mi-chemin. Vous y serez en sécurité.

— Et après, que comptes-tu faire, Aguellid ? demanda Mastanabal, dont l'inquiétude ne baissait pas.

— J'irai sur Hibboune la royale par la route. Rendez-vous dans la nouvelle capitale du royaume. Mon frère Oulzasen y est déjà avec sa nouvelle épouse et son jeune fils, Lukmasès.

— Dans ce cas, nous partirons avec l'espoir de nous revoir bientôt ! fit Aberkan.

— Partez maintenant, vous n'avez pas beaucoup de temps pour vous préparer ! déclara le roi.

Ils se firent une accolade fraternelle. Mastanabal sécha une larme qu'il ne pensait plus pouvoir ressentir dans ses yeux asséchés par tant de drames qui avaient jalonné sa longue vie.

Puis Gaïa retint son épouse par le bras et l'attira contre sa poitrine. Il la serra très fort dans ses bras, ce qu'il ne faisait jamais en public, mais la situation était exceptionnelle. Il brava ce tabou sans effusion notoire. Titrit en parut gênée.

— Nous allons nous retrouver bientôt, mon époux ! Ce n'est pas encore la fin ! Prends soin de toi et de notre fils !

Puis elle prit dans ses bras Massinissa qu'elle garda un moment en lui chuchotant dans l'oreille les consignes qu'elle avait reçues le matin même, pendant sa séance de méditation. Les voix avaient été plus loquaces cette fois-ci au sujet de sa prochaine mission. Les cousins s'embrassèrent en se promettant de se revoir bientôt dans leur nouvelle cité et Kabassen salua son oncle Gaïa, qui le prit dans ses bras comme s'il s'agissait de son propre fils. Il eut droit à sa part de conseils avisés. Amalut le fidèle et loyal garde personnel, dit le ténébreux, emboîta le pas à sa reine et tous deux sortirent de la salle du conseil sous le regard attendri et impérieux de l'Aguellid des Massylès, le roi Gaïa.

— Décidément, ce Gétule me donne froid dans le dos ! songea Gaïa. Mais il a toute ma confiance pour assurer la protection de la reine au péril de sa propre vie.

Il les regarda s'éloigner un moment, en tenant la main de son fils Massinissa, jusqu'à ce qu'ils disparaissent de la grande salle du conseil qui se vida, laissant dans le cœur de l'Aguellid un amer sentiment d'abandon. Seule la présence de son fils, qui se tenait droit devant lui, apporta un réconfort à cette amertume royale.

— À présent, viens mon fils ! Nous avons du travail. Ce n'est pas le moment de douter de nos valeurs ! Nous devons lutter non pas pour celles des murs de la cité, mais pour notre propre reconnaissance, sinon nous disparaîtrons et l'histoire oubliera jusqu'à nos origines.

— Il faut renforcer les remparts de la cité, père ?

— Nous le devons ! C'est la mission de Mastanabal et de Masitanès. Quant à nous, nous avons un autre travail à faire. Suis-moi !

L'Aguellid Gaïa, sous ses airs d'optimiste éternel, dissimulait en réalité le caractère d'un fin politicien. Il donnait à première vue l'impression de vouloir systématiquement simplifier les choses quand il s'agissait de traiter la question de la guerre contre les Massaeylès. Pourtant, il faisait de gros efforts pour comprendre les motivations de son cousin ennemi, mais ces derniers n'étaient pas suffisantes pour lui permettre de dépasser ses jugements initiaux, proférés à l'emporte-pièce.

— C'est la guerre, cette fois-ci, non ? s'enquit Massinissa.

— Oui, mon fils ! C'est la guerre, mais ne te réjouis pas de sitôt. Il nous faut accomplir un dernier acte pour que la pièce soit totalement jouée.

Le sacrifice de soi est la condition de la vertu.

Aristote. La Rhétorique –IVe s.

L'Alerte fut donnée dans tout le royaume pour organiser la résistance et combattre le plus longtemps possible les forces d'invasion de l'Aguellid Syphax dont l'arrivée sur Kirthan était imminente. Une milice fut mobilisée dans la cité pour défendre les biens et les personnes à l'intérieur des remparts.

— Suis-moi, fils ! demanda l'Aguellid Gaïa à Massinissa, après avoir donné des consignes à Mastanabal de fusionner les soldats réguliers avec les vétérans encore valides.

— Nous ne participons pas à la défense de Kirthan ? s'étonna le jeune prince.

— Pas toi ! Mais chaque chose en son temps, viens, suis moi !

L'Aguellid Gaïa se dirigea promptement vers le sanctuaire de la mort, là où se trouvait le tombeau d'Aylimas le grand. Il invita son fils à y pénétrer et une fois tous les deux à l'intérieur, il demanda aux prêtres présents de sortir et de refermer derrière eux l'énorme herse en bronze qui barrait l'entrée du temple. Quand ils furent seuls et sans témoins, l'Aguellid Gaïa s'approcha du tombeau de l'aïeul et grâce à un mécanisme bien dissimulé aux regards, il déplaça la dalle qui couvrait le haut du tombeau, révélant une trappe cachée dans laquelle se trouvait un manuscrit.

— Le livre des anciens, balbutia le jeune prince avec étonnement. Ma mère m'en avait déjà parlé.

— Oui, Massinissa. C'est le *Codex d'Aylimas*. L'âme de notre peuple. Le guide de notre nation et la source de mes inspirations. C'est le livre du roi des rois. C'est ce que convoite Syphax vainement. Un jour, d'après ta mère, et je ne doute pas de ses visions, il te reviendra de le protéger et de lui assurer un asile contre les convoitises. Il ne faut pas qu'il tombe entre les mains des Massaeylès.

— Mais Aylimas n'était-il pas notre ancêtre à nous tous ? Pourquoi aurions-nous plus de droits que nos cousins sur le codex ?

— Bien sûr, tu connais la réponse à ta première question. Mais ce sont eux qui ont quitté le giron de la terre et renié les enseignements sacrés de notre ancêtre. Ils se sont disqualifiés de son héritage spirituel et moral en provoquant la scission.

— Sommes-nous devenus de fait les seuls dépositaires de cet héritage ?

— Tu l'as dit, mon fils ! C'est à nous qu'il revient de protéger ce manuscrit comme la prunelle de nos yeux. C'est pour cela que sa sauvegarde est plus importante que le combat que tu souhaiterais mener contre nos ennemis !

— Tu veux bien m'en dire davantage, père ?

— Tu dois mettre ce manuscrit à l'abri…

— Et te laisser seul pour affronter Syphax ?

— Je ne serai pas seul, Massinissa !

— Je veux dire que je ne serai pas à tes côtés pour combattre nos ennemis ?

— Pas cette fois, mon fils. La réponse fit office de sentence.

Déçu, le jeune prince baissa la tête dans cette immense salle où chaque bruit résonnait contre les parois austères et renvoyait un son lugubre et déformé par l'écho. L'Aguellid prit son fils par les épaules et lui demanda de s'approcher du livre sacré.

— Regarde-le bien ! Il vaut toutes les batailles du monde. Prends-en grand soin, car certaines personnes en ce monde paieraient cher pour te le subtiliser, au prix de ta vie. Elles n'hésiteraient pas un instant à tuer afin de s'en emparer !

Massinissa se saisit aussi délicatement que possible du manuscrit et observa attentivement ses contours en cuir. À l'intérieur du codex, certaines feuilles en papyrus montraient déjà des signes de mauvaise résistance. D'autres feuilles en lin avaient été rajoutées et cousues ensemble pour former un livre qui se maniait facilement. C'était un support pour la mémorisation des lois et des règles que suivaient les Numides depuis la nuit des temps.

L'Aguellid Aylimas avait pris la décision, contre l'avis des anciens, de noter dans la langue sacrée, le tifinagh, les lois de son peuple, pour aider les prêtres dans leur travail d'érudition jusqu'au jour où il devint un sujet de convoitise à cause du pouvoir qui en émanait. Les anciens décidèrent dans un ultime élan de sagesse et d'exultation de le tenir à l'écart des profanes. Il devint une référence réservée uniquement au roi des rois et un objet de culte que l'on exposait une fois l'an, à l'occasion du solstice de l'été qui coïncidait avec la commémoration de la mort de l'ancêtre Aylimas, son auteur.

— C'est un exemplaire unique ? demanda le prince.

— Oui ! Son message aussi est unique, car il permet de libérer les esprits de toutes les formes de superstitions et de dogmatismes religieux.

— Ah ! Les religions seraient-elles dangereuses au point d'en avoir peur, père ?

— Ce ne sont pas ceux qui pratiquent leur foi dans le respect de leurs cultes qui font peur, mais bien les nouveaux dévots qui insistent, en nous montrant la voie pour nous guider vers la lumière !

— La lumière ?

— La leur bien sûr !

— Et ce livre permettrait d'échapper aux dogmes qu'imposent les religions ? demanda Massinissa en parcourant de ses doigts tous les recoins du manuscrit. Il mettait à le manipuler des précautions particulières, comme des marques de respect.

— Le livre à lui tout seul, peut-être pas ! Mais il faut accompagner sa lecture d'un temps de recueillement pour y puiser tout enseignement livré à son lecteur.

— Mais pourquoi est-il réservé uniquement à l'usage du roi des rois ? N'y aurait-il pas quelqu'avantage à le diffuser, comme les écrits des philosophes, à travers les bibliothèques du pays ?

— Ce n'est pas un vulgaire manuscrit que l'on peut lire quand on peut ou quand on veut. Son étude permet une élévation mentale et spirituelle qui doit s'accompagner d'un rituel. C'est ainsi que l'ancêtre Aylimas l'a voulu ! C'est une des lois fondamentales des Massylès.

— Mère dit que les lois n'ont pas été faites pour être figées, mais pour être adaptées à la vie actuelle des hommes libres !

— Je l'approuve pour une bonne partie de ses idées et c'est ce qui nous rapproche depuis longtemps. Cependant, il y a des devoirs qui incombent aux chefs, de par leur parole donnée et leur serment de foi envers les anciens, qui doivent les tenir à l'écart de leurs propres sentiments ou opinions personnelles. L'enjeu dont il est question ici, c'est la survie de notre nation par le respect de nos coutumes ancestrales.

— L'as-tu lu ? questionna Massinissa.

— Oui, Massinissa. En entier et plusieurs fois. Du moins à chaque fois que la situation m'imposait de venir le consulter et de m'en inspirer. Tu en feras de même, je n'en doute pas un instant.

— Contient-il des prières secrètes réservées uniquement au roi des rois ?

— Non, Massinissa, ce n'est pas un livre de prières !
C'est une source pour alimenter tes propres prières que
tu devras accomplir dans le recueillement et la solitude.
C'est ainsi qu'il faut l'adopter.

— Tu veux dire comme celles que je pratique déjà avec
Titrit ?

— Vois-tu ! Le diadème que l'on porte sur la tête est un
symbole de pouvoir en apparence, mais ce livre te donnera
plus de pouvoir que ne peuvent le faire tous les chefs des
tribus réunis. Le pouvoir doit être une vocation et non un
droit pour exercer ses désirs sur le peuple.

— C'est ce que le livre enseigne ?

— Cela et bien d'autres choses. Tu le sauras en temps
voulu. Il fait de ceux qui l'étudient de grands législateurs et
de grands meneurs de peuples, à condition de rester sous la
protection des anciens, vivants et morts. D'où l'importance
de le soustraire aux ambitieux et aux tyrans.

— Et où dois-je aller pour le soustraire, père ? demanda
Massinissa, résigné et pantois à la fois.

— La montagne d'Edough. Je t'ai préparé ici toutes
les indications pour ton voyage, répondit l'Aguellid Gaïa
en remettant à son fils une sacoche en cuir contenant le
codex d'Aylimas, quelques pièces et les instructions, étape
par étape, pour parvenir jusqu'au sanctuaire marin du cap
de Fer, au promontoire de l'Edough.

— Dois-je m'y rendre seul ?

— Oui, personne d'autre ne doit connaître ta mission et
surtout découvrir ce que tu transportes, précisa l'Aguellid
avec insistance. Une troupe attirerait plus l'attention sur
elle qu'un cavalier solitaire désertant un champ de bataille.
Tes animaux seront du voyage, car il n'y aura pas de retour
sur Kirthan. Pas avant longtemps, mon fils.

— Mes loups ne me quittent jamais ! Mère était au
courant de la mission ?

— Aurais-je pu cacher quoi que ce soit à ta mère ?

— Et moi donc, père !

Massinissa comprit par cette réponse que la grande prêtresse et reine des Massylès était en réalité l'instigatrice de ce voyage. Voilà pourquoi elle avait accepté facilement que le prince reste avec son père. Elle lui avait prévu une mission moins dangereuse que celle de tirer l'épée contre les troupes de Syphax, mais tout aussi vitale pour la survie de sa nation.

— Tu partiras avant l'aube, on se retrouvera à Hibboune (Annaba).

Ils sortirent du sanctuaire de la mort, laissant Aylimas dans son repos éternel, après avoir refermé la dalle qui protégeait le livre sacré. Les prêtres retournèrent à l'intérieur du sanctuaire, sans même se douter qu'ils avaient été les gardiens d'un des plus grands secrets du peuple massylès, révélé uniquement à la grande prêtresse Markounda, qui était seule maîtresse des lieux avec le sanctuaire de la déesse Afrika.

À quoi sert ta mémoire,
si tu ne partages pas son contenu !
Maître Aberkan : –295/–203

Lorsque les troupes massaeylès commencèrent leur longue marche vers l'est, traversant l'Ampsaga (Le Rhumel) le fleuve délimitant les deux territoires, elles ne rencontrèrent que peu de résistance de la part des Massylès. La clairvoyance de la prophétesse et reine Titrit, épouse de l'Aguellid Gaïa et mère du prince Massinissa préconisa un repli vers la deuxième capitale du royaume : Hibboune la royale.

— Voici venu le temps de l'exode ! proclama Amessan devant la cour réunie avant l'aube. Il faut mettre à l'abri le manuscrit sacré d'Aylimas, symbole du pouvoir spirituel afin de le soustraire à la convoitise de Syphax.

— C'est fait ! répondit Gaïa. Je vais réveiller mon fils.

Chacun partit de son côté avec en tête les dernières consignes pour assurer la résistance et surtout dans l'immédiat la défense de la cité de Kirthan. Le roi grimpa les escaliers en bois et se dirigea vers la chambre de son fils dont il poussa lentement la porte.

— Massen, c'est l'heure pour toi de partir ! lui chuchota-t-il dans l'entre-porte.

Massinissa se leva aussitôt et après une brève toilette, descendit dans les cuisines du palais où son père l'attendait. Ils déjeunèrent rapidement de galette au froment

accompagnée et de lait frais puis le père accompagna le
fils jusqu'aux marches situées sur le côté gauche du palais.

— Ta route est périlleuse, mais tu sortiras aguerri par
cette nouvelle épreuve. Depuis longtemps, je t'ai préparé
à cela, mon fils. Ne nous déçois pas ta mère et moi !

— Oui, père. Je ne vous décevrai pas. Je suis prêt.

Un brève étreinte et Massinissa quitta le palais par la
porte du nord. Des pigeons s'envolèrent brusquement au
passage d'une charrette qui transportait des sacs de blé
vers le moulin en contrebas et qui laissa des traces sur le
chemin boueux.

A quelque distance de là, il emprunta la voie royale
bordée de haies et le vent le surprit à la sortie de la porte
principale. Les écuries étaient là où Tzil l'attendait. Il
s'arrêta un moment au niveau de l'éboulis de la carrière de
grès et émit un sifflement bref. Aussitôt deux silhouettes
familières vinrent se figer à ses pieds, le regard fixé sur le
sien. Massinissa s'agenouilla et caressa délicatement le
museau des chiens loups.

— La lune et le soleil ! C'est bien un couple céleste que
vous formez !

Derrière eux, les maisons commencèrent à s'éclairer, les
gens s'éveillaient lentement dans leur habituel confort avec
des bruits de vie que le prince ne leur enviait pas. Surtout
pas à cet instant. Le vent souffla de nouveau, plus fort,
donnant du volume à sa chevelure sauvage retenue par le
diadème princier.

Les chiens relevèrent leur museau, humant les odeurs
de la cité, mais ils semblaient égarés par leur odorat, car
nul ne savait d'où venait ce vent matinal. Il cognait les
fenêtres contre les murs des maisons, il sifflait dans les
arbres et fouettait les haies en affolant les chevaux royaux
qui s'agitaient nerveusement dans les écuries. Dans un
instant, il allait chevaucher hors de la cité. La pluie arriva
subitement, l'obligeant cette fois-ci à courir pour s'abriter

sous les porches des écuries. Les chiens le suivirent, une buée blanchâtre sortait de leurs naseaux.

Dans cette cité encore endormie de Kirthan, la pluie tombait à présent en rideau sur les toits des chaumières. L'aube n'allait pas tarder à pointer, c'était le moment de partir pour le prince des Massylès. Mais la compagnie n'était pas au complet. En voyant passer son maître, Atlas ouvrit les yeux et machinalement se mit à bailler avec un grognement étouffé.

— Cette fois, je t'emmène, lui dit Massinissa en libérant le loquet de sa cage.

Au milieu de la cour pavée, les pigeons picoraient en silence les miettes que les cuisinières leur jetaient chaque matin avant de faire la vaisselle. Ils se gavaient des victuailles de la veille, au grand bonheur des nombreux chats qui surveillaient leur manège, prêts à bondir sur leur proie. Massinissa prit Tzil par la bride et descendit la voie royale jusqu'à la porte à l'entrée du pont de l'Abîme. Il se fit connaître des gardes royaux qui lui ouvrirent aussitôt la porte. Le cavalier princier, Tafukt et Ayyur, les deux chiens loups qui ne le quittaient pas depuis qu'il les avait retrouvés le jour de son initiation à l'Ergaz *(épreuve d'ini-tiation guerrière chez les jeunes Numides)* et Atlas, ce dernier gêné par les lumières des torches qui caressaient sa longue crinière de feu, sortirent de la cité dans le plus grand des silences. Massinissa se hissa sur le dos de Tzil, une fois passée la porte. À la sortie du pont, il prit le chemin de l'Est, évitant les éboulis des carrières d'ardoise qui longeaient la paroi des chutes. Il émit de nouveau son habituel sifflement strident et ses anges gardiens rappliquèrent à ses pieds. Tafukt et Ayyur étaient en chasse, museau en l'air.

Pendant que Gaïa observait le convoi et sa longue file s'étirer le long de la route du nord en contrebas de l'abîme, solidement accrochée à la paroi du rocher, Massinissa arrivait en haut de la crête des falaises nord qui surplombaient toute la vallée de l'Ampsaga. Il avança jusqu'à l'endroit du mausolée d'Yles qui dominait toute la région, secoué par un vent glacial, malgré le début de la saison printanière.

Il mit pied à terre et s'approcha du bord du précipice d'où il pouvait observer, à son tour, la file interminable de chariots s'étirant sur une grande distance vers le Nord. Sur sa gauche, il aperçut un mouvement de cavalerie se détacher et prendre les hauteurs en direction du plateau du Mansourah, tandis que le gros des escadrons empruntait le pont de l'Abîme par la porte nord de Khullu.

— Tu suivras ta route sans dévier, ni à droite ni à gauche, à moins d'y être obligé ! avait rappelé son père avant de se séparer de lui.

Sa mission était de se rendre au plus vite en direction du cap de fer, au sanctuaire marin d'Afrika, sur le promontoire du mont Edough afin de remettre le manuscrit d'Aylimas entre les mains des prêtresses, maîtresses des lieux.

— Voici comment tu pourras identifier la grande prêtresse grâce à ceci ! avait précisé Gaïa en lui montrant le même tatouage que sa mère portait à l'intérieur du bras droit, entre ses deux bracelets de cuivre. Il représentait un magnifique scorpion la queue dressée, symbole de l'initiation finale au culte de la déesse Afrika.

Un autre escadron de cavaliers se détacha encore de la troupe. Massinissa devina la chevauchée des éclaireurs commandés par Meskala, pisteur et ami de son père. Avant de prendre position sur les hauteurs du Mansourah, Gaïa voulait s'assurer des positions de ses ennemis et de leur nombre réel, car Syphax pouvait avoir habilement dissimulé encore des troupes à l'arrière. Massinissa se recueillit sur le tombeau de l'ancêtre de son clan, les armes à la main, invoquant les forces divines pour l'aider à accomplir sa mission et protéger ses parents. Ce lieu, le plus élevé de la vallée, était propice à la manifestation du sacré et avait servi à l'inhumation du grand Ylès, le roi du pays, l'Aguellid des Numides et père de la nation. Au loin brillaient les torches sacrées au temple d'Amon de Tiddis.

C'est à ce moment-là que Massinissa éprouva l'étrange impression d'être épié. Il se retourna plusieurs fois, mais rien ne lui parut indiquer qu'on était à ses trousses, même s'il eût été difficile de repérer quiconque dans cette végétation forestière très dense. Prudent, il décida de mettre Tzil au galop vers sa prochaine étape, empruntant le chemin de l'est par la montagne de l'oubli, longeant les crêtes abruptes de ses flancs jusqu'aux collines surnommées les mamelons de la Chienne.

Le soleil se leva alors qu'il chevauchait toujours depuis l'aube. Le matin s'annonçait gris et maussade et le prince des Massylès commençait à sentir la fatigue de la chevauchée, pourtant il ne songea pas à prendre du repos. Malgré l'heure matinale, le soleil avait de la peine à percer dans le ciel et la pluie tombait par intermittence toujours en rideau, provoquant un brouillard qui s'effilochait entre les arbres de la forêt et laissait difficilement passer la lumière du jour.

Depuis qu'il avait quitté Kirthan, il faisait étrangement sombre, comme si les dieux étaient eux aussi en deuil et compatissaient aux peines des Massylès. Il semblait au prince que ce jour, voilé par un brouillard mystérieux, effrayait même les matinaux corbeaux de l'abîme au moment où il avait traversé le pont. L'apparition d'un arc-en-ciel le distrayant un instant, il se laissa glisser sur le dos de son destrier, les jambes presque flageolantes malgré les années de pratique, il n'était pas préparé à galoper pendant des heures sans prendre un moment de répit.

Ayyur et Tafukt, heureux d'être lâchés dans la nature, avaient disparu depuis l'aube, sans doute pour chasser avec leurs congénères et Massinissa se retrouvait seul avec Atlas pour affronter un danger encore invisible. Et toujours cette sensation d'être épié.

Atlas ne semblait pourtant pas nerveux comme lorsqu'il pressentait un danger ou qu'il se mettait en quête de nourriture. Habitué à être servi, aujourd'hui il n'y avait pas de service commandé, il fallait se débrouiller et partir à la chasse. Cependant, quelque chose inquiétait toujours le prince Massinissa et il préféra garder auprès de lui le fauve, du moins tant d'Ayyur et Tafukt n'étaient pas encore de retour. En attendant, il n'était pas question de se reposer ou de s'arrêter.

En réalité, ses doutes n'étaient pas sans fondement, car son départ n'était pas passé inaperçu. Des éclaireurs massaeylès avaient observé discrètement sa sortie de la cité de Kirthan et rendu compte immédiatement à Vermina, le commandant de la cavalerie de Syphax. Ce dernier avait consulté son père, qui avait décidé de faire suivre le cavalier solitaire par quatre de ses propres cavaliers royaux afin de connaître ses intentions et au moindre doute, le supprimer.

— Soyez très prudents, leur avait-il recommandé. Vous pénétrez un territoire ennemi sans aucune protection de vos arrières. Ne comptez sur le secours de personne. Vous êtes seuls ! Agissez en toute liberté.

Quand Massinissa pénétra dans la forêt de l'Oubli pour contourner le rocher de l'autre rive et prendre la direction des mamelons de la Chienne, ces montagnes qui indiquaient la direction de l'est, depuis la route de Kirthan, il était persuadé de ne pas être seul. Il connaissait à présent assez bien les lieux pour se faire une opinion appuyée par une intuition légendaire. Les loups réapparurent, trottinant derrière Tzil, le ventre plein et les yeux pétillants d'énergie, taquinant Atlas, qui n'avait pas encore mangé.

Masinissa décida de s'arrêter pour chasser. Atlas avait besoin de sa ration quotidienne de viande fraîche et lui avait besoin de se dégourdir les jambes. En quête de gibier, les chiens loups se retournèrent plusieurs fois, confirmant au prince qu'au loin, des hommes cherchaient à le rattraper.

Sa mission était prioritaire. Il fallait mettre le manuscrit en lieu sûr pour éviter qu'il ne tombe entre des mains étrangères. Le livre d'Aylimas représentait une valeur plus importante que sa propre vie et il fallait faire vite tout en étant prudent.

— La prudence n'est-elle pas la mère des sagesses ! songea-t-il tout en observant Atlas déchiqueter la biche qu'il venait d'abattre d'une seule flèche.

Il ne put s'empêcher, devant cet appétit féroce, de penser que l'esprit de coopération dans le règne animal est bien plus dominant que l'esprit de compétition qui poussait les hommes à conquérir, se faire la guerre, violenter les plus faibles.

Il reprit la route, tout en restant sur ses gardes.

À l'approche des mamelons de la Chienne, une légère brume tomba brusquement et des langues de brouillard enveloppèrent la forêt.

— On va s'arrêter ici, Tzil !

Il siffla entre ses dents, mais les chiens loups ne se manifestèrent pas. Ils avaient encore disparu dans l'immense forêt. Il sortit de sa sacoche un bout de galette au froment qu'il mangea avec des olives fraîches et but une gorgée d'eau. Tzil broutait non loin de lui et Atlas en profitait pour faire un somme.

— Si j'ai été suivi, les chiens l'auraient senti !

L'esprit de Massinissa était en ébullition. Sans doute à cause de l'excès d'oxygène et de la verdure à perte de vue. Sa vision n'était pas trouble, mais son esprit bouillonnait.

— Et s'ils veulent récupérer le manuscrit que je porte, il y a sans doute parmi eux un pisteur qui n'aura aucun mal à retrouver ma trace dans cette épaisse forêt… Et s'il y a un bon archer parmi eux, je suis une cible idéale !

L'idée d'être une proie facile dans cette nature pourtant si familière généra une anxiété inhabituelle chez le prince.

Le chasseur qu'il était n'était pas complément rassuré, aussi il ne s'accorda qu'un temps limité pour se reposer.

Il partagea une figue fraîche et en offrit un bout à Tzil qui en raffolait, puis remonta sur son cheval en se demandant combien de temps cette brave bête allait tenir à cette allure.

— Le brouillard, pour l'instant m'offre une protection. Si je ne les vois pas, eux non plus ne me voient pas, se rassura-t-il, l'oreille attentive aux moindres bruits de la forêt.

Une vague de doute le submergea alors qu'il chevauchait à nouveau en direction de l'est, agrippé à l'encolure de Tzil. Il arriva devant une clairière que le brouillard ne submergeait pas. C'est là qu'il décida de détourner Tzil de sa trajectoire et de prendre par le sud, après avoir fait tourner son destrier en rond pendant un moment pour brouiller ses traces. La pluie recommença à tomber et le ciel s'obscurcit davantage donnant l'impression qu'il faisait nuit en plein jour. Le chemin que Massinissa emprunta se transformait sous ses yeux en un bourbier difficilement praticable, y compris pour Tzil. Massinissa descendit de cheval et marcha devant sa monture tenue par la bride. Au bout d'un instant, il atteignit une rivière qui coulait dans le sens de sa route. Il libéra Tzil et s'empara de ses armes. Atlas le suivit, en remontant le courant. Il voulait en avoir le cœur net, car il ne supportait plus cette sensation qui le poursuivait depuis son départ.

Il les aperçut, chevauchant au pas au niveau de la petite clairière où il s'était arrêté plus tôt. Il était maintenant clair qu'ils le suivaient. Il reconnut à leurs accoutrements quatre cavaliers, Massaeylès. Il laissa passer un moment, toujours à l'abri d'un talus pour s'assurer qu'il n'y en avait pas d'autres et ne regretta pas d'avoir sacrifié son repos. Les cavaliers s'arrêtèrent et l'un d'eux descendit de son cheval, l'arc à la main.

— Voilà leur pisteur ! se dit Massinissa.

Il resta sur place en se baissant promptement pour ne pas être vu, car les pisteurs avaient la réputation d'avoir un bon nez, mais aussi de bons yeux. Il s'enfonça sans bruit derrière le bosquet, un simple craquement de branches pouvait le faire découvrir. Atlas resta lui aussi silencieux que son maître, inconscient du danger qu'ils couraient. Les hommes qui étaient sur ses traces ne cherchaient pas à le tuer, sinon ils auraient foncé droit sur lui à bride abattue pour le rattraper et lui ôter la vie.

Leur allure nonchalante montrait que c'étaient des cavaliers chevronnés. Ils ne se pressaient pas pour atteindre leur proie, essayant d'abord de comprendre l'environnement, de l'analyser ensuite, avant de prendre une décision. Les trois autres mirent à leur tour pied à terre et rejoignirent le pisteur. Ils échangèrent des mots que Massinissa n'entendit pas, mais qu'il devina, en voyant le pisteur indiquer de sa main la direction qu'il avait suivie.

— J'ai dû mal brouiller ma piste ou alors ce pisteur est un expert ! se dit-il.

C'est à ce moment précis que les jumeaux décidèrent de passer à l'action. Ils n'étaient pas seuls, toute une meute les accompagnait. Comment communiquaient-ils entre eux ? Massinissa ne l'a jamais su, mais il était persuadé que son ancêtre Aylimas veillait sur lui et sur son précieux chargement. Le livre était réellement sacré et magique à la fois.

Les loups commencèrent par encercler les cavaliers, en émettant des grognements. À leur tête, Massinissa reconnut sans hésiter ses braves Ayyur et Tafukt. Les Massaeylès tentèrent de rattraper leurs chevaux, mais ces derniers affolés par le nombre de loups s'enfuirent au loin, dans la direction opposée de celle où se trouvait le prince.

Ils n'eurent pas d'autre solution que de grimper aux arbres pour échapper aux crocs de leurs assaillants. Les loups s'approchèrent et se groupèrent au pied de l'arbre. C'était suffisant pour Massinissa. Comme aide providentielle, il n'espérait pas mieux. Saisissant l'occasion, il fut temps pour lui de quitter les lieux.

— Le temps qu'ils récupèrent leurs chevaux, je serai loin !

À l'abri de leurs regards, il reprit le cours de la rivière et récupéra Tzil, qui l'attendait là où il l'avait laissé.

On ne se baigne jamais deux fois
dans le même fleuve
Corsaire et capitaine Amayas

Le départ du convoi se passa sans incident. Deux heures plus tard, ils firent une halte au bourg agricole de Sarim Batim, où les attendaient déjà une centaine de réfugiés qui demandèrent à se joindre au convoi. Ils arrivèrent au premier point de halte à la mi-journée pour déjeuner. D'autres réfugiés vinrent les rejoindre à la grande surprise de Titrit, car l'organisation du convoi ne pouvait pas souffrir d'imprévus de ce genre à cause du nombre de chariots et de nourriture.

— Nous chasserons en plus grande quantité, déclara Kabassen, pour dissiper l'inquiétude de la reine.

— Je crains que ce ne soient pas les derniers, soupira Titrit.

La deuxième moitié de la journée eut son lot de fatigues et de malaises que les prêtresses s'empressèrent de soigner avec leurs remèdes habituels qui soulageaient toutes les peines du voyage, des maux de tête jusqu'aux ampoules aux pieds. Ils arrivèrent à la fin de la première étape au point d'eau nommé la source des Hamidène et installèrent le camp pour la nuit peu après la tombée du jour. Titrit donna des instructions pour préparer le repas du soir. Tous les chariots furent positionnés autour de la poignée de tentes qui abritaient les femmes et les enfants.

Un peu plus tard, après le souper, accroupie dans l'ombre, Titrit plissait les yeux dans le vent nocturne pour scruter l'horizon dans la nuit. Elle étira ses deux jambes et ploya sa nuque pour faire disparaître la tension nerveuse qui ne l'avait pas quittée durant cette première étape du voyage. Le soleil s'était couché très tôt et la température était descendue brusquement. Amalut lui apporta un fichu qu'elle mit sur ses épaules. Elle sentit la chaleur de la laine lui détendre les muscles du cou et du dos, légèrement endoloris par une journée à cheval.

— As-tu quelque chose à me demander ? interrogea Titrit.

— Non ! répondit Amalut avec le grognement d'insatisfaction habituelle qu'elle lui connaissait. Titrit savait qu'il lui dissimulait sa réponse, n'étant pas du genre à parler aisément. Elle tenta d'en savoir plus.

— Quelque chose te tracasse, alors ?

— Oui ! souffla-t-il avant de mettre les doigts sous ses aisselles pour les réchauffer.

— Parle donc, je t'écoute.

— Les notables posent problème.

— Quel genre ?

— Ils ne veulent pas se mélanger aux autres.

— Mais quels autres ?

— Les gens ordinaires !

— Comment ? Mais pour qui se prennent-ils ? s'indigna Titrit.

— Je ne sais pas, ma reine.

— Je vais leur parler. Convoque leurs délégués dans ma tente, à l'instant.

Elle jeta un dernier regard au ciel. Si la pluie avait cessé tard dans la journée, la nuit allait être humide et froide. Elle retourna dans sa tente où l'attendaient déjà les représentants des notables de la cité de Kirthan qu'elle connaissait un par un. Aberkan et Kabassen étaient aussi présents.

Elle demanda d'abord aux représentants des notables d'exprimer sans crainte leurs doléances. Au fil des mots, elle pressentit que le sujet de discorde était ailleurs. Les notables disposaient de meilleures montures et de chariots neufs. À l'allure générale du convoi, ils estimaient que les autres les ralentissaient avec leurs vieux chevaux, leurs mulets et leurs charrettes à blé. Ils éprouvaient une angoisse qui allait en grandissant et qui ne tarda pas à se transformer en panique quand ils surent que d'autres réfugiés allaient les rejoindre avant l'aube.

— Voilà pourquoi nous préférons partir de notre côté par la route de l'est, au lieu d'aller à Khullu et faire la route par mer, expliqua Selyan le tailleur officiel du palais, le père d'Atys.

— Vous prenez le risque de rencontres dangereuses de brigands qui pullulent dans cette région. La route de Rusicade est plus exposée que celle que nous avons choisie.

— Le risque restera valable aussi par mer à cause des pirates, ma reine !

Selyan avait raison, mais la reine ne pouvant pas leur dire que les pirates étaient sous les ordres de Gaïa, essaya de les raisonner pour qu'ils restent avec les autres, au moins jusqu'à Celtlam. Là, elle se proposait de leur parler à nouveau de leur envie de se séparer du groupe.

— Rien ne sera à ta charge, Grande Prêtresse, nous pouvons payer des gardes pour assurer notre sécurité, assura Selyan.

— Et où les prendriez-vous, ces gardes ?

— Parmi ceux qui nous accompagnent, je suppose ! répondit à sa place Aberkan.

Le tailleur Selyan se tut, faute d'arguments. Il savait que la reine ne se gênerait pas pour déclencher sa colère sur eux s'ils entravaient la bonne marche du convoi. Aussi, ayant obtenu un répit jusqu'à la cité de Celtlam, elle ne perdait pas la face devant les exigences masquées des notables.

— Non, je ne permettrais pas qu'on vous mette en danger. Je dois assurer la sécurité de tous ceux qui ont décidé de me suivre. L'idée de séparer le peu de chars qui nous protègent est dangereuse et je vous interdis d'en faire part aux autres au risque de semer la panique dans le convoi. Avez-vous autre chose à dire ?

Personne ne répondit. Alors elle demanda à chacun de prendre la mesure de la circonstance particulière qui les unissait en cet endroit et à ce moment précis. Le monde est en guerre, et à la guerre comme à la guerre ! Les craintes des notables ne s'estompèrent pas pour autant et le lendemain matin, le convoi se remit en marche.

— Cette route est interminable ! rouspéta Adrir, assis à l'avant de son chariot, tiré par un cheval asthmatique.

— Sois reconnaissant pour celui qui tire ta charrette ! répondit Aberkan en guise de réconfort.

— Oh, lui ! Il a fait son temps, c'est certainement son dernier voyage, se plaignit Adrir, savetier de métier.

— Fais en sorte que ce ne soit pas de même pour toi, alors !

— Je tremble d'émotion devant ce qui nous attend !

— As-tu de la famille à Hibboune la royale ?

— Oui ! Du côté de mon épouse, mais nous ne sommes pas vus depuis des lustres ! Et toi ?

— J'y suis né !

— Tu es d'Hibboune la royale ?

— Oui ! Mais j'en suis parti très jeune.

— C'est un retour dans ton pays natal en quelque sorte.

En tête du convoi, le mouvement s'arrêta. On fit des signes pour indiquer un arrêt.

— Bonne chance l'ami, je vais rejoindre la reine, signala Aberkan en donnant un coup de talon à son cheval pour le faire avancer plus vite.

Comme à chaque pause, les conducteurs disposaient les chariots en demi-cercle. La charrerie se mettait en position de guet et leurs chevaux s'abreuvaient en dernier. L'exode des Massylès vers l'Est avait pris une telle ampleur que même Titrit et ses prêtresses semblaient débordées par l'organisation et la prise en charge des populations qui affluaient au fur et à mesure de leur avancée. À chaque halte du convoi, des personnes arrivaient et demandaient à asile à la reine Titrit qui ne pouvait pas refuser son aide.

Ce plan de repliement avait été planifié dans les moindres détails par elle assistée d'Amessan et Aberkan, tous deux aidés par le prince Kabassen et les autres disciples du maître, mais le vent de panique semé par les atrocités des Massaeylès circulait plus vite que le convoi lui-même. Les villages et les bourgs se vidaient à vue d'œil. Les populations avaient appris l'exode de la famille royale vers Hibboune la royale et tout le monde voulait se joindre au convoi pour profiter de la sécurité renforcée par la présence des gardes et l'assurance d'arriver à bon port.

En cours de route, la situation s'aggrava et le plan de départ ne fut plus d'aucune utilité à cause du désordre qui commença à régner et de la disparité des populations partageant le même destin. Cet afflux inattendu de paysans et de pauvres mélangé aux notables de Kirthan fut l'un des principaux problèmes que Titrit dut résoudre avant que cela ne dégénère en conflit sanglant. L'entrevue de la veille avec les notables de la cité avait réduit la tension, mais cette nouvelle affluence la remit à l'ordre du jour. La reine fit le point avec ses principaux conseillers, auxquels elle avait adjoint les représentants des notables et les chefs de clans nouvellement admis dans le convoi.

— Nous devons ralentir la cadence, si on veut être sûr d'arriver à Celtlam sans trop de dommages ! confia Amessan.

— Mais nous risquons alors d'être rattrapés par les troupes des Massaeylès ! protesta Selyan.

— Il faut aussi rassurer le flux de populations qui continuent à arriver, avisa Aberkan.

— C'est le rôle des prêtresses, trancha la reine. En attendant, il faut combattre l'idée que ce convoi ne va pas tarder à être attaqué à cause de l'avancée fulgurante des Massaeylès. Les gens sont affolés par les fausses nouvelles d'une invasion imminente des troupes de Syphax. Cela dit, il ne s'agit pas non plus de donner des nouvelles faussement rassurantes, mais mon époux m'envoie des messages régulièrement : les Massaeylès sont pour l'instant toujours devant les remparts de Kirthan.

Un silence se fit aussitôt. Cette information était rassurante certes, mais chacun savait qu'il suffisait de quelques heures de chevauchée pour atteindre les derniers chariots du convoi, surtout à l'allure où ils avançaient.

— Il faut que tout ce monde comprenne que nous sommes en guerre ! reprit Titrit. Je vais leur parler. Rassemblez-les tous dans une heure avant de reprendre la route !

Elle monta sur un des chariots au milieu du demi-cercle et prit la parole devant les exilés rassemblés autour d'elle.

— On m'a fait part de certains mécontentements. Chacun de vous doit savoir que nous vivons une situation exceptionnelle et j'attends de vous une obéissance stricte aux règles de ce camp sinon nous n'y arriverons pas.

La prêtresse embrassa l'assistance de son regard de souveraine et poursuivit :

— J'aimerais vous donner plus ! Mais même les cieux ne sont pas infaillibles. J'ai imploré ma déesse Afrika pour qu'elle nous accorde sa protection et soulage notre exode. Chacun de vous doit supporter cette épreuve comme un voyage nécessaire pour tester ses vertus. Que les forts aident les faibles, les valides portent secours aux impotents, voilà sa règle. Les prêtresses vous guideront en cas d'errements ou de fatigue. Nous avons à manger jusqu'à la cité de Celtlam que nous atteindrons à la mi-journée ! Là-bas nous y trouverons la sécurité et l'aide pour reprendre la route vers Khullu. Nous y resterons deux jours pour nous reposer et puis nous prendrons la mer à bord de nos vaisseaux, pour la cité des Jujubiers. Jusqu'à Celtlam, soyez les messagers de ma voix et gardez dans vos cœurs la peine de ce voyage que je partage comme vous !

— Quelle sera notre route, après Celtlam, Grande Prêtresse ?

— Pour notre sécurité, il restera secret, seuls les éclaireurs le connaîtront. Ils pourront même le modifier en cas d'imprévus.

— Avons-nous des nouvelles de Kirthan, reine Titrit ? demanda quelqu'un dans la foule.

— L'Aguellid Gaïa et le commandant Mastanabal sont à Kirthan pour nous permettre d'arriver au moins à Celtlam sains et saufs. Inutile de voir des ennemis partout, car pour l'instant ils sont repoussés par nos soldats et notre cavalerie harcèle leurs arrières pour les empêcher d'avancer.

Ces derniers mots allaient certainement apporter un soulagement aux inquiétudes des derniers du convoi. Le malaise sembla se dissiper progressivement et les notables admirent entre eux que jusqu'à leur arrivée à Celtlam, ils garderaient la même direction que le convoi de la reine.

— Reprenons la route à présent. Je compte sur la bonne volonté de chacun de vous pour suivre les consignes et respecter les priorités que nous avons établies ! conclut-elle.

Tous rejoignirent leurs places dans le convoi qui s'ébranla à nouveau, toujours en direction du Nord.

Dans les heures qui suivirent le discours de la reine Titrit, le convoi bénéficia d'une accalmie pendant laquelle les disciples d'Aberkan entamèrent des actions d'aide aux réfugiés en apportant un soutien autant moral que matériel à ceux qui en avaient besoin.

Atys, à qui Kabassen rapporta l'entrevue avec la reine, alla voir son père pour essayer de le dissuader de quitter le groupe après leur arrivée dans cité de Celtlam. Il repéra le chariot de Selyan et, poussant son cheval à sa hauteur, grimpa à ses côtés. Sa mère et sa sœur étaient à l'arrière. Il leur adressa un sourire et elles le lui rendirent avec plus de tendresse.

— Notre fils va bien ?

— Je vais bien, père. La rumeur dit que tu veux quitter le convoi. Est-ce vrai ?

— Oui, Atys. Ce n'est pas une rumeur, c'est un projet, confirma Selyan.

— Père, je ne pourrai pas te suivre, prévint Atys, en exprimant un malaise qu'il ne pouvait pas cacher à son père.

— Comment ? Tu préfères suivre les autres ? s'offusqua le tailleur royal.

— Les autres, comme tu dis, ont plus besoin de moi, balbutia Atys, toujours embarrassé.

— Te crois-tu donc indispensable à ce point, moins qu'à ta famille ?

— Je te respecte, tu le sais père ! Mais notre clan doit rester solidaire au-delà de la notion de notre famille, père !

— Mais par la déesse Afrika, qui a pu t'inculquer des idées pareilles ? s'écria Selyan. C'est certainement ce philosophe d'Aberkan ! Tu me dois une obéissance sans faille, le sais-tu ?

Atys était de plus en plus désolé d'avoir à affronter son père à ce moment précis.

— Je ne veux pas te désobéir, père, mais te convaincre de renoncer à ton projet !

— C'est pour ton bien que je fais ça. Notre bien ! rectifia-t-il en tournant la tête en direction de l'arrière du chariot où les deux femmes étaient résignées à ne pas intervenir.

— Tu dis tout le temps que tu travailles pour me construire un avenir. Mais quel avenir, si toi et les autres vous nous abandonnez, car je ne partirai pas avec toi, j'en suis désolé !

— Tu es mon fils unique Atys et je n'ai pas d'autre héritier. Tout ce que j'ai bâti dans ma vie, c'est pour toi que je l'ai fait. Je t'ai appris mon métier pour te léguer mon savoir-faire. Ma fortune te reviendra après ma mort. Prendras-tu le risque de tout perdre, y compris la vie ?

— Je ne me sens pas menacé avec mes amis, père ! Au contraire, ensemble nous nous sentons forts et prêts à affronter tous les dangers !

Une roue du chariot heurta un gros caillou et ils ressentirent un soubresaut qui installa un silence après coup. Selyan avait peur, cela se voyait dans ses yeux. Mais de quoi ?

— Je vois un grand danger que tu ne sauras affronter, Atys. La mer est bien plus meurtrière que les routes, crois-en mon expérience. Nous transportons avec nous notre fortune. Tout ce que notre famille possède risque de tomber entre les mains des pirates au pire, au mieux au fond de l'eau.

— Au mieux en sécurité à Hibboune la royale, tu voulais dire ?

— Non, j'en fais des cauchemars. La veille de notre départ de Kirthan, j'ai consulté un de mes clients qui est mage égyptien à Kirthan. Notre bateau coulera et moi je serai vendu comme esclave par des pirates, m'a-t- prédit ! Quelle misère, Atys ! T'en rends-tu compte maintenant ?

— Ces prédictions sont souvent injustifiées, père…

— Je sais ! Tu as probablement raison, mais je ne veux prendre aucun risque, tu comprends ?

— Aurais-tu préféré affronter Syphax et ses soldats ? interrogea Atys.

— Oh non, je ne suis pas un valeureux combattant !
Tu as certainement plus de courage que ton père. Viens
avec moi, mon fils, j'ai besoin de toi à mes côtés... Nous
avons besoin de toi ! insista-t-il en indiquant du menton
sa femme et sa fille à l'arrière du chariot.

— Tu es assez fort pour les protéger, père ! Je ne peux
pas trahir mes amis. Quelle estime, aurais-je à leurs yeux
si j'acceptais de te suivre ?

— Si c'est ce philosophe d'Aberkan qui est ton obstacle,
je saurai le convaincre, rechigna le tailleur.

— Mais je ne le veux pas ! Il n'y a pas que lui. Depuis
mon initiation à l'Ergaz, j'ai changé père. Il n'y a que toi
qui ne t'en aperçois pas ! J'appartiens maintenant à un clan
et ses liens sont plus forts que ceux de la famille.

— J'en suis profondément déçu, tu me fais de la peine,
mon fils !

— Tu te fais plus de soucis pour tes richesses, en
apparence !

— Un peu oui, je le reconnais. C'est le fruit de ma
vie que je transporte avec moi. Il t'appartiendra un jour
prochain.

— Partageons ce poids alors si cela peut te soulager,
proposa le fils.

— Que veux-tu dire, fiston ?

— Soulage-toi d'une partie de ta fortune. Tu répartiras
ainsi le risque de tout perdre !

— Ce n'est pas idiot ! J'y penserai. Reviens me voir
quand nous serons arrivés à Celtlam.

Atys sauta du chariot en marche et remonta sur son
cheval pour aller rejoindre ses amis réunis autour du prince
héritier, Kabassen. C'était l'heure de la chasse, car il fallait
bientôt nourrir ce millier de bouches affamées.

Ils arrivèrent bien tard dans l'après-midi aux pieds de la
cité de Celtlam où ils établirent leur camp. Un grand bruit
s'éleva des murailles quand le premier cortège arriva devant

la porte de la cité. Il s'agissait des chariots des notables de la cité de Kirthan derrière celui de leur reine Titrit, accompagnés par un escadron de charrerie. Les troupes en garnison prirent aussitôt leur position, les archers se positionnèrent sur les murailles et l'infanterie forma une longue allée, menant jusqu'à la résidence du gouverneur de la cité, pour juguler la population qui venait accueillir sa souveraine et le prince héritier Kabassen.

La tête du long convoi entra dans la cité de Celtlam. La population de la cité était aussi heureuse que peinée de recevoir la cour de l'Aguellid Gaïa dans les tristes circonstances actuelles. La foule vint soutenir les hommes et les femmes qui avaient quitté leur cité, contraints et forcés à l'exil en leur offrant à leur passage des produits de leur terroir. Certains réfugiés y arrivèrent traumatisés mais, dès leur arrivée, tout le monde fut pris en charge et accueilli par les habitants de la cité, à leur tête l'Amghar Mezwar, le chef de la ville. Ce dernier ses hommages à Titrit et au prince héritier et les invita à venir dans sa maison où un repas les attendait, au cours duquel l'Amghar Mezwar promit de mettre à la disposition de la reine deux cents cavaliers pour les accompagner jusqu'à la cité de Khullu.

— Nous t'en savons infiniment gré, dit Titrit, mais nous avons également besoin de provisions.

— Du blé, des olives, des œufs et des dattes. Est-ce assez ? proposa l'Amghar.

Titrit se tourna vers Amessan qui acquiesça de la tête.

— Et de l'huile ? demanda Titrit.

— J'ajouterai de l'huile, bien sûr, promit Mezwar. Combien de temps resterez-vous à Celtlam ?

— Nous repartons dans deux jours, le temps que les plus faibles d'entre nous reprennent des forces.

— Je m'occupe tout de suite de votre ravitaillement.

L'Amghar Mezwar était ravi de rendre service à la grande prêtresse qui jouissait d'un grand respect dans la région.

158

Pendant qu'il donnait des instructions pour faire venir les provisions, Selyan demanda à lui parler.

— Nous te sommes reconnaissants pour ton aide, Amghar Mezwar, mais j'ai une requête à te présenter.

— Officielle ? interrogea le fonctionnaire pointilleux.

— Plus ou moins, répliqua Selyan, rejoint par d'autres notables.

— De quoi s'agit-il ?

— Nous ne voulons plus suivre le convoi. Tous, nous craignons le danger de la mer. Nous voulons emprunter la route de l'est pour rallier Hibboune. Peux-tu nous fournir une escorte et un guide ?

— Tous mes cavaliers disponibles sont à la disposition de la reine, s'excusa l'Amghar Mezwar.

— Tous les cavaliers ? Nous sommes prêts à récompenser ton aide.

— Il se trouve bien quelques oisifs dans la cité qui, moyennant finances, pourraient faire la route avec vous, reconnut l'Amghar après quelqu'hésitation.

— Et pour le guide ?

— Pour le guide aussi, je devrais en trouver un.

— Tu vois qu'on peut finalement s'arranger ! Mais je t'en conjure, n'en dis rien à la reine, pour l'instant. Elle serait malade de nous voir partir. Mais nous faisons cela pour la soulager. Nous ne voulons plus être à sa charge, elle a assez à faire avec les autres réfugiés qui n'arrêtent pas d'affluer. On ne veut pas être un fardeau, argumenta hypocritement Selyan.

— Dans ce cas, vous pouvez compter sur ma discrétion.

Dès le lendemain, quand les notables se furent assurés de la mise à leur disposition d'une escorte composée d'une vingtaine de cavaliers armés et d'un guide, ils demandèrent audience à Titrit afin de lui faire part de leur décision de partir de leur côté.

— Je ne peux pas vous retenir contre votre gré ! dit cette dernière, mais sachez que j'ai de la peine à vous laisser partir. La route par Rusicade est dangereuse. Je vous conjure de revenir sur votre décision !

— Notre décision est prise, Grande Prêtresse. Nous avons même obtenu la garantie d'être escortés par des cavaliers jusqu'à Hibboune la royale, répliqua Selyan.

— Vous ne serez plus sous ma protection une fois sortis du rang du convoi, en êtes-vous tous conscients, notables de Kirthan ?

Ils baissèrent les yeux, cherchant dans leurs regards réciproques un soutien pour apaiser leurs scrupules et ce fut Selyan qui les délivra, encore une fois, de cette situation de malaise.

— Nous avons choisi en hommes libres et nous assumons ce choix, Grande Prêtresse. Nous espérons obtenir ta bénédiction avant de nous mettre en route.

— Dans ce cas, je m'incline. Je n'aurai pas le compte de vos vies sur ma conscience. Partez, affronter votre destin et que la déesse Afrika vous protège, si vous daignez lui adresser vos prières avant l'aube.

— Nous le ferons ! À Hibboune la royale, ma reine, déclara Selyan avant de se retirer avec les autres notables.

Soulagé par les propos de la grande prêtresse et reine Titrit, aucun d'entre eux ne réalisa que dans la voix de leur souveraine, il n'y avait pas seulement de la résignation, mais bien une appréhension dictée par son intuition. Elle pressentait le danger, mais ne pouvait le détailler suffisamment pour les dissuader de poursuivre leur chemin en dehors de la protection de sa déesse et des chars de guerre.

Les notables s'apprêtèrent donc à partir séparément du groupe dès que les cavaliers d'escorte promis par l'Amghar Mezwar les auraient rejoints.

Quand Atys alla voir son père, espérant qu'il avait changé d'avis, il put constater qu'il n'en était rien et, ayant appris les termes de l'entretien avec la reine, il put constater que le vieux tailleur était dans un état de fébrilité qu'il ne lui connaissait pas.

Atys essaya d'en deviner la cause. Il est vrai que de se trouver en pareilles circonstances, à la tête des notables de Kirthan, lui qui avait été toute sa vie un tailleur, de renommée certes, mais un homme en retrait des grandes décisions du royaume, quelqu'un que l'on ne consultait que pour des mesures ou le choix de tissus, cela pouvait changer un homme et révéler des facettes inconnues de sa personnalité.

— Tu es vraiment décidé, père ? insista-t-il.

Le bref échange de regards lui permit de connaître la réponse.

— Tu peux toujours changer d'avis et venir avec moi ! insista une dernière fois Selyan.

— Je ne le peux pas.

— Dans ce cas. Voilà la moitié de notre fortune. Je te la confie. Prends-en soin comme la prunelle de tes yeux. Nous nous retrouverons à Hibboune, mon fils.

Atys, prit la sacoche et en soupesa le contenu. Effectivement, elle valait son pesant d'or, le père avait bien travaillé et réussi dans les affaires, c'était indéniable.

« Voilà pourquoi il avait peur. Perdre ce qu'il a amassé », songea Atys tout en portant un regard attristé à son père.

Il embrassa tendrement sa mère et sa sœur puis salua son père avant de retourner auprès de ses amis.

— À Hibboune la royale, père ! Que les cieux te dirigent par les voies qui leur conviennent !

*Tous nous suivons les lois parce
que nous avons l'intention de vivre libre.*
Aguellid Madghis-299/-244

Au palais de Siga, le climat avait été pendant quelque
temps en effervescence. Le roi avait tenu un conseil de guerre
avec ses principaux conseillers, assisté de son fils Vermina, qu'il
commençait à associer au pouvoir. Chez les Massaeylès, la loi
des anciens sur la succession avait été abrogée depuis que le
système de transmission du pouvoir à l'agnat de la famille fut
contesté par Archobarzane, le père de Syphax. La scission entre
des deux tribus était d'ailleurs devenue effective en raison de
cette différence d'interprétation. Chez les Massaeylès, le pouvoir
se transmettait de père en fils.

— Le moment est arrivé, fils ! dit Syphax à Vermina.

— Je l'ai tellement attendu que je n'y croyais plus,
répondit le fils de Syphax.

L'Aguellid avait rassemblé de nombreux soldats et
s'apprêtait à conquérir la capitale de ses voisins Massylès,
la Cité des aigles : Kirthan. Quelques escarmouches lui
avaient permis de tester la résistance des Massylès et
jusque-là, il n'avait pas eu à remettre en question son plan
d'invasion.

Il avait l'espoir que la chute de la capitale des Massylès
ferait tomber tout le territoire de son ennemi. Fort d'une
armée de fantassins entraînée à la méthode romaine par
le centurion Statorius, qui avait réussi en peu de temps à

former des milliers de jeunes soldats Massaeylès à serrer les rangs, à se mettre en ligne et à courir en suivant leurs enseignes, Syphax sentait sa bonne étoile briller enfin au-dessus de son trône.

— Je les ai vus à l'œuvre au cours des exercices d'entraînement ! confia-t-il à Maltassen, son chef des armées. Ils sont excellents.

— Bientôt tu auras autant confiance dans ton infanterie que dans ta cavalerie, assura Maltassen.

Les rapports de ses espions infiltrés auprès de Gaïa indiquaient clairement que le moment était propice pour attaquer le royaume voisin, fragilisé par de fréquentes incursions de mercenaires à la solde des Karthaginois. Ils suggéraient même que les populations verraient en lui un libérateur, s'il tentait de s'opposer à Karthage et à ses colons, contre lesquels Gaïa semblait impuissant.

Arrivée à proximité de Kirthan, l'armée des Massaeylès installa son camp. Syphax et le prince Vermina tinrent conseil avec le chef des armées, le général Maltassen et l'argentier du royaume, le vieux Hiempsal.

— As-tu enfin des nouvelles des tribus gétules ? demanda l'aguellid à Maltassen d'un air préoccupé.

— Nous pouvons toujours compter sur certaines d'entre elles pour qu'elles s'associent à notre conquête, le rassura son chef des armées. L'attrait du butin finira par les convaincre de se joindre à nous.

— Nos recruteurs enregistrent tous les jours des enrôlements de guerriers venus du désert, confirma Vermina.

— Et nous avons de quoi assurer le paiement des troupes jusqu'à la prochaine saison des pluies, Aguellid, assura Hiempsal en regardant ses comptes.

— Quant à moi, j'ai des nouvelles rassurantes de nos alliés les Romains, annonça Syphax. Je viens de recevoir un message de Gnæus Scipion m'encourageant à activer notre plan d'invasion. Une livraison d'armes et d'uniformes pour notre infanterie est attendue d'un jour à l'autre au port d'Igilgili. Pourtant, j'ai besoin d'une dernière certitude.

Il avait besoin d'être éclairé sur la situation qui le préoccupait et être sûr de prendre les bonnes décisions au moment où il devait faire choix les plus importants dans sa vie de souverain. Il remercia tout le monde et garda son fils auprès de lui. Ensuite, s'adressant à une silhouette tapie dans un coin obscur de la tente, il lança :

— Et toi, vieille sorcière des marécages, qu'en penses-tu ?

Aussitôt l'ombre, jusque-là silencieuse, apparut et vint vers eux en s'appuyant sur un bâton de pèlerin. Syphax la dévisagea lentement tout en se demandant s'il avait bien fait de faire appel à ses services ! Elle se laissa examiner un moment pour marquer sa première rencontre avec celui qui lui avait promis une belle bourse si elle parvenait à apaiser ses inquiétudes.

De petite taille, le visage déformé par d'affreux boutons, elle portait sur la tête un fichu usé qui laissait deviner une calvitie avancée.

— Elle est vraiment repoussante ! songea Vermina.

— Je sais ce que tu penses de moi, jeune homme. Ce n'est pas le plus important. Ce qui t'intéresse c'est de savoir si je peux t'aider et comment, je me trompe ?

Vermina ne répondit pas, mais devina l'impatience de son père qui attendait une réponse.

— Alors, sorcière, que disent les présages ? questionna Syphax.

— As-tu ce que je t'ai demandé ? répliqua-t-elle du tac au tac.

— Ah, oui ! Par le Dieu Atlas, j'oubliais ! Vermina, donne-lui donc ce sac !

Vermina s'exécuta. La sorcière s'empara du sac, en tira un bout de corde qu'elle examina longuement avant d'adresser un signe de tête à Syphax.

— Que veux-tu dire ? Parle donc, s'impatienta le roi
des Massaeylès

— Les anciens approuvent ton projet, fit laconiquement
la sorcière des marécages.

— Alors, le siège de Kirthan peut donc commencer,
annonça triomphalement le roi.

*

Le lendemain Syphax s'avança avec ses cavaliers jusqu'au
bord du remblai qui faisait face à la grande porte du Sud de
la cité. Il s'arrêta, impressionné par le spectacle majestueux
des hauts remparts hissés et bâtis sur les parois rocheuses
qui ceinturaient la cité que la nature avait ainsi rehaussée.
Devant cette porte fermée, aucun cavalier ni soldat ne se
montrait pour accueillir les Massaeylès. La ville semblait
éteinte et pourtant derrière les murs, une agitation inhabituelle animait tous les habitants qui avaient fait le choix
de rester dans la cité.

— Comment allons-nous escalader ce rocher ? se
demanda Syphax en levant les yeux vers le ciel gris, implorant l'astre du jour de lui venir en aide au moment où il
pointait à l'Est.

A ses côtés, Vermina voyait pour la première fois de sa
vie l'étonnante configuration du site pittoresque de Kirthan
et de ses gorges antiques. Il fut émerveillé par ce spectacle
à la fois austère et féerique…

A un moment, Syphax commanda à son infanterie de se
déployer le long de l'isthme qui servait de plateau à l'entrée
de la cité et se plaça en tête avec sa garde personnelle et son
fils pour que du haut des remparts on puisse facilement
le reconnaître, lui l'Aguellid des Massaeylès et son fils, le
prince Vermina.

Il se prit à rêver de voir s'ouvrir les portes et venir à lui
une délégation de notables qui lui présenteraient les clés

de la cité, mais il ne se produisit rien de tel. Il fut même surpris de recevoir une salve de javelots bien lancés qui ricochèrent sous les sabots des chevaux de sa cavalerie royale. Le message était clair. La cité allait résister. Il dut donner prestement un coup de talon à son cheval pour lui faire faire demi-tour afin d'éviter une deuxième salve de javelots.

Syphax installa son camp sur le plateau de la colline aux Corbeaux et donna des instructions pour mettre en place le siège devant la cité. Puis il convoqua de nouveau ses officiers dans sa tente, dressée au milieu du camp.

De son côté, l'Aguellid Gaïa, laissant la cité sous le commandement de Mastanabal, le chef des gardes royaux, sortit par la porte de Khullu avec l'ensemble de ses cavaliers, car il ne voyait aucune utilité à combattre à l'intérieur des murs avec ses escadrons auxquels il fallait les espaces de la plaine pour se lancer éventuellement à l'assaut des envahisseurs. Il envoya ensuite un message à Mastanabal lui ordonnant de détruire le pont nord de la ville et de masser toutes ses forces du côté de la grande muraille que l'ennemi s'apprêtait à attaquer près de la porte de l'Ampsaga.

Quelques instants plus tard, Gaïa et ses cavaliers se trouvaient sur les flancs du plateau du Mansourah où l'Aguellid pouvait à distance et discrètement épier ses ennemis et s'assurer une retraite dans le cas où il viendrait à l'esprit de Syphax de le poursuivre. Il chargea Meskala d'observer les Massaeylès et de le tenir au courant de leurs moindres mouvements. Devant son infériorité du nombre, il n'était pas question d'un affrontement classique, mais d'user d'intelligence et de tactique afin de faire le maximum de dégâts chez l'ennemi sans trop en subir dans ses propres rangs.

Derrière les murs de la cité des Aigles, l'agitation était à son comble. Personne ne pensait au repos et tous les habitants participaient avec leurs moyens humains

et matériels à la résistance sous le commandement de
Mastanabal. L'absence de l'Aguellid Gaïa ne les inquiétait
pas, car il suffisait de se pencher par-dessus les remparts
pour apercevoir ses cavaliers qui chevauchaient continuellement dans les alentours, rassurant par leur présence
et leur mobilité ceux qui auraient pu penser que leur roi
les aurait abandonnés ! La plupart d'entre eux avaient eu
écho de l'horrible sort que les Massaeylès appliquèrent
méthodiquement à leurs captifs lors de leur première
invasion sur leur territoire et ces images de carnage qu'ils
n'arrivaient pas à chasser de leurs têtes renforçaient leur
volonté de se mobiliser autour du défenseur de leur cité, le
brave Mastanabal, que tous appréciaient pour sa droiture
et son amour démesuré pour sa ville. Il était le dernier
espoir de Gaïa et tous les espoirs des habitants de Kirthan
se tournaient à présent vers lui.

Aussi nul n'osait contester ses décisions et ses instructions car il représentait leur dernière chance de salut !

— C'est une sacrée responsabilité qui pèse sur tes
épaules, mon ami ! lui avait dit le roi avant de le quitter.

— Il n'y a qu'une seule mort dans la vie d'un homme,
mon roi ! avait-il répondu.

Avec le peu de moyens dont il disposait, quelques
contingents de miliciens ayant agrandi les rangs de ses
propres soldats - mais que représentaient-ils face aux
innombrables effectifs de Syphax - il s'employa à organiser
la défense de la ville. Heureusement pour eux, les cavaliers
de Gaïa pouvaient encore faire des dégâts considérables
aux arrières des Massaeylès, car sans eux, Mastanabal était
conscient du peu de chance qu'ils avaient d'en réchapper.

*

Syphax lança son fils à la tête d'un escadron de cavalerie
sur tout le territoire autour de Kirthan pour y semer partout

la désolation et la terreur. Le premier jour, ils revinrent à leur cantonnement chargés d'un butin composé de blé, de bétails et de femmes de tous âges. Mais sortis de nulle part, Gaïa et ses cavaliers attaquèrent habilement leurs arrières, se jetèrent impétueusement sur les gardiens des prisonniers qu'ils mirent en déroute, libérant par là-même leurs captifs, avant de disparaître à l'intérieur de l'épaisse forêt de l'Oubli, qu'ils connaissaient bien pour avoir été le lieu de leur initiation à tous, depuis la nuit des temps.

L'Aguellid Gaïa était redevenu le cavalier intrépide et plein d'énergie. Il approchait de la soixantaine, mais il faisait montre d'une vigueur qui rappelait à ses cavaliers les campagnes précédentes contre les Karthaginois et les Gétules où il était le premier à pourfendre les ennemis, le premier à lancer son javelot et à donner l'assaut. C'était un souverain aimé de son peuple et un meneur d'hommes aimé de ses soldats.

*

Du côté de la porte principale de Kirthan, les fantassins Massaeylès, sous le commandement du centurion romain Statorius, tentèrent de s'ouvrir un passage, mais les Massylès leur opposèrent une résistance acharnée, défendant leur cité et leurs vies avec l'énergie du désespoir, les forces ennemis étant trop importantes. Leur vigoureuse défense rendit indispensables les opérations d'un siège qui allait se prolonger.

— Tenez aussi longtemps que vous pourrez, je vous ferai signe quand il faudra abdiquer ! avait recommandé l'Aguellid Gaïa avant de sortir de la cité.

Syphax entreprit d'assoiffer les habitants en détournant les eaux de l'Ampsaga au moyen d'un barrage dressé à l'entrée des gorges.

Ce fut en pure perte que l'on fit monter sur le sanctuaire d'Afrika la grande prêtresse Markounda afin de conjurer le péril par des incantations et des prières, les dieux semblaient sourds aux prières des Khirtéens qui commencèrent à souffrir de la soif, car l'eau des sources aux fond des gorges n'était pas potable.

*

Au cours des âges, le rocher avait été creusé dans tous les sens pour l'aménagement de citernes avec des canaux d'adduction et des distributeurs d'égouts, et partout plusieurs cavernes naturelles avaient été formées par les eaux d'infiltration, mais celles-ci servaient uniquement au lavage et à l'arrosage.

Près de la porte de Khullu, dans une de ces petites maisons peintes en bleu donnant sur les gorges, vivait un apiculteur que la destruction du pont du nord avait vivement contrarié. Ses ruches avaient été dérangées et les abeilles les avaient désertées. Un espion Massaeylès rôdant par hasard dans les parages afin de repérer un éventuel passage croisa le chemin du mécontent. Ce dernier accepta moyennement compensation de lui montrer un chemin à travers la falaise qui permettrait à quelques soldats hardis de grimper le long de la paroi et d'accéder à la cité par le côté le moins surveillé de la muraille.

Le pont étant coupé, l'Aguellid Gaïa avait commis l'erreur de laisser cette partie des murs sans surveillance, ayant demandé à Mastanabal de concentrer tous ses efforts sur la porte sud. Ce fait du hasard allait sonner le glas de la cité et de sa résistance héroïque. Par une nuit sans lune, quelques soldats Massaeylès prirent le sentier indiqué par l'apiculteur, celui qui descendait la grande voûte et s'intro-duisirent dans la cité pour accomplir le tragique destin qui fit capituler les Massylès trop confiants en ces gorges qui servaient pourtant de défense naturelle à leur cité. À l'écho de la bataille qui faisait rage de ce côté, l'Aguellid Gaïa accourut vers la porte du nord avec quelques cavaliers de sa garde personnelle. Il tenta d'apporter son aide aux assiégés et chasser les intrus, mais il dut se rendre à l'évidence, il était trop tard.

— Préviens Mastanabal de cesser le combat, ordonna-t-il à Meskala. Il est temps de nous replier !

Il existait un passage creusé à l'intérieur de la roche qui permettait à une seule personne à la fois d'emprunter un escalier et d'arriver au milieu de la cour du palais royal. C'est par là que Meskala se glissa et emprunta l'escalier en colimaçon sculpté à l'intérieur de la roche pour se retrouver auprès du chef de la résistance de la cité. Celui-ci se trouvait dans la cour du palais, derrière une centaine de soldats qui tentaient d'empêcher les assaillants de forcer le dernier rempart de la ville.

— Mastanabal ! C'est le signal du repli, par ordre du roi !

— Il était temps d'en finir, Meskala ! Nous sommes dans nos derniers retranchements. J'ordonne l'évacuation de la place tout de suite.

Au même moment, une deuxième trahison permit aux soldats massaeylès de s'introduire par la porte sud qui leur fut ouverte et par laquelle ils se livrèrent aux horreurs du pillage, se déchaînant sur les populations qui se trouvaient sur leur chemin.

Gaïa entendit les cors qui résonnaient sur les parois du gouffre comme un son macabre de la mort qui annonçait la reddition de ses troupes à l'intérieur de la cité. N'espérant le secours de personne, il ordonna le repli de toutes ses troupes vers le col des Oliviers, point de ralliement de tous les Massylès désireux de s'installer dorénavant à Hibboune la royale, la nouvelle capitale du royaume.

Meskala réapparut quelques instants après par le même passage secret, suivi de Markounda, Mastanabal ainsi que d'autres Massylès. Ce chemin qui descendait le long de la paroi de l'abîme jusqu'au pied de la grande cascade, bien qu'étant bien caché, aurait pu être découvert. Avant de quitter les lieux, l'Aguellid Gaïa ordonna sa condamnation. Il apprit en même temps par un messager que le convoi mené par son épouse avait atteint la cité de Celtlam. Son but était atteint.

*

Depuis lors, Rome envoya régulièrement des navires sur la côte africaine, soit en reconnaissance, soit pour y opérer des descentes et faire des ravages dans le but d'entretenir le moral des marins grâce aux butins. Alors que les ambassadeurs romains étaient encore chez Syphax, en train de mettre la dernière main au traité d'alliance entre les deux nations, Valerius Messala croisait avec une flotte composée de soixante-dix navires de guerre et faisait des ravages sur le littoral africain. On appela cela, *le temps des ravageurs.*

Si tu recherches la vengeance,
alors commence par creuser deux tombes.

Confucius

Le lendemain matin, deux convois d'une longueur inégale
partirent de la cité de Celtlam par la route du Nord. Les
notables qui avaient été depuis le départ de Kirthan à la tête
du convoi prirent cette fois-ci la queue, au grand étonnement
de tout le monde, mais vu les quantités de ravitaillement qu'ils
avaient chargées, ils ne se soucièrent que peu du reste.

— C'est ici que nos chemins se séparent, reine Titrit !
dit le tailleur royal des Massylès venus faire ses adieux à la
Grande Prêtresse.

Celle-ci fit une dernière tentative pour le dissuader.
Sans succès.

— Non ! Nous sommes bien décidés à ne pas vous
encombrer davantage. Nous partons de notre côté et que
votre bénédiction nous accompagne. À bientôt, ma reine.

— Soit ! Plaise à la déesse Afrika de vous ouvrir grand
ses ailes protectrices. Bonne route.

À hauteur de la forêt de Tarzous, une trentaine de
chariots se détachèrent du gros du convoi et prirent la
route de l'est, escortés par une vingtaine de cavaliers armés
jusqu'aux dents.

Le soir-même Titrit et ses compagnons campèrent dans
un lieu appelé « Entre les deux rivières ». Le lendemain
matin ils firent halte dans le bourg agricole de Kerkera dont

les habitants avaient tenu à rendre hommage à la reine des Massylès. Le port de Khullu n'était plus qu'à trois heures de marche du bourg. Elle décida d'y dresser le camp. La nuit de la reine fut troublée et son sommeil agité. Elle se prépara une infusion de lavande fraîche, réputée pour calmer les insomnies. Kabassen dormait dans la tente voisine avec Atys. Elle écouta leur longue et profonde respiration.

— Rêvent-ils à un monde où la paix régnait encore ? se demanda-t-elle, en cherchant son propre sommeil au fond de sa couche.

Elle vit en songe le jeune Atys cloué à une croix par des mercenaires à la solde des Karthaginois indifférents à son supplice. En se réveillant en sursaut, elle eut une pensée pour ses parents et pour son entêté de père, le tailleur Selyan : elle aurait dû être plus ferme et les empêcher de partir. À présent, elle était sûre qu'ils couraient un grave danger.

La lavande tarda à faire son effet, mais elle finit par se rendormir, angoissée, non sans avoir prié la déesse Afrika de leur accorder sa miséricorde et pardonner leur manque de discernement.

Le convoi reprit la route tôt le lendemain lorsqu'il atteignit enfin le port militaire de Khullu, ce fut un soulagement collectif. Seghmar, l'Amghar de la ville et Yuksan l'amiral de la flotte Massylès avaient préparé et aménagé les entrepôts du port militaire pour accueillir les réfugiés. Quand le convoi fut annoncé aux portes de la cité, ils sortirent pour recevoir leur souveraine et le prince héritier. La population se joignit à eux et chacun apporta de quoi adoucir les peines des fugitifs.

— Bienvenue à toi, Titrit, grande prêtresse et reine des Massylès. Ton pays est honoré à chacune de tes visites. Bienvenue à toi, Kabassen, prince héritier du royaume et bienvenue à vous tous qui les accompagnez. Nous vous offrons l'hospitalité chaleureuse et les portes de nos maisons, ainsi que celles de nos cœurs vous sont ouvertes pour vous accueillir autant que vous le souhaitez, déclara Seghmar.

Puis l'amiral Yuksan prit la parole :

— Je suis Yuksan et je dirige la flotte qui vous emmènera à votre destination finale, dit-il. Nous avons aménagé nos entrepôts pour vous loger, vous y trouverez de quoi manger et boire.

La reine et le prince Kabassen furent invités dans la demeure de l'Amghar et les conseillers dans celle de l'amiral, qui connaissait personnellement Aberkan pour être l'officier supérieur de son fils Amayas.

Le bilan de l'exode fut positif, même si on déplora quelques décès de personnes âgées et de nourrissons.

Aussitôt tout le monde installé dans un confort assez sommaire, mais temporaire, la reine Titrit et ses conseillers demandèrent à voir l'amiral Yuksan. Kabassen, en sa qualité de prince héritier les accompagnait.

— Amiral ! Voici ta feuille de route et les instructions de notre Aguellid Gaïa, lui dit Aberkan en lui remettant les documents royaux. Les instructions de notre Aguellid sont de nous conduire à Hibboune la royale et de déplacer l'ensemble des navires de ta flotte au Cap de fer.

— La guerre entraîne des changements stratégiques, j'en prends connaissance, merci. Mais sache que ta sagesse m'honore, maître Aberkane, et ta présence fera un heureux parmi mes valeureux capitaines.

— Je n'en doute pas, amiral Yuksan, mais je ne l'ai pas vu à notre arrivée. Pourquoi n'est-il pas venu à ma rencontre ?

— Son bateau est au large, sage Aberkan.

Quand la reine voulut connaître la date d'embarquement pour Hibboune la Royale, l'amiral Yuksan resta un peu évasif.

— J'ai une douzaine de bateaux sortis en mission qui ne sont pas encore signalés, ma reine, prétendit-il avec une gêne non dissimulée.

— Combien de temps durent ces « missions » en général ? demanda Kabassen.

— Une semaine ! Ou peut-être deux, tout au plus, prince Kabassen. Les premiers arrivés sont attendus pour demain. En attendant, reposez-vous et reprenez des forces. L'état de certains réfugiés nécessite des soins que nous allons traiter en priorité. Je crains que nous n'ayons pas d'autre choix, reine Titrit. Cet exode a été décidé si rapidement que nous avons été pris au dépourvu. Sachez cependant qu'ici vous êtes en totale sécurité. Nul Massaeylès n'osera s'aventurer dans les parages.

— Merci Amiral pour tes paroles de réconfort. C'est la sécurité de tout ce monde qui m'importe, la mienne est déjà assurée, dit-elle en désignant l'immense Gétule qui lui servait de garde du corps.

— Je propose que vous alliez vous reposer. Compte sur moi pour t'aviser dès que j'ai du nouveau.

La reine et le prince Kabassen sortirent des locaux de l'amirauté, constatant avec amertume que leur séjour dans la cité de Khullu allait durer plus longtemps que prévu. Amessan et Aberkan se rendirent dans les entrepôts, là où leur aide était certainement requise auprès des réfugiés et où les prêtresses et les disciples d'Aberkan étaient déjà à pied d'œuvre.

Là-dessus, Kabassen décida de faire un tour dans le port phénicien de Khullu et proposa à sa tante de l'y accompagner, mais cette dernière déclina l'offre.

— Je suis trop fatiguée pour faire des visites, mon neveu. Je vais plutôt prendre un peu de repos. Mais je ne veux pas que tu y ailles seul.

— J'emmène Atys, Samyan et Amzal…

— Je serais davantage rassurée si Amalut t'accompagnait !

La presqu'île de Khullu était une région que la nature avait resserrée entre le littoral et la chaîne montagneuse des Babors. Le mont d'Atoun, majestueusement assis sur des bases puissantes que recouvrait un tapis de forêts, dressait dans l'atmosphère d'un bleu azur son cône abrupt à une bonne hauteur et projetait au loin dans la mer le promontoire du cap Triton, comme un immense éventail dont les lamelles étaient formées par les saillies des chaînons qui rayonnaient de son sommet et se terminaient à l'est par sept pointes bien distinctes. C'était la Montagne de la Miséricorde.

La pittoresque vallée de Khullu s'arrondissait en forme de cirque aux gradins adoucis et couverts d'une verdure aux multiples nuances. Elle s'ouvrait du côté de la mer par une large brèche en face de laquelle se dressait, comme un navire gigantesque, l'île aux Jardins.

C'était là que s'était développée à proximité du quai et des entrepôts du comptoir commercial phénicien une activité d'échange et de troc. Coquettement assise au fond d'un prestigieux amphithéâtre naturel, au bord des eaux bleues et dormantes de sa baie, la cité marchande de Khullu avec ses maisons blanches comme des nacelles aux voiles déployées sur les vagues prospérait depuis des temps lointains au milieu d'une puissante végétation.

Entre l'île aux Jardins et le premier promontoire des sept caps trônaient la baie des jeunes filles et sa plage de sable fin, au milieu de sa ceinture de vertes collines.

Là, s'élevait le pic des vautours, un cône aigu, nu et décharné dont la cime se dressait vers le ciel comme une tour gigantesque, couronnée par un sanctuaire dédié à la déesse Afrika.

Du haut de cette forteresse naturelle, une vue splendide faisait découvrir la petite vallée de Khullu et au Nord, selon que c'était calme plat ou que le vent « donnait », comme disent les marins du coin, l'immense mer apparaissait d'un bleu clair, à peine ridée de petites ondes, roulant des lames dont les crêtes frangées d'une légère écume blanche rappelaient assez bien le dos des moutons dans un troupeau. Au large, toujours la mer que le soleil couvrait d'une couche de vif argent et sur laquelle les barques des pêcheurs avec leurs voiles étendues apparaissaient comme des points blancs, immobiles sur l'eau.

Vers le fond se profilait la baie des Sangliers et plus loin se dessinait la silhouette des montagnes de Stora qui se confondaient avec l'horizon, et laissaient apercevoir le cap de Fer à demi noyé dans la brume. Entre le cap Triton et le cap de Fer, on était au milieu d'un grand enfoncement en forme de croissant : le golfe de Numidie. Un promontoire intermédiaire, le cap Srigina le divisait en deux baies : la baie de Stora à l'est et celle de Khullu à l'ouest. Khullu occupait la partie occidentale de celle-ci.

Officiellement, les suffètes de Karthage affichaient une politique hostile à tout acte de piraterie sur les flots de la mer intérieure. Pour obtenir la mainmise totale du commerce en Méditerranée, ils encouragèrent secrète-ment des pirates indépendants, travaillant à la course, pour arraisonner tout bateau non autorisé par eux à naviguer et commercer dans les eaux qu'ils contrôlaient et parfois même, au-delà. La cité maritime recruta une flotte composée de marins numides et leur fournit des bateaux pour exercer leurs activités d'arraisonnement. Karthage récupérait la moitié du butin, l'autre moitié était partagée entre l'Aguellid des Massylès et les corsaires.

Le port numide de Khullu avait été choisi pour abriter cette flotte de corsaires, à cause de son accès caché de la mer. Les bateaux y accédaient en remontant de la mer par un canal du côté ouest de la baie des Sangliers. Ils accostaient ensuite à l'intérieur d'un lac assez profond pour accueillir plus d'une centaine d'embarcations de tout tonnage. La mer intérieure qui était d'ordinaire une mer paisible fut alors troublée de temps à autre par les échos des batailles navales et par les vaisseaux pirates à la solde de Karthage et une ville florissante prospéra autour de ce lac artificiel à quelques lieues de la cité marchande construite autour de l'activité portuaire des Phéniciens.

Le fils d'Aberkan était un de ses capitaines que la mer tenta depuis son plus jeune âge. Né à Hibboune la royale, il s'engagea dans la marine karthaginoise comme marin et apprit le métier de pilote. Un jour, l'amiral Magon, constatant avec une grande déception l'appréhension qu'éprouvaient les marins citoyens de Karthage à pratiquer le métier de corsaire, fit appel à des marins numides. Amayas fut l'un des premiers à accepter.

Dans le port phénicien de Khullu, Kabassen et ses amis firent la connaissance d'un compagnon de tablée, dans une de ces nombreuses tavernes qui longeaient le quai, tandis qu'Amalut, sobre comme un chameau, resta dehors, l'œil aux aguets. Le ténébreux n'aimait pas les ambiances particulières des tavernes où tasses et gobelets se choquaient pour trinquer à la santé et où les serviteurs n'arrêtaient pratiquement jamais leurs ballets de va-et-vient chargés de lourdes amphores pour abreuver les hommes et les femmes en mal d'être.

— Dès que je gagne de quoi boire, leur confia le compagnon de tablée, je me rue dans la première taverne sur mon chemin et je commande immédiatement de quoi m'en foutre derrière le gosier !

— Pauvre vieux, va ! compatit Kabassen.

Et du vin, il y en avait en Numidie et tous les prétextes étaient bons, pour boire et s'enivrer à l'excès. On allait même jusqu'à célébrer les exploits des grands buveurs et loin de les blâmer, on les citait en exemple pour leur capacité à tenir la bouteille.

L'homme avait été autrefois un marin des plus respectés parmi les Karthaginois. D'abord fermier de son état, il s'était marié à une belle cousine du côté maternel, qui travailla avec lui dans la ferme familiale. Si elle avait été choisie par ses parents il finit néanmoins par l'aimer et lui donner huit enfants, dont deux filles.

— Nous avons gardé les filles auprès de nous et envoyé les garçons à Kirthan auprès de leur oncle, marchand de légumes. Il s'assura que ses neveux suivraient une instruction dans une école de la capitale que nous avons payée.

— Pour l'instant c'est une belle histoire, l'oncle ! dit Atys, de bonne foi, en se servant une gorgée de vin.

— Oui, mais un jour, des envahisseurs du nord débarquèrent sur la côte et vinrent saccager la ferme et tout brûler sur leur passage. Ils me laissèrent pour mort au milieu de mon champ, profondément blessé à la hanche et à l'épaule. Ces maudits bâtards firent subir à mon épouse l'humiliation d'être prise plusieurs fois sous mes yeux avant de l'égorger… Je fus sauvé par mes voisins que le mauvais sort avait épargnés. Après que mon destin ait flotté longtemps entre la vie et la mort. On n'a jamais retrouvé mes deux filles.

— Elles sont peut-être toujours en vie, tenta de rassurer le prince héritier, ému par cette histoire qui lui touchait le cœur.

— J'étais né pour cultiver la terre ! dit l'homme en montrant ses mains rugueuses.

— Je comprends que tu ne pouvais plus rester dans ta ferme !

— Je l'ai vendue et j'ai quitté ma terre. Désespéré, je suis parti d'abord à Kirthan pour annoncer la nouvelle aux garçons. Je suis resté un temps chez mon frère, avant de revenir ici.

Il était venu grossir le lot des campagnards aux yeux bleus qui se sentaient attirés par les appels de la grande bleue, sans doute à cause de la couleur de leurs yeux qui reflétait quelques nostalgies de leurs ancêtres du nord qui abordèrent ces rivages à la recherche d'un butin et finirent par s'y plaire et prendre racine.

Avec le maigre pécule tiré de la vente de sa ferme, il acheta une barque et devint sardinier. La marée faite, il vendait son petit lot de poisson, puis aussitôt, achetait d'invraisemblables quantités de lotus, cet affreux lotus dont les ports de mer semblent avoir le monopole, et cela le comblait suffisamment, jusqu'à la prochaine soif.

Quand il eut épuisé toutes ses ressources, il s'enrôla dans l'armée karthaginoise, lors d'un passage régulier d'un recruteur qui promettait aux nouvelles recrues des butins faciles et des voyages exotiques dans les pays sous la domination des marchands puniques.

— Je me plaisais bien en mer ! A présent, quand je pense que j'ai assisté à l'horreur et que j'ai fait subir la même chose à d'autres créatures, au-delà des mers, j'en ai le cœur serré.

L'homme était un vieillard aigri, réduit à se saoûler à mort et à se lamenter sur sa vie et ses déboires.

— Tu habites où, l'oncle ? demanda Kabassen.

— Viens je vais te faire visiter, invita le vieillard. Venez tous, vous ne le regretterez pas.

Quand le soleil tapait sur la falaise, on voyait sa petite maison à trois lieues en mer sur la pointe de la presqu'île des Jardins, et bien des navigateurs qui passaient au large crurent à un nouveau système de phares diurnes. C'est à côté de sa chaumière que les Karthaginois avaient installé un phare de signalisation qu'il lui confièrent la mission d'entretenir avec l'aide d'un prêtre chargé de transmettre les messages aux autres relais qui avaient poussé comme des champignons tout le long du littoral, dans le but de surveiller les mouvements des bateaux de toutes sortes qui longeaient la côte africaine.

*Celui qui est vêtu avec le bien d'autrui
est en réalité nu.*
Aguellid Syphax -257/-202

*Le soleil pointait vers l'horizon et illuminait cette fois une
grande partie de la forêt dans laquelle avaient été piégés les
cavaliers Massaeylès. Ne détectant plus aucun signe de danger
et s'assurant que la voie était désormais libre, Massinissa
chevaucha droit vers l'est en direction de la cité de Roknia,
suivi de son lion et plus tard de ses deux anges gardiens, Ayyur
et Tafukt.*

— Tu loueras une embarcation et tu navigueras sur le
fleuve jusqu'à Takouch. Telles étaient les recommandations
écrites de l'Aguellid Gaïa et que Massinissa suivit à la lettre.

— Jusqu'à la cité des corailleurs !

Il embarqua avec ses compagnons de voyage et vogua
sur le fleuve Ampsaga dans sa partie inférieure jusqu'à
Takouch, non loin du cap de Fer, au travers du massif de
l'Edough, traversant une succession de landes couvertes
de bruyères et de genêts mêlés aux chênes-lièges. Blotti au
fond d'une profonde échancrure, se trouvait le village des
pêcheurs de corail, installé au milieu de la baie de Takouch
qui formait à cet endroit une avancée dans la mer. Ce fut,
où commençaient les falaises de la côte sauvage, que le
prince et ses compagnons retrouvèrent la terre ferme.

Évitant le village, il prit de l'altitude, selon l'itinéraire
tracé par son père, toujours en direction du nord. La

lumière dorée de ce matin printanier nimbait les contre-
forts de la montagne d'un halo orangé. Arrivé en haut de
la falaise, Massinissa prit le temps d'observer le tumulte de
la rivière en contrebas qui s'engouffrait peu à peu dans le
bleu de la mer intérieure. « Voilà le sanctuaire ! souffla-t-il.
Et il serra très fort contre sa poitrine la sacoche contenant
le manuscrit de son aïeul. »

Atlas le regarda avec un enjouement et un éclat particulier dans l'œil. Lui aussi comprit qu'ils étaient au bout
de leur voyage, tandis que les chiens loups, ces jumeaux
inséparables, trottinaient autour de leur maître, infatigables.
Il lui restait à trouver l'entrée de la grotte, indiquée sur le
plan, pour arriver au bout de sa mission, de l'autre côté
de la crête rocheuse.

Tzil avait bien supporté cette dernière chevauchée le
long du rivage méditerranéen. L'air marin avait revigoré
ses avents d'iode et c'était comme si elle comprenait elle
aussi que la mission de son maître touchait à sa fin. Quand
Massinissa s'étira de tout son long et descendit de son dos,
elle poussa un hennissement de soulagement. Le prince
resta néanmoins prudent. Il saisit la bride de Tzil et garda
sa poignée sur le pommeau de son épée. À ce geste, le lion
et les loups se tinrent sur leur garde. Puis, délicatement,
il descendit vers le bord de la rivière et se rafraîchit le
visage. À présent qu'il était arrivé à destination, il pouvait
se détendre et relâcher un peu la pression. Il traversa le
cours d'eau à gué et se retrouva rapidement sur l'autre
rive. Il chercha en aval le chemin indiqué sur la carte et
repéra l'entrée de la grotte qui n'était que peu profonde.
Une lueur à son extrémité, indiquait son bout, à quelques
pieds de là. Il se retrouva de l'autre côté au milieu d'une
anse, bercée par les lames marines qui se jetaient sur un
rivage de sable avant de se briser contre une multitude de
rochers de toutes les tailles. Levant les yeux, il aperçut le
sanctuaire. Il ressemblait étrangement à celui qu'il avait

connu dans son enfance, celui où officiait sa grand-mère Markounda, le sanctuaire d'Afrika du cap Triton. La végétation était la même au point qu'il se crut revenu en arrière, au temps où il rendait visite à ses grands-parents, dans le pays des Wichawas, là où Titrit avait vu le jour. La suite du chemin étant impraticable à cheval, il libéra Tzil qui s'en alla gambader sur le sable fin de cette plage miraculeuse et déserte, suivie par les chiens loups.

« Décidément, les bâtisseurs de sanctuaires n'ont pas beaucoup d'imagination ! » se dit-il en grimpant quatre à quatre l'escalier taillé dans la roche. Atlas le talonnait.

Une centaine de marches plus haut, il se retrouva sur un terrain défraîchi, devant la porte du sanctuaire. Son arrivée avait été repérée dès qu'il avait pris le chemin de la crête. Il était attendu. Dans ce monde où rien ne pouvait être caché, les nouvelles circulaient plus vite que les chevaux. Une grande dame, brune comme l'ébène vint à sa rencontre, précédant une suite de jeunes prêtresses, aussi écarlates les unes que les autres.

« Paix sur toi, jeune prince des Massylès. Je suis Batoul, la grande prêtresse de ce sanctuaire. Tu as fait un long chemin pour arriver jusqu'à moi. Un chemin semé d'embûches, je n'en doute pas, mais à présent, laisse-moi te soulager de ton fardeau, dit-elle en tendant les bras. Elle resta cependant à bonne distance à cause de la présence d'Atlas, le regard fixé sur la sacoche qui pendait sur l'épaule de Massinissa.

Le prince comprit qu'elle voulait le manuscrit d'Aylimas. Mais il eut un réflexe d'hésitation. Elle portait les signes sur le front et les habits de la grande prêtresse, mais elle aurait pu être une usurpatrice, malgré toute la sympathie qui s'affichait sur son visage et l'abord avenant qu'elle arborait. Ce geste fut capté par Batoul qui n'insista pas et ne parut même pas vexée de ce manque de confiance. Il lui semblait normal que le prince Massinissa réagisse par instinct et respecte en cela les instructions données par son père.

— Ne restons pas là, entrons ! Les vents sont particulièrement violents par ici et tu dois avoir envie de te reposer, lui dit-elle en tournant ses talons, mais en l'invitant à le suivre.

Il lui emboîta le pas en essayant de se rappeler la description que lui avait rapportée son père, tout en reconnaissant qu'elle avait bien pu changer beaucoup depuis toutes ces années qu'il ne l'avait pas revue.

— Grande et mince, la peau mate et les yeux sombres, en amandes. Sa marque est celle que porte ta mère au bras droit, lui avait-il glissé dans l'oreille, au moment du départ, comme pour ne pas ébruiter ce dernier détail.

— Elle pourrait correspondre, mais je dois m'en assurer à l'intérieur, se ravisa-t-il, en marchant derrière elle.

Ils arrivèrent dans une salle par un long couloir très éclairé par la lumière du jour, presque éblouissante. Elle prit place sur un siège en bois, aussi austère que la salle où ils se trouvaient. La grande prêtresse invita Massinissa à en faire de même à ses côtés. Atlas s'affala de tout son poids sur les dalles froides et bailla de tous ses crocs.

— C'est bien la première fois de ma vie que je vois un lion apprivoisé ! dit Batoul. Puis, sur un claquement de ses mains, une demi-douzaine de prêtresses fit irruption dans la salle, précédée de deux prêtres à la constitution robuste et solide comme des bûcherons.

— Je comprends ta méfiance, mais tu es dans un lieu sûr et sacré ! Le sais-tu, jeune prince des Massylès, reprit Batoul en lui dévoilant son tatouage sur le bras droit, qui attestait de sa fonction. C'était le même tatouage que portait Titrit, au même endroit de son corps.

— C'est vrai ! Je le sais à présent. Je m'appelle Massinissa.

— Pensais-tu que je l'ignorais ? Par Afrika, je t'ai vu naître. Titrit et moi avons été initiées ensemble au sanctuaire de Kirthan. Depuis nous sommes restées très proches. As-tu faim ?

— Oui ! Mais j'ai aussi besoin de me reposer, Grande Prêtresse !

— Appelle-moi Batoul et je t'appellerai Massinissa, d'accord ?

— D'accord, répondit le prince des Massylès et lui remettant la sacoche.

Batoul la reçut et la confia à l'un des deux prêtres.

— Ce sont les prêtres gardiens. Ils vont mettre le manuscrit d'Aylimas en lieu sûr ! Toi seul sauras après où il se trouve, à part eux.

— Mais pourquoi moi ? Je ne suis pas le prince héritier !

— Tu sembles céder à la panique dès qu'il s'agit de pouvoir ! Massinissa, nous savons beaucoup de choses que tu dois ignorer pour l'instant, justifia-t-elle avec un air énigmatique, sans le quitter des yeux.

— Des choses que j'ignore ?

— Penses-tu donc tout savoir et sur tout ?

— Non, pas vraiment. Mais des choses comme quoi ? insista-t-il.

— Ce qui est au fond de toi et que tu refoules, encore. C'est tout à ton honneur de vouloir respecter les traditions de notre nation, mais nous sommes nombreuses à penser qu'elles sont parfois source d'ennuis qui pénalisent l'émancipation de notre peuple.

— On croirait entendre ma mère, ironisa Massinissa.

— Je t'ai dit que nous étions proches ! Un jour prochain te sera révélée la vérité, mais à présent tu as mérité un bon repas et du repos. Je te verrai un peu plus tard, confia-t-elle d'un ton vivace qu'il reconnut être similaire à celui de Titrit.

Elle se leva. Atlas sortit de sa léthargie et bailla à nouveau.

— A-t-il faim ? questionna Batoul, intriguée.

— Oh non, il ne serait pas aussi docile que ça, plaisanta Massinissa. Il mange au crépuscule et chasse tout seul, ne t'en fais pas pour sa nourriture. Il va dormir le reste de la journée.

Les prêtresses conduisirent Massinissa aux cuisines où il mangea à sa faim puis deux d'entre elles l'accompagnèrent jusqu'à une cellule de prêtre où il put s'allonger, avec la satisfaction d'avoir réussi sa mission.

Sur sa couchette, un peu étroite, Massinissa écouta la rumeur de la mer et se laissa aller dans le pays des rêves éveillés. Il dormit enroulé sur lui-même comme dans ces moments tourmentés par des messages qui venaient toujours de là-haut, surprenant sans cesse le jeune prince dans sa routine. Dans ces rêves, il se voyait auréolé d'une gloire imprécise, aux contours flous, mais aussi loin que remontaient ses souvenirs, il se voyait assis sur un trône, au-dessus des nuages entre son père et sa mère, perdu dans une multiplicité d'ethnies et de races, avec des nuances de peau et de culture. Il avait l'impression indéfinie que lui seul arriverait à faire régner une harmonie dans ce mélange.

Un Karthaginois arrogant, un Massylès audacieux, un Romain impérial et un Massaeylès se croyant l'égal des puniques perturbaient ses rêves diurnes, pourtant il savait que le sang de tous les hommes était de la même couleur.

« Qui suis-je ? Quel est cet avenir que me réservent les anciens ? Où sont mes intérêts ? » Trop de questions sans réponses agitèrent son sommeil.

Il sentit une main bienfaisante lui effleurer son front, comme le faisait Titrit, quand il était encore adolescent. Il ouvrit les yeux. Batoul était penchée sur lui. Elle l'invita à se réveiller.

La grande prêtresse du sanctuaire était venue en personne dans la cellule pour lui révéler l'endroit exact où le manuscrit en toile de lin était à présent déposé, en attendant de retrouver sa place aux côtés de la tombe de son auteur, Aylimas le grand.

« Kirthan, n'est-elle pas perdue pour les Massylès ?

— Kirthan redeviendra un jour prochain la capitale de ton royaume et vous rayonnerez sur ce beau pays, la Numidie. Une nouvelle civilisation jaillira de ses entrailles et déversera ses bienfaits sur toute l'Afrique. Une cité des aigles, perchée sur un rocher millénaire et bercée par tous les vents, ses lumières éclaireront des générations d'esprits et illumineront la cité sortie des âges des ténèbres vers un âge des arts et des lettres ! Le Manuscrit devra retourner auprès de son auteur. Tu dois m'en faire la promesse, Massinissa !

— Batoul ! Es-tu sûr de t'adresser à celui qui doit la tenir ?

— Promets-moi de l'accomplir quand viendra ton tour de régner, finit-elle par lui concéder.

— Je te le promets, Grande Prêtresse. Ma mère m'en voudrait si je ne le faisais pas. »

Chargé de ce lourd secret, il songea à repartir. Il s'assura auprès des prêtresses qu'Atlas avait bien reçu sa ration de viande et hors du sanctuaire, retrouva Ayyur et Tafukt, tous deux disposés à rebrousser chemin. Il lui fallait revenir au village des pêcheurs de corail et attendre cette fois la flotte de son père, en route pour Hibboune la royale.

Repassant par la même crête qu'en arrivant au sanctuaire, il contempla à nouveau ce territoire qui respirait la solitude et la souffrance. Il chevaucha le long de cette crête jusqu'à la source des Hérissons où il fit une halte pour se rafraîchir. En contrebas s'étalait une vallée déserte et érodée, parsemée de frêles graminées vert pâle où coulait une rivière qui veinait le relief tourmenté d'un ruban de peupliers où nichaient des cigognes.

Un amandier sauvage au tronc crevassé par les gels de l'hiver pleurait ses pétales et trônait sur une colline hérissée de pieds d'asphodèles. Au loin se dessinait la ligne des sommets déchirés et enneigés des Babors qui dominait le littoral escarpé du pays des Massylès.

« Un jour prochain, je ferai pousser ici des blés ondulants à perte de vue ! songea-t-il. Les socs des charrues remplaceront les épées et j'offrirai à cette terre une paix sans fin ! Ce pays connaîtra le bonheur et personne ne souffrira ni de faim ni d'injustice, encore moins de servitude. »

Sur cette pensée sermonnaire, il aborda la descente vers le village des corailleurs, la cité de Takouch.

*Mon peuple vit de ses guerres dans lesquelles
vaincus et vainqueurs pleurent
ensemble la même terre qui les a vus naître.*
Aylimas 2 : –365/–285

*Lorsque tous les bateaux de la flotte massylès rentrèrent
au port, l'amiral Yuksan annonça le jour du départ vers
Hibboune. Les familles embarquèrent dans l'ordre et la discipline, tandis que les hommes chargeaient les bateaux pour la
traversée. Aberkan retrouva son fils Amayas et ce fut pour lui
l'occasion de lui présenter son neveu Amenas, le fils de Taghrid,
l'une des servantes de la reine Titrit. Ils embarquèrent sur le
bateau d'Amayas. La reine et le prince Kabassen montèrent
à bord du vaisseau de l'amiral Yuksan.*

Quand Amayas raconta à ses parents en quoi consistait
son métier, Aberkan le savait déjà.

« Te souviens-tu de ton premier acte de piraterie ?
demanda le petit garçon de huit ans à son oncle Amayas.

— Pour sûr que je m'en souviens ! Je n'étais pas encore
capitaine.

— Alors, raconte-moi, ne me laisse pas languir !

— C'était dans les eaux de la mer intérieure. Le vent
était à notre avantage, nous nous dirigions vers le port de
Khullu pour rejoindre notre base navale que tu connais
maintenant, quand, tout à coup, la vigie nous avertit de la
présence d'un bâtiment de grande envergure qui voguait
au large !

— Un navire karthaginois ?

— On ne le savait pas encore, mais le capitaine ordonna
à tout le monde de se mettre à son poste et tout l'équipage était sur le pont aux manœuvres. A ce moment-là,
le capitaine reconnut le pavillon du bateau. C'était un
Phocéen qui venait du territoire Massaeylès chargé d'ivoire
et d'huile et se rendait à Massalia.[…]
(Les navires des corsaires avaient la réputation de filer sur
les ondes avec une rapidité inégalée. Bas sur l'eau, ils étaient
légers et étroits et pouvaient frapper promptement et se
retirer sans aucune crainte d'être poursuivis, ni rattrapés
dans leur course.)
[…] Nous avons réussi à nous placer derrière lui, sans
peine, car notre vaisseau était plus rapide. À portée de
vue, nous avons hissé le pavillon de la main noire, celui
des pirates pilleurs des bateaux marchands.

— La main noire, c'était votre pavillon ?

— Oui, mais nous ne le hissons qu'en haute mer.

— Tu pourras me le montrer, oncle Amayas ?

— Si tu me laisses finir mon histoire, petit !

— Et qu'avez-vous fait après ? reprit Amenas

— Je vais tout te raconter à condition que tu cesses de
m'interrompre.

Le corsaire se tut, laissant une atmosphère de suspense
s'installer tout en regardant son neveu.

— « Préparez-vous à l'abordage ! » ordonna le capitaine.
Ce fut un moment d'effervescence sur le pont, mais aucun
sentiment de peur ne se laissa voir sur le visage des corsaires.
Nous étions tous déterminés et savions parfaitement ce
qu'il fallait faire.

— C'est remarquable ! s'extasia l'enfant, les yeux
écarquillés comme s'il vivait la scène.

— Au moment où les deux navires furent presque côte
à côte, plus personne n'osa bouger et un silence mortuaire
s'installa, en prélude au massacre qui allait suivre.

— Continue ! Mon oncle, continue ! insista le petit curieux.

— Patience, petit, j'arrive ! Tout à coup, notre capitaine hurla de tous ses poumons « À l'abordage et pas de quartier ! ». Aussitôt, nous nous accrochâmes des cordes et abordâmes le navire ennemi, bien que certains malchanceux se décrochèrent en plein saut et finirent dans les flots agités de la mer intérieure. Dans cette brume matinale, on entendait le même cri, venant de toutes parts : à l'abordage ! Sus à l'ennemi ! Les navires encaissèrent de sérieux dégâts, après le premier choc des flancs. Une fois sur le bâtiment ennemi, une folie meurtrière s'empara des marins des deux navires.

— J'espère que vous les avez taillés en pièces, ces chiens de Grecs ! exulta le jeune Amenas en tapant des mains.

— Oui ! Certains parmi nous tombèrent, mortellement blessés, mais les autres se répandirent partout tandis que moi-même et d'autres nous précipitâmes vers la cabine où le capitaine grec était allé s'enfermer en compagnie de trois de ses marins en voyant la situation évoluer en notre faveur. Nous en forçâmes la porte, tranchâmes la tête des marins et nous saisîmes de leur chef. Alors, les survivants jetèrent leurs armes.

— Vous avez épargné le capitaine alors ?

— Une fois rentrés au port, nous l'avons remis au comptoir karthaginois de Khullu en échange de denrées alimentaires pour nos familles.

— La piraterie n'est-elle pas interdite par les Karthaginois ? demanda Taghrid à son cousin.

— Officiellement oui ! Mais pas quand nous agissons pour sécuriser leur route maritime, assura le corsaire.

*

Provoquant un mélange d'écumes et de brume épaisse,
les flots s'enroulaient dans la mer un peu plus agitée que
d'ordinaire de la baie de Khullu en plein milieu du golfe
de Numidie où une cinquantaine de voiles filaient droit en
direction du cap de Fer. Toutes les embarcations glissaient
sur les eaux bleutées et argentées avec vélocité vers leur
destination finale, le port d'Hibboune la royale. C'était là
que l'Aguellid Gaïa avait décidé de transférer le pouvoir
royal des Massylès, depuis l'invasion de son royaume par
les forces armées de Syphax. L'amiral Yuksan reçut comme
instruction de débarquer les réfugiés dans le port de la cité
des Jujubiers en faisant une seule escale à Takouch, dans
le port de la petite cité des corailleurs, à l'abri du cap de
Fer, là où Massinissa les attendait.

Sur le pont du bateau du capitaine Amayas, Aberkan
était d'une humeur maussade à cause de son mal de mer,
déclenchant les mille et une plaisanteries de ses disciples qui
avaient embarqué avec lui. Ceux qui en étaient épargnés
bien sûr ! Il titubait en marchant d'une manière désor-
donnée sur le pont et vomissait ses tripes. Il se sentait
ridicule, lui qui préférait le dos de son cheval à ces roulis
et ces tangages interminables. Son état encourageait les
sarcasmes de ses compagnons, tandis que son fils Amayas
lui prodiguait des conseils pour atténuer le mal.

— C'est une question d'équilibre et de vision, père. Le
navire n'avance pas droit, mais en faisant de légers zigzags.
Il faut que tu t'allonges, père, la station debout est un défi
à la gravité et n'arrangera pas ton état.

— Mais les gens ont besoin de moi, protesta Aberkan.
Je dois être auprès d'eux. Et puis je me demande pourquoi
tout le monde n'est pas touché par ce mal !

— Nous ne sommes pas tous égaux face au mal de mer.
En effet ! Mais je ne connais personne ici qui a échappé à
ce mal en prenant le bateau pour la première fois, répondit
Amayas.

Certains s'accoutument plus vite que d'autres, mais il en est qui n'y arrivent jamais. La fatigue, la chaleur, la fumée et les mauvaises odeurs favorisent l'apparition de ce mal. Aberkan était pâle. Prostré, incapable du moindre mouvement, il se tenait agrippé au bastingage à côté de son fils qui tenait la barre. Il finit par ne plus résister à la nausée et vomit abondamment. Alors, subitement, son mal s'atténua.

— Je me sens mieux, fiston ! dit-il, soulagé

Son visage reprit même des couleurs et son esprit retrouva une lueur d'optimisme, mais pour un court instant, car le malaise le reprit. La grande prêtresse qui était malheureusement sur le navire amiral ! Elle aurait pu lui donner une de ces infusions dont elle possédait le secret pour soulager son mal. Il sentit une envie de vomir de nouveau, mais son estomac était vide.

— Je crois que tu as raison, mon fils, éructa-t-il entre deux spasmes. Je vais m'allonger.

Amayas fit signe à un matelot d'aider son père à s'allonger dans une partie du pont, protégée par une toile, à l'arrière de la grande voile. Le jour commençait à poindre, cependant la rade de Takouch était déjà animée par une activité intense, entre les pêcheurs qui rentraient au port et ceux qui préparaient leurs longs filets, les commerçants qui embarquaient leurs marchandises à bord des navires et ceux qui achetaient le poisson en gros.

Tandis que les autres bateaux recevaient l'ordre de rester en rade, celui de l'amiral Yuksan entama sa manœuvre d'accostage sur le quai de Takouch. L'escale allait durer quelques heures, le temps de prendre à son bord Massinissa et ses compagnons. La reine Titrit retrouva son fils et lui demanda de lui raconter tous les détails de son voyage, sans oublier l'accueil au sanctuaire d'Afrika et ce qu'il pensait de sa consœur Batoul aux longs cheveux noirs. Massinissa raconta ses aventures dans les moindres détails.

Il fit ensuite la connaissance de l'amiral Yuksan qu'il trouva très avenant et ils se lièrent d'amitié rapidement. Comme d'habitude, il posa un tas de questions sur les activités de l'homme qui commandait le vaisseau et toute la flotte des Massylès.

— Le principal souci en navigation côtière est d'éviter les dangers représentés par la côte, les récifs et les faibles fonds, lui apprit Yuksan.

*

A l'approche du cap de Garde, le promontoire annonciateur de la proximité de la cité des Jujubiers, l'amiral demanda au prince s'il voulait bien lui servir de « second ». Massinissa en fut ravi.

— Il ne faut jamais prendre la manœuvre à la légère, même quand c'est facile comme aujourd'hui ! Il faut parer aux surprises ! Des récifs inattendus peuvent surgir subitement, qui ne sont pas répertoriés sur la carte. Je dois avoir une idée précise du quai et des dangers éventuels.

— C'est aussi un travail d'équipe, même si tu es le seul maître à bord, non ?

— Bien sûr ! Et je dois avoir une confiance totale en tout le monde. Le pilote par exemple que tu aperçois là-bas est en train d'observer le courant dans le port, car il change souvent avec la marée. Son avis est important pour la réussite de la manœuvre.

— Dégagez le pont ! ordonna-t-il ensuite l'amiral à l'équipage. Puis s'adressant au pilote : Quelle est la profondeur ?

Pour sonder le fond marin et connaître la profondeur de l'eau, le pilote jeta dans la mer une ligne plombée et la remonta en comptant le nombre de fois qu'il fallait ramener la ligne d'un poignet à l'autre. « Profondeur mesurée à douze brasses », répondit-il.

— Bien ! J'entame la manœuvre d'amarrage.

— Jusque-là cela paraît facile, remarqua Massinissa.

— Chaque membre de l'équipage est à son poste maintenant. Chacun connaît son travail, même si le bosco est là pour leur rappeler leurs gestes. Ce sont des consignes de sécurité !

— Attention, on approche du quai. Ça risque de secouer ! Le principe de cette manœuvre est « moins tu vas vite moins tu cognes fort ! »

La vitesse était au minimum à présent. Sur le quai, on apercevait des personnes qui gesticulaient et criaient des mots incompréhensibles à l'adresse du bateau. L'amiral Yuksan ne fit attention à aucun d'eux.

— Tu vois, jeune prince, il ne faut surtout pas écouter les personnes qui sont sur le quai, car d'une part ils n'y connaissent rien et d'autre part cela peut perturber ton jugement. Il ne faut surtout pas modifier à cet instant le plan d'accostage. Cela dit, il arrive parfois que je sois obligé de ressortir pour refaire une deuxième manœuvre.

— Il t'arrive donc de rater ton entrée au port ?

— Bien sûr, prince ! Une manœuvre peut ne pas se dérouler comme prévu et un accident est vite arrivé si on se laisse aller à l'improvisation, avoua l'amiral.

— Dans ce cas, tu recommences ?

— Oui, il faut mettre le bateau en sécurité puis fignoler l'amarrage par la suite. Mais aujourd'hui tu m'as porté chance, tout se passe bien.

— Tu m'enrôles comme second, alors !

— Engagé ! Mais sans solde, plaisanta l'amiral qui resta néanmoins très concentré dans ses gestes.

— L'esclavage n'existe que chez les marchands grecs et karthaginois, il me semble.

— Nous ne sommes pas des marchands, mais des pirates ! Il est temps de rejoindre les tiens, nous sommes amarrés au port.

— Regardez sur le quai ! cria presque Amenas. On dirait
que toute la cité d'Hibboune la royale est là, sur le quai !
Le navire amiral vint s'amarrer le premier le long du quai
et s'immobilisa. Suivi du bateau d'Amayas. Des milliers de
personnes étaient venues accueillir leur souveraine avec des
expressions de visages admiratifs, d'espoir et de compassion.
Ils portaient des vêtements de toutes les couleurs pour
contraster avec le climat de guerre dont ils avaient déjà été
informés. Parmi la foule, il y avait des Karthaginoises qui
voulaient voir la reine et qui s'étaient drapées de pourpre
pour la circonstance, avec une panoplie de bijoux en or.

Au bas de la passerelle, que les marins venaient de
lancer sur le quai pour permettre aux premiers réfugiés de
descendre à terre, se tenait un groupe de notables numides.
A leur tête, un homme bedonnant, l'Amghar de la cité des
Jujubiers que l'on surnommait « le pompeux » Izerdan.
Derrière eux s'agitaient et péroraient leurs épouses et
concubines qui ne voulaient surtout pas rater l'occasion
de s'attirer les faveurs de la reine Titrit, la future locataire
du palais royal de leur cité. Elles rivalisaient avec les
Karthaginoises en parures et dorures.

Devant ce spectacle, la grande prêtresse, qui avait
toujours préféré la sobriété à l'étalage de ses richesses,
eut un sourire ironique qui, pour ceux qui étaient venus
l'accueillir, fut interprété comme un signe d'allégresse. Elle
fut accueillie, comme la tradition l'imposait, par une jeune
fille, toute belle et joliment habillée, qui lui présenta un
verre de lait, signe d'hospitalité et une poignée de jujubes
frais tandis que s'élevait dans les airs du port le cri aigu
et modulé des youyous, manifestant la joie des femmes
numides en communion émotionnelle avec leur reine.

— Bienvenue chez toi, reine des Massylès ! Les dieux
nous ont bénis par ta présence en la petite Karthage, déclara
Izerdan en s'inclinant devant Titrit.

— Relève-toi donc, Amghar Izerdan, nous ne sommes pas à Karthage. Dans notre royaume, les hommes ne plient pas l'échine ! Un signe de la tête te suffit amplement, voyons !

Titrit présenta le prince héritier Kabassen, puis son fils, le prince Massinissa.

— Mes conseillers sont répartis sur les autres bateaux, annonça Titrit. Ils encadrent les nombreux réfugiés que nous sommes.

— Vous n'êtes pas des réfugiés, ma reine. C'est votre terre, ici aussi, tenta de se rattraper Izerdan, le pompeux. Depuis que ton époux nous a libérés du joug des Karthaginois, nous sommes tes fidèles sujets !

Elle apprécia les propos du notable, alors qu'une délégation punique, composée d'armateurs karthaginois vint à son tour présenter ses hommages à la souveraine en lui offrant des cadeaux d'usage, venus d'orient, pendant que le navire d'Amayas s'immobilisait à son tour le long du quai.

On vit alors, un Aberkan complètement déconfit, descendre de la passerelle, aidé par son propre fils Amayas qui devança les inquiétudes de Titrit.

— Cela passera, mon père ne supporte pas la mer !

— Et je vous interdis de vous moquer de ma situation, jeunes princes, menaça le vieux sage, qui avait retrouvé une énergie inespérée aussitôt après avoir mis les pieds sur la terre ferme.

— Tout va bien alors, on reconnaît là notre bon vieil Aberkan, avisa la reine, rassurée.

— A-t-on des nouvelles du roi ? demanda Aberkan, signe qu'il avait retrouvé son sens du devoir.

— J'allais poser à l'Amghar Izerdan, que voilà, la même question, figure-toi !

— Cette vieille épave n'est même pas capable de savoir où se trouve son mulet, ricana Aberkan.

BERBÈRES

— Te voilà de retour chez toi, vieux râleur. Je vois que les années n'ont pas raboté tes dents saillantes, répliqua Izerdan.

— Non, cousin pompeux ! Tu dis vrai.

— Et ta langue non plus, vieille carne !

— Bon, je vois que vous vous connaissez assez pour vous lancer des noms d'oiseaux, coupa la reine, heureuse de constater une complicité inavouée entre les deux compères.

— Nous sommes cousins, répondit Aberkan. Mais à part ça, il n'y a rien de commun entre nous.

— Faites-le taire avant que le soleil ne se voile de ses médisances, rétorqua Izerdan.

Et ils continuèrent ainsi jusqu'aux portes du palais résidentiel, sous le regard amusé de tous les accompagnateurs.

Puis tour à tour, les autres bateaux accostèrent, durant toute l'après-midi avec leurs lots de réfugiés qui furent pris en charge au fur et à mesure qu'ils descendaient sur le quai.

Une fois installée dans le palais royal, la reine demanda à tous les conseillers d'assister à une réunion de travail et faire le point sur l'installation des familles nouvellement arrivées et les nouvelles qu'on attendait de l'est du pays. L'amghar Izerdan fut invité à s'exprimer en premier.

— J'ai une bonne et une mauvaise nouvelle, Grande Prêtresse, déclara ce dernier. La bonne c'est que le roi et sa suite sont sur le chemin, un coursier vient d'arriver pour nous annoncer leur arrivée imminente.

— Et la mauvaise ? interrogea Titrit.

— Nous n'avons aucune nouvelle de Selyan et des autres notables. J'ai envoyé des cavaliers à leur rencontre. À moins qu'ils aient changé leur itinéraire, ils devraient croiser leur convoi bientôt.

— Mais en quoi c'est une mauvaise nouvelle ? demanda le prince Kabassen, inquiet autant pour lui que pour son ami Atys.

— Selon mes estimations, ils auraient dû être ici depuis hier !

— Et depuis quand tu sais faire des calculs, analphabète bilingue ? réagit sèchement Aberkan. Ils sont en retard, voilà tout !

— Probablement, répondit Izerdan, évitant de répliquer cette fois-ci à l'ironie de son cousin.

*

L'Aguellid Gaïa et toute sa suite firent leur entrée en début de soirée dans une ville encore en liesse. Massinissa fit un rapport confidentiel de sa mission à son père dans le sanctuaire de la déesse Afrika. Markounda trouva sa fille un peu amaigrie par le voyage. Mastanabal retrouva ses amis Amessan et Aberkan, qu'il trouva changé, voire métamorphosé, et Meskala ses éclaireurs qui avaient suivi le convoi dans son périple. Mais, toujours aucune nouvelle du convoi de Selyan. Les cavaliers partis à leur recherche revinrent bredouilles. Le roi ordonna alors des recherches, en dehors des routes classiques pour retrouver leurs traces. Il chargea Meskala de cette mission. Le fin limier qu'était l'éclaireur royal des Massylès ne tarda pas à retrouver les traces des malheureux voyageurs d'un convoi qui n'arriva jamais à destination. Meskala se positionna en hauteur, comme d'habitude, pour attendre le moment propice afin de sortir de sa cachette. Le nez au vent, cela faisait des heures qu'il guettait ce groupe de cavaliers, trahi par leurs traces laissées dans la terre. Ils avaient installé un campement de fortune près d'un point d'eau et ne cherchaient même pas à se cacher, confiants que leur nombre dissuaderait la moindre menace extérieure. Meskala en compta une quinzaine.

De là où il était, une vue imprenable s'offrait à ses yeux pour agrémenter ce long temps d'observation. Il attendait le moment où les cavaliers, ivres de leur succès et de leur excès de boisson enivrante, iraient rejoindre leurs captives pour assouvir leurs bas instincts, puis dormir ivres de vin et de plaisir. C'était le moment idéal pour lancer son attaque avec ses éclaireurs, restés en retrait et qui n'attendaient que son signal pour intervenir.

La piste des assassins de Selyan et de ses amis avait mené Meskala à cet endroit. Il avait réussi à retrouver leurs traces en tombant presque par hasard sur le lieu où les notables Massylès et leurs familles avaient été massacrés et laissés à la disposition des loups et des autres charognards. Ils ne gardèrent en vie que les jeunes filles pour servir leur appétit sexuel et les conduire dans les ports où quelques marchands peu scrupuleux les achèteraient pour les revendre comme esclaves de la chair, en dehors de la Numidie.

Combien de survivantes avaient échappé au massacre, Meskala ne le savait pas. Il pouvait entendre leurs gémissements et leurs plaintes monter jusqu'aux cimes des arbres où il était installé et qui lui procuraient une singulière sensation de sécurité. Il attendait ainsi le moment idéal pour fondre sur ses proies, sans leur donner une seule chance de survie. La mort était leur seule issue. Il ne pouvait pas nier qu'il éprouvait du plaisir à assouvir cette vengeance. Certaines des victimes étaient des connaissances à lui, qu'il avait fréquentées depuis des années à Kirthan. Il n'éprouverait donc aucune pitié à exercer ce droit d'ôter la vie à leurs assassins sans aucun jugement.

C'est d'ailleurs ce qui les rendait, lui et les siens, incontestablement bien plus forts et intelligents que les autres guerriers. Le sens de l'observation et l'attente du moment propice, choisi par le chasseur.

Sous l'effet de sa lame tranchante, les assassins qui ont trahi la loi de l'*anaïa* allaient sans tarder expier leur crime. L'anaïa est une loi sacrée chez les Numides, qui place les protecteurs au service des protégés qui la leur demandent.

Ils en deviennent des obligés et se doivent au nom de leur propre honneur de la respecter, sans quoi, ils deviennent hors-la-loi. En trahissant l'anaïa, ces hommes avaient cessé d'être des hommes. Les éliminer n'était donc pas un crime, mais une manière de rendre la justice. Il jeta un regard en dessous de lui et vit une de ces brutes uriner contre l'arbre qui lui servait de poste d'observation.

La fureur de l'éclaireur royal allait s'abattre bientôt sur lui et ses sbires. Il porta à nouveau le regard vers le campement de fortune improvisé pour servir de lieu de plaisir aux cavaliers assassins. Il regarda derrière lui, ses éclaireurs étaient planqués dans une petite clairière bien à l'abri derrière un bosquet de lentisque, attendant son signal. Avec une incroyable agilité, Meskala sauta de son arbre et sans dire un mot fit signe à ses éclaireurs que c'était le moment d'entrer en action.

Ils commencèrent par les deux hommes qui surveillaient les chevaux. Tous deux furent égorgés sur place, sans bruit. Puis ils se séparèrent en trois groupes. Un pour chaque tente dressée dans le campement. Ceux qui essayèrent de résister ne furent pas de taille à se mesurer aux capacités de Meskala et de ses éclaireurs.

Ils retrouvèrent six jeunes filles dans un piteux état, presque entièrement dévêtues et souffrant de blessures multiples aux visages et aux mains dues à leur résistance. Ils récupérèrent le butin des meurtriers ainsi que leurs chevaux et reprirent le chemin d'Hibboune la royale, après avoir soigné et habillé correctement les victimes des violeurs.

Ni la mère, ni la sœur d'Atys ne furent épargnées par cet odieux massacre qui toucha tous les réfugiés qui étaient partis de Kirthan pour fuir la barbarie des soldats Massaeylès. Personne, y compris le roi et la reine, ne put comprendre cet acte commis par des Massylès sur d'autres Massylès.

Le royaume fut en deuil et Atys se rapprocha un peu plus de ses amis d'enfance, les princes Massinissa et Kabassen qui l'aidèrent à supporter la perte de ses parents en l'emmenant traîner dans cette nouvelle cité qu'ils apprirent à connaître.

Si tu secoues l'arbre, il faut supporter
les feuilles qui en tombent.
Suffète Massylès Amessan-292/-202

Lorsque les portes de la Cité des Aigles lui furent ouvertes,
l'Aguellid Syphax eut droit à une entrée triomphale dans la
capitale des Massylès, malgré le peu d'enthousiasme de la
population locale. Il s'installa immédiatement dans le palais
royal et annonça qu'il était prêt à recevoir les serments d'allégeance des notables et des chefs de tribus restés à Kirthan dans
la grande salle du conseil.

— Où sont les clés de la cité ? demanda avec hauteur
l'Aguellid des Massaeylès.

— Nous sommes désolés, nous ne les trouvons pas,
s'excusa Amris, le doyen des notables.

— Et les clés du palais ?

— Euh, bafoua Amris, tout ceci est improvisé, Aguellid.
Je vous présente nos excuses, au nom de tous ceux qui ont
décidé de rester dans la cité pour vous servir. Nous sommes
surpris, car nous n'étions pas préparés à un tel évènement !

— Bien, vous êtes là devant moi, c'est ce qui compte.

À Kirthan il s'était formé une élite de notables intelligents et avisés, qui réussirent, par de belles paroles et des
compliments flatteurs à limiter les dégâts en désarmant la
colère du vainqueur du siège.

Syphax, sensible à leurs propos, choisit de ne pas
poursuivre la famille royale ainsi que les notables partis

avec Gaïa, préférant savourer sa victoire en festoyant en l'honneur de ses dieux africains qui lui permirent d'enregistrer un succès longtemps espéré comme une revanche à la mémoire de son grand-père Syphax 1ᵉʳ.

Il pardonna alors aux Khirtéens et fit une nouvelle entrée symbolique dans la cité sous les ovations et les applaudissements de la population, cette fois encouragée à exprimer plus d'enthousiasme. Il organisa une grande fête au palais pour se faire connaître de ses nouveaux sujets, mais au moment même où les troupes massaeylès pénétraient dans l'enceinte de la cité de Kirthan, Syphax apprit par un messager venant de Siga, sa capitale, que l'armée de Sadar Baal Barak était sur le chemin du retour en Afrique. Son arrivée sur le continent était imminente, précisait le message.

— Cela contrarie-t-il nos plans ? demanda Vermina.

— Bien sûr, fiston ! Il n'y aura pas qu'une milice composée de vétérans pour défendre les remparts de Karthage, mais une armée entière et sa flotte !

— Aujourd'hui nous fêtons une victoire, ne pouvons nous pas faire en sorte qu'elle ne soit soit pas entachée par ce contretemps !

— Je me demande parfois si tu es vraiment de ma descendance quand tu débites des âneries pareilles !

— Père, tu es trop sévère dans ton jugement…

— Mais tais-toi donc et va t'enivrer avec les autres, coupa l'Aguellid contrarié.

— Nos hôtes comptent sur ta présence, ne leur ferais tu pas cet honneur ?

— De quel honneur parles-tu, fiston ! Je te dis va et laisse-moi donc seul, porter le poids du royaume ! Va ! Je te dis, tu ne vois pas plus loin que le bout de ton nez, mais je dois sans doute avoir une part de responsabilité d'avoir négligé à ce point ton éducation.

— J'obéis pourtant à tes ordres et je me conforme à tes volontés !

— Oui, je sais, répondit Syphax en retrouvant un ton sans dérision. Mais cela ne suffit pas à faire de toi un futur roi ! Tu as besoin de temps et beaucoup de chemins encore sont à parcourir pour prétendre à cette charge.

— J'apprendrais à tes côtés, père, assura Vermina avant de retourner dans la salle où la fête battait son plein et les convives se congratulaient de leur nouvelle tutelle.

L'abscence de l'Aguellid Syphax fut remarquée et certains notables s'en inquiètèrent. Pour les rassurer, Vermina retourna dans la salle du trône pour convaincre son père de se joindre à eux mais il le trouva en pleine reflexion

— Prendre Kirthan était un début, fils. Il nous reste à conquérir le reste du pays, signala amèrement Syphax en désignant une carte de la Numidie sur le mur.

Vermina s'approcha et pointa son index sur Kirthan, plantée au milieu du territoire des Massylès. Il se rendit compte de la difficulté géographique à laquelle son père était exposé.

— Kirthan est située au centre du pays, mais ne le contrôle pas !

— Voilà ! Tu as tout compris, fils. L'Aguellid Gaïa était à la tête d'une confédération de chefs de tribus qui lui prêtaient serment d'allégeance, une fois choisi parmi eux, mais le pouvoir n'était en rien centralisé, comme nous le pratiquons chez nous.

— Tu veux dire que les chefs des autres tribus ne vont pas se soumettre délibérément à notre autorité ?

— Rien ne les y oblige. Il va falloir repartir à la conquête de leur territoire, un par un : au nord, les cités portuaires les plus importantes de Khullu et Rusicade et au sud, pas moins d'une douzaine de cités comme Kalama, Madaure, Thagaste, Theveste…

En attendant, l'Aguellid Syphax savourait sa victoire partielle, car il venait d'étendre son pouvoir au-delà des frontières naturelles de l'Ampsaga et soumettre la partie occidentale de ses voisins massylès en leur arrachant la cité réputée imprenable de Kirthan.

Ceci n'était que la première étape de son plan et une étape pleinement réussie. Il disposait à présent de deux capitales pour son royaume agrandi. Cependant, la suite des évènements allait être un peu compliquée pour l'Aguellid Syphax. Les révoltes ne tardèrent pas à éclater dans la plupart des cités et villages de la Numidie orientale.

Dès le début de l'été se répandit dans le reste du royaume des Massylès une rumeur des plus inquiétantes semée par des marchands qui écumaient les mers et s'abritaient dans tous les comptoirs de la mer intérieure. Les terribles armées massaeylès avaient ravagé et soumis toutes les cités et bourgades entre l'Ampsaga et la cité de Kirthan et l'on pensait cette menace éteinte jusqu'à ce que, tel un kabyre, elle se réveillât avec fracas.

On raconta aussi qu'aucune des cités et places fortes n'avait pu résister à l'armée des Massaeylès. Pire encore, on raconta partout que Kirthan, la Cité des Aigles, serait elle-même tombée et incendiée sans le moindre égard.

Il sembla que pour l'heure les armées massaeylès achevèrent de saccager les terres de Numidie orientale abandonnées par l'Aguellid Gaïa qui a ce que l'on raconte, avait trouvé refuge dans la cité d'Hibboune la royale.

Les révoltes des cités du sud de Kirthan furent écrasées littéralement et Syphax y réprima toute forme de résistance.

Ainsi donc la Numidie orientale était devenue la proie des terribles armées massaeylès. Cette partie africaine jadis prospère se vit dès lors inlassablement pillée sans le moindre égard. Par simple cruauté ou plaisir, les civils qu'ils soient hostiles où non étaient exécutés et subissaient de toutes sortes d'outrages. De nombreuses bourgades furent tout simplement rayées de la mémoire des hommes.

Ainsi voguait l'esprit des hommes de cette terre, entre mythes et réalités !

Parmi les notables de Kirthan qui restèrent dans la cité et ne suivirent pas l'exode vers Hibboune la royale, Maztoul fut le premier à proposer ses services au roi des Massaeylès. Quand il se présenta en personne au roi, Syphax sut immédiatement quel avantage il pouvait tirer à le garder à proximité de son trône.

— Je possède plusieurs entrepôts de commerce à l'intérieur du pays, annonça Maztoul, conscient de l'intérêt que cela pouvait représenter pour le roi.

— Je n'ai aucun doute que le commerce puisse ouvrir les portes les plus hermétiques par les temps qui courent !

— Surtout que les gens ne se méfient pas de vous en sachant que vous êtes marchand, confirma Maztoul. Il suffit d'une chope de trop pour que les langues les plus récalcitrantes se délient.

Vermina était présent lors de l'entrevue, car les deux jeunes gens avaient fait connaissance lors de la soirée d'inauguration du règne de Syphax et le courant était très bien passé entre eux.

— Je peux faire visiter la cité de Kirthan à ton fils Vermina, proposa Maztoul avant de se retirer.

— Je pense qu'à son âge, il peut bien se passer de mon autorisation !

— Je le demandais par respect pour toi, mon roi, s'inclina Maztoul à la manière karthaginoise.

— Allez découvrir les charmes de cette ville impénétrable ! approuva l'Aguellid des Massaeylès en arborant un sourire amusé face à ces manières que l'on disait civilisées.

Resté seul dans cette immense salle du trône, Syphax en profita pour méditer sur le sort réservé aux rebelles massylès. La nombreuse horde massaeylès poursuivait sa route vers le Nord Est, le riche littoral massylès avec pour cible les cités portuaires de Khullu et de Rusicade. Rien ne semblait à présent pouvoir arrêter la déferlante des soldats que les prêtresses nommaient déjà fléau du dieu Atlas.

A quelque temps de là, Rusicade et Khullu, les deux cités qui faisaient la force et la richesse du pays des Massylès tombèrent.

Dans la soif insatiable de sang et de richesses des troupes de l'Aguellid Syphax, leurs habitants furent massacrés et les monuments pillés et incendiés.

C'était une stratégie que le roi Syphax lui-même avait ordonné de mettre en place afin d'insuffler la crainte et la terreur dans le cœur des hommes libres. Les ruines de Rusicade et de Khullu étaient à présent là pour témoigner de la toute-puissance des armées massaeylès encadrées par des centurions romains et de leur impitoyable cruauté. Et ils ne se contentèrent pas de ces seules victoires. D'autres détachements plus modestes furent chargés de saccager des petits bourgs comme Tamalous et Aghbal.

Les troupes massaeylès marchèrent ensuite vers le sud en direction de l'opulente Theveste pour affronter le roi Isalkas, mais le vent du sud les en empêcha. Frustrées par cet inconvénient providentiel qui stoppa leur progression, elles se vengèrent en commettant un saccage en règle de Thagaste, la Cité aux Lions.

Nul ne savait quand et où, ni quelle était la cible de cette armée qui frappait systématiquement soldats et populations pour marquer le territoire d'épouvante et de désolation.

Toute la Numidie orientale se mit à trembler au plus profond des chaumières, implorant la déesse Afrika de leur venir en aide. Toute la Numidie orientale, sauf la cité d'Hibboune la royale, qui restait dans une grande partie sauve de cette terrible invasion.

— Les tempêtes de sable sont naturelles, plaida Vermina, de retour d'une de ses conquêtes dans le territoire de la steppe.

— Les dieux s'accordent ainsi à préserver l'Aguellid Gaïa ainsi que la grande cité marchande de ces envahisseurs de Karthaginois !

— Les Dieux, peut-être pas, père ! Le mauvais sort, certainement.

— Qu'importe, mon fils ! Il faut reprendre notre marche vers l'Est. Nous devons pour cela écraser toutes les cités qui se refusent à notre autorité et exercer une pression si forte qu'elles ne songeraient même pas à un retour en arrière. Il n'y aura plus de territoire massylès !

L'Aguellid Syphax était devenu en quelques mois un homme sans âge, alternant l'apparence d'un vieillard à celle d'un homme mûr selon les jours et son état de santé. Devant son fils Vermina, en ce jour, il paraissait le teint pâle, les yeux cernés et le visage creusé par les temps derniers passés sur son cheval à l'assaut des cités massylès et dans les couches de ses nombreuses concubines.

— Je te laisse Kirthan, fils. Je vais bientôt repartir pour Siga, là où je peux véritablement me ressourcer auprès des miens. Gauda restera avec toi, il m'a toujours été de bon conseil même si sa fibre humaine tend à le confondre avec un tendre.

— Quand reviendras-tu à Kirthan ?

— Tu le sauras en temps voulu, répondit laconiquement le souverain sexagénaire. En attendant, je voudrais que tu prennes soin de ma nouvelle capitale. Garde les troupes en alerte, je ne veux pas qu'elles baissent de vigilance.

Aussi longtemps que tu médites ta vengeance,
tu empêches ta blessure de se refermer.
Aguellid Madghis : −299/−244

La cité d'Hibboune la royale jouissait d'une position
stratégique avantageuse. Elle avait un regard sur la mer et
l'autre sur la terre. Construite à l'estuaire de la Seybouse, qui
fertilisait par ses alluvions la grande plaine, entre le mont
Edough et la mer intérieure, la Cité des Jujubiers étalait ses
fondations au fond d'un golfe, entre deux collines. Sur l'une
d'elles, celle de l'ouest, les habitants avaient élevé avec l'aide
des Karthaginois un sanctuaire dédié à Baal Ammon, juste
face à la mer.

— Nous allons effectuer des travaux d'aménagements
et entreprendre de nouvelles constructions pour renforcer
la sécurité des habitants, annonça l'Aguellid Gaïa à son
conseil.

— Certains édifices publics méritent aussi des travaux
de restauration !

— Je sais, Amessan ! Nous allons planifier tout cela
ensemble. Tout sera fait en fonction de nos finances !

— Finalement, ce nouveau traité avec Karthage n'est
pas une si mauvaise affaire ! dit maître Aberkan.

Afin de protéger les populations riveraines des tempêtes
légendaires du golfe, l'Aguellid fit construire des murs sur
le front de mer, suivant le contour capricieux du terrain
avec de gros blocs de calcaire à bossage. Cette muraille

servit aussi à se défendre des dangers de la mer. Un solide pont de bois enjamba le fleuve pour faciliter l'accès à la cité en passant sous les remparts, par la porte de Kirthan.

La cité se prolongeait par une banlieue campagnarde qui l'entourait d'immenses champs cultivés par des agriculteurs, dont la plupart habitaient la cité. Ils partaient le matin presque en colonne et rentraient le soir dans leurs foyers, après une journée de labeur dans les champs.

Hibboune était voisine d'un comptoir phénicien établi sur un port ouvert sur la mer, où se côtoyaient une population de multiples origines, numides, phéniciens et d'autres peuples de races différentes. Lors de la reconquête de la cité, le roi laissa la gestion du comptoir aux Karthaginois, en contrepartie d'un tribut et d'un pourcentage sur toutes les transactions effectuées par l'intermédiaire de leurs entrepôts commerciaux. Karthage accepta ces conditions et le comptoir resta aussi rentable qu'il l'était auparavant avec le concours de l'Aguellid Gaïa qui encouragea et développa encore davantage des échanges commerciaux avec l'intérieur de l'Afrique, l'Italie et la Grèce entre autres.

Selon les accords avec les suffètes de Karthage, tout, cependant devait passer obligatoirement par le comptoir phénicien installé au port de la cité sous administration karthaginoise directe.

Entourée préalablement de remparts, la cité fut agrandie suivant une géométrie tirée au cordeau, avec d'étroites venelles pavées de blocs massifs qui montaient au fur et à mesure du chemin vers la colline sacrée où s'élevaient les douze statues des dieux de la cité. Le quartier résidentiel était bordé de villas luxueuses à plusieurs étages niveaux, avec des pavements en mosaïques superposées, rivalisant d'élégance avec celui de Kirthan.

Au-delà de ce quartier chic, la cité elle-même était malheureusement resserrée, grouillante de passants de toutes races, qui n'étaient pas très regardants sur la propreté, considérant la rue comme un déversoir naturel ou une poubelle publique. De ce fait l'Aguellid Gaïa créa une police spéciale pour veiller à la propreté de la cité et à la quiétude des citoyens. L'influence punique y était notable, surtout dans les quartiers proches du port.

La place publique était le véritable cœur de la cité. Exposée au soleil trois saisons sur quatre, elle était agrémentée de plusieurs statues qui entouraient une tribune sur laquelle n'importe quel orateur pouvait s'adresser à la foule en toute liberté. Sur la droite, le bâtiment rectangulaire du Conseil des Anciens servait à rendre la justice et traiter les affaires d'État qui requéraient la présence des chefs de tribus et des anciens autour de l'Aguellid. Il servait aussi parfois de salle publique. Dans un angle, l'Aguellid avait fait construire des latrines publiques qui disposaient de sièges séparés les uns des autres par des dalles debout. Une chasse d'eau et un système perfectionné de tout-à-l'égout permettaient de tenir les lieux propres pour le bien-être de ceux qui les utilisaient régulièrement. Sur la gauche, deux thermes ou bains publics complétaient les équipements autour de la place publique qui jouaient un rôle considérable dans la vie des citoyens d'Hibboune la royale, comme lieux de rencontre, de détente, de loisir et de culture.

En face se trouvaient le gymnase et la bibliothèque municipale.

Au pied de la colline où s'élevait le sanctuaire de Baal Ammon se trouvait le théâtre de la cité où les citoyens venaient assister à des spectacles de comédies, de mimes et de pantomimes au milieu des corniches et des balustrades sculptées, offrant jusqu'à six mille places assises, soit la moitié de la population de la cité.

En quittant le centre urbain de la cité, en direction du port, on laissait à gauche, une vaste cour pavée d'une mosaïque géométrique en cubes blancs et noirs, avec des

portiques qui ouvraient sur le marché le plus vaste de la
Numidie orientale.

Un réseau routier assez étoffé mettait la cité d'Hibboune
en relation avec les plaines céréalières et les oliveraies de la
région de Theveste. Tous ces produits arrivaient quotidiennement soit par route soit par le fleuve Seybouse. Dans
ce marché on trouvait aussi bien des grains et de l'huile
que des fruits et légumes ou des produits de la pêche,
spécialités de la cité. Une activité régulière portuaire lui
assurait un lien avec l'extérieur et lui conférait une position
maritime rayonnante, au-delà de la cité elle-même. Les
bateaux y accostaient quotidiennement dans le port où se
croisaient voyageurs, marchands et négociants, apportant
des nouvelles des autres cités numides et de contrées plus
lointaines.

L'opulente vallée de la Seybouse offrait à la cité une
prospérité apparente et alimentait le port en céréales à
exporter. La vigne était une des richesses de la cité. Les
vignobles s'étendant à perte de vue et remontant les contre-
forts du mont Edough étaient soigneusement entretenus
par une communauté d'agriculteurs habiles et travailleurs.
Sur les flancs des collines et à perte de vue, on apercevait
des champs interminables d'oliviers entretenus par une
main-d'œuvre spécialisée qui savait aussi bien comment
greffer un olivier que faire de l'huile.

Quand, sur le plateau de Kirthan, les neiges hiver-
nales duraient parfois jusqu'au début du printemps, à
Hibboune la royale il régnait parfois une chaleur presque
estivale. Les vents soufflaient la plupart du temps du nord
et du nord-est ; excepté à l'époque des deux équinoxes,
où, passant subitement au sud-ouest et au nord-ouest,
ils amenaient de fortes rafales, de la brume, des temps
nuageux et de grandes pluies. C'est essentiellement en
automne que ces intempéries duraient le plus longtemps,
se prolongeant quelquefois jusqu'au milieu de l'hiver pour

s'arrêter brusquement et offrir un temps généralement sec qui amenait toujours un beau printemps.

C'est dans cette immense place publique où grouillait la vie de la nouvelle capitale que Massinissa et ses compagnons vinrent prendre la température de leur cité d'accueil et saisir son quotidien. On y croisait des chalands aux teints divers, des nomades à la peau tannée, des prostituées aux robes transparentes laissant à leur passage les effluves exotiques des parfums musqués de l'orient, des scribes qui proposaient leur service aux illettrés, des conteurs qui narraient les épopées des anciens aguellids jusqu'aux combats héroïques de Gaïa et de son fils Massinissa.

Influencés par les Karthaginois, les Numides d'Hibboune la royale avaient hissé le commerce et le marchandage au niveau d'un art. Il était même devenu pour certains un jeu de stratégie. Massinissa constatait cette métamorphose s'opérer sous ses yeux en observant les différents jeux rituels entre les marchands et les acheteurs. Un jour qu'ils étaient tous deux en train de se promener sur les quais, il se confia à son maître Aberkan, d'un air interrogatif.

— C'est le plus habile des négociateurs qui l'emporte, maître ?

— Encore, faut-il respecter les règles du jeu pour arriver à ça ?

— Que veux-tu dire par règles ?

— Les règles élémentaires de la bienséance et du savoir-vivre, jeune prince. Ne pas tromper celui qui achète en faussant la balance. Ne pas maquiller les produits, tout ça quoi !

— Alors, d'après toi, quelle est la règle la plus juste ?

— Le juste profit, jeune prince.

Une autre activité principale de la cité était concentrée sur son port où accostaient tous les jours des navires en provenance des deux rives de la Méditerranée. Des Grecs et des Italiotes, des Phéniciens et des Chypriotes, toute cette population bigarrée s'entremêlait dès son débarquement sur le quai.

Les vrais patrons du port, c'étaient les armateurs kartha-ginois qui se chargeaient de transporter les produits de toute nature à bord de leurs navires marchands, moyennant une redevance que l'Aguellid percevait annuellement.

— En quoi consiste leur métier, maître Aberkan ? demanda un jour Massinissa, se rendant compte de l'exclu-sivité des Karthaginois sur cette activité.

— Ils font travailler de nombreux ouvriers comme les dockers pour charger et décharger les bateaux, les manœuvres et les charpentiers pour leurs chantiers navals, par exemple.

— Il faudra qu'on puisse apprendre à le faire nous aussi, un jour prochain, dit Massinissa avec pétulance.

— La mer est riche d'opportunités, mais aussi de menaces, jeune prince. Nous ne sommes pas un peuple à prendre des risques, soupira maître Aberkan.

— Pourtant nous les prenons sur les champs de bataille !

— C'est à croire qu'il y a plus de jouissance pour le punique à risquer sa fortune que sa propre vie !

— Nous apprendrons à les prendre, ces risques ! Nous pouvons oser autant que les marchands puniques, insista Massinissa avec conviction.

— Les choses peuvent en effet changer, jeune prince, mais pas forcément en bien ! Pas forcément en bien ! répéta le sage.

Les curieux venaient tous les jours sur les quais pour admirer les bateaux qui prenaient la mer, chargés de grains, d'huile et de dattes et d'autres denrées de la riche contrée du sud.

Maître Aberkan eut une pensée pour son fils Amayas qui aimait plus que tout cette vie de marin aventurier et de pirate, tout en respectant les lois de la guerre les plus élémentaires, partageant son butin selon une règle absolue et vouant sa vie aux caprices des éléments et des dieux marins.

*

La flotte de l'amiral Yuksan resta très active entre le cap du Triton et le cap de Fer, entre la haute mer et les rivages de la côte africaine, face au pays des Massylès. La haine des Massaeylès s'accentua et devint un catalyseur de prise de conscience de l'unité des Massylès. Pendant ce temps-là, les troubles commencèrent à inquiéter l'Aguellid Syphax. Occuper militairement la cité de Kirthan n'était pas suffisant pour imposer son pouvoir dans tout le pays des Massylès.

Habitué à la centralité du pouvoir dans son royaume, il n'avait pas estimé avec ses conseillers que chez les Massylès, les tribus étaient indépendantes les unes des autres et n'obéissaient qu'à un chef élu par les chefs des tribus. Le pouvoir central à Kirthan n'était qu'une apparente organisation pour mieux gérer des situations communes, comme la guerre, les invasions, la sècheresse, les épidémies ou la famine. Gaïa et la famille royale en sécurité dans la cité d'Hibboune la royale, il s'était formé une nouvelle confédération qui reprit à partir des montagnes la résistance contre les forces d'occupation massaeylès, où qu'elles se trouvassent en territoire étranger. Cette confédération n'était pas officiellement sous l'autorité de l'Aguellid et resta autonome tant que son pouvoir n'était pas encore assis et bien établi dans sa nouvelle capitale. Dès que les soldats massaeylès occupaient un pays en y laissant une garnison, la confédération envoyait une troupe pour les déloger et leur faire la guerre.

— Aylimas ! Aylimas ! Tel était leur cri de ralliement.

L'invasion du territoire des Massylès s'avéra plus compliquée pour Syphax que ne l'avaient prévu ses conseillers. Après le siège brutal de Kirthan et la contrainte à l'exode pour Gaïa et les siens il lui fallait à présent organiser l'administration de cette nouvelle capitale et de sa province.

Les cités portuaires massylès restaient fidèles à l'autorité de Gaïa qui y avait une petite flottille mobile et qui servait en même temps les intérêts des Karthaginois, ses nouveaux alliés. Ces derniers, ne pouvant pas agir officiellement contre d'autres nations, engageaient les marins massylès pour des coups de main, souvent tordus, qui rapportaient un fructueux butin que se partageaient Massylès et Karthaginois.

À l'extrême limite du territoire des Massaeylès, l'ouest de Khullu devint, dès lors, un repaire de corsaires au service de celui qui voulait bien les payer au point où on eût cru la cité livrée à elle-même, sans tutelle. Mais Gaïa contrôlait encore toutes les activités de sa marine. Les Massylès se replièrent naturellement vers l'est, et sur le territoire que Gaïa avait reconquis quelques années plus tôt sur les Karthaginois, lequel comprenait les cités du littoral massylès, y compris Hibboune.

Le danger n'était cependant pas encore écarté. Les Massylès étaient dans une situation moins prospère, adossés à leurs voisins puniques qui soufflaient le chaud et le froid sur eux afin de faire disparaître ce bout de royaume qui gênait leur stratégie commerciale et militaire en Afrique. Bien qu'affaibli, le royaume des Massylès entra dans une résistance spectaculaire et finit par faire alliance avec ses ennemis puniques pour empêcher le royaume de disparaître sous les menaces de rapacité de Syphax.

Maître Aberkan, natif de la cité y avait vécu pendant toute son enfance. Il sut mieux que quiconque expliquer à ses disciples les spécialités qu'offrait leur nouvelle capitale. Mais la spécialité de la cité et qui faisait sa réputation au-delà des frontières du royaume était sans aucun doute le Lotus. C'était un vin extrait du jujubier sauvage qui poussait un peu partout autour des remparts de la cité d'Hibboune.

— C'est un arbuste peu élevé, à l'écorce dure et épineuse. Ses feuilles sont vertes et à peine un peu plus larges que celles des ronces. Ces petites baies encore blanchâtres sont ses fruits. Mais dans un mois, ils deviendront écarlates. Aberkan prit une baie entre ses doigts et la montra aux princes. Puis il écrasa la baie entre ses doigts et en extirpa le noyau qu'il montra aux jeunes princes.

— Comment en fait-on une boisson, maître ?

— Dès que les baies sont mûres, on les cueille puis on les broie en les mélangeant avec de la bière de froment. Le lotus est obtenu en faisant infuser la mixture obtenue dans de l'eau. C'est un vin dont le bouquet est agréable et qui se boit pur. Il ne se conserve pas plus d'une semaine.

— L'autre jour, j'ai vu des enfants en manger dans la rue !

— C'est un mets qui par la saveur ressemble aux figues ou aux dattes, mais en mieux ! Il faut cependant lui retirer le noyau pour le préparer et en faire de la nourriture.

La principale activité agricole restait de loin celle des céréales. C'était la fierté du royaume au point que cette abondance des récoltes était devenue proverbiale.

— D'un homme qui est riche, on dit qu'il a dans ses greniers tout le blé que récolte l'Afrique.

Le blé cultivé en Afrique avait ainsi cette renommée de produire beaucoup plus que les autres alors que les moissons étaient obtenues par des moyens identiques. Après la saison des pluies, le paysan retournait la terre avec une araire attelée à un âne ou à un bœuf.

— Certaines mauvaises langues à Karthage prétendent que chez nous, c'est la femme qui remplace l'âne. Mais aucun de ces citadins avisés n'a pu vérifier de ses propres yeux si c'était réellement le cas !

— Connaissent-ils seulement l'utilité de ce travail ?

— Pour les marchands, travailler la terre, la toucher
avec les mains c'est se salir !

— D'autres langues, aussi mauvaises que les premières,
mais plus expertes, racontent que notre paysan se contente
d'écorcher le sol avec son soc et d'y jeter quelques graines
pour que la terre, naturellement fertile et bénie par les
dieux de Karthage, se mette à produire d'une manière
miraculeuse !

— Et que viennent faire chez nous les divinités des
marchands ? demanda Amsad.

— On se le demande ! Nous sommes bien devant le
déni du labeur quotidien de la terre et le mépris du citadin
pour l'activité agricole, alors qu'il en dépend totalement
pour se nourrir.

Dès l'entrée du printemps arrivait une pluie providentielle qui rendait la plaine toute jaunie d'épis. Les
moissons terminées, les laboureurs remplissaient les silos,
puis chargeaient leurs mules pour prendre la direction du
marché.

La fréquentation du marché était un usage très ancien
qui se conserva comme une sorte de pèlerinage. Les paysans
des alentours aimaient s'y retrouver et se réunir. C'était un
lieu d'échanges au sens propre du mot.

Mieux vaut une vérité qui fait mal,
qu'un mensonge qui réjouit.
Suffète Zelaslan : –296/–229

La grande prêtresse Markounda avait repris à Hibboune la
royale les fonctions qu'elle occupait au sanctuaire de Kirthan
avant l'invasion de la cité par les troupes de Syphax. Sur le
sommet de la deuxième colline de la cité avait été bâti le
sanctuaire de la déesse Afrika, sur un pic rocheux, surplombant
d'un côté la mer et de l'autre la vallée de la Seybouse. C'est
là que se rendit la reine Titrit chercher un réconfort auprès
de sa mère, la maîtresse des lieux, après une nuit très agitée.

— Mon enfant, je t'en prie, essaie de retrouver ton
calme, invoqua la vénérable dame en noir.

— Comment le pourrais-je, mère, dans les circonstances
que tu sais ? s'excusa la reine Titrit.

— Tu as perdu le lien avec les anciens et cela te fait
perdre tous tes moyens, je connais cette situation.

— Alors tu me comprends, tenta de se justifier Titrit
pour expliquer le désarroi dans lequel elle se trouvait
depuis l'aube.

— Cela arrive bien plus souvent que tu ne le crois !

— C'est censé me rassurer ?

— Non, bien sûr que non.

— Alors pourquoi cherches-tu à m'accabler davantage ?

— Tu t'égares, je te demande de retrouver ton calme
afin que nous puissions nous concentrer sur le rituel.

Sous l'effet de l'angoisse plus que de la colère, la reine leva ses yeux azur vers sa mère et comprit dans son regard qu'il était inutile de lui résister ou de s'opposer à sa volonté. L'âge de la grande prêtresse était un argument qui avait de quoi convaincre. Son amour aussi. Et elle finit par se rendre.

— Tu as raison, soupira-t-elle. Tu as toujours eu raison.

— Je te préfère avec cette nouvelle disposition. Bon, laisse-moi reprendre mes esprits. Ton attitude est inhabituellement nébuleuse et ton état d'esprit me perturbe. Viens t'assoir à mes côtés, près de l'autel.

Et, comme Titrit s'exécutait,

— Profites-en pour adresser une prière à notre déesse Afrika. N'a-t-elle pas toujours été notre guide loyale et protectrice dans l'obscurité comme dans la clarté ?

Disant cela, Markounda présenta à sa fille le codex sacré des prières et des pensées.

— Dans l'obscurité et dans la clarté, répéta Titrit. Et son visage s'éclaircit en un instant. Elle s'empara du manuscrit avec une émotion convulsive, en caressa les contours avec une délicatesse maternelle et l'ouvrit à la première page. Elle parcourut quelques lignes en psalmodiant et se laissa pénétrer par les paroles qu'elle prononçait au fur et à mesure. Sa mère resta silencieuse et jeta dans le brasero une pincée de benjoin. Une fumée blanchâtre s'en dégagea et emplit l'atmosphère d'une odeur palpable.

C'est ainsi que Titrit entra dans le véritable sanctuaire de la déesse par la récitation. Au bout d'un instant, elle sentit son affliction diminuer sensiblement sans toutefois alléger le trouble qui persistait à l'irriter.

— Continue, lui recommanda sa mère, imperturbable. Cela nous aide à travailler de concert sur ta vision. Concentre-toi sur le message !

— Quel message ? balbutia Titrit.

— Celui pour lequel tu es venue me voir, voyons !

— Ah, oui. Si mon cœur doit trouver un réconfort dans les signes, j'ai besoin de tout savoir, répondit Titrit en reprenant sa lecture.

Markounda se mit à son tour à psalmodier, unissant sa voix à celle de sa fille. Le son de leur voix s'élevait à présent et emplissait tout le sanctuaire. C'est alors que deux prêtresses, jeunes et frénétiques apparurent devant l'autel portant chacune un tambourin. Elle entamèrent à un rythme régulier et saccadé une mesure vibratoire qui accompagna les paroles du livre sacré vers le monde des invisibles. Les deux femmes dénouèrent leurs cheveux sans interrompre la récitation du passage magique et commencèrent un balancement de gauche à droite et de droite à gauche, yeux fermés cette fois. Les jeunes prêtresses accentuèrent le rythme de leur main sur la peau de chèvre de l'instrument et vinrent s'assoir en face de Titrit et Markounda. Les quatre femmes étaient à l'unisson quand soudain, la grande prêtresse leva la main droite pour signifier l'arrêt de la cérémonie.

Titrit reconnut dans ce geste l'imminence d'un contact avec le monde des invisibles, là où siégeait leur guide spirituel, celui qu'elles invoquaient dans ces moments de quête et de recueillement. Markounda ne tarda pas à réagir par un premier soubresaut.

— Les signes émanent du plus profond des ténèbres ! annonça-t-elle sans manifester de trouble.

Elle était sur le point de continuer à interpréter ces signes quand soudain, elle fut prise d'une convulsion singulière qui l'obligea à ouvrir les yeux sur un monde qui semblait la terrifier. Elle amorça immédiatement un bref mouvement de recul, comme si quelqu'un ou quelque chose tentait de l'effrayer.

Titrit s'en inquiéta, mais elle savait quoi faire à ce moment précis. Surtout ne pas intervenir promptement

dans la communication. Elle posa sa main sur celle de sa
mère et attendit sa réaction avant d'intervenir.

— Mère ! interpella-t-elle fébrilement.

Markounda ne répondit pas. Elle continuait de fixer
le vide. Une nouvelle tentative de Titrit n'eut pas plus
d'effet. Elle fit alors un signe en direction des deux jeunes
prêtresses et celles-ci se retirèrent, emportant leurs instru-
ments et le brasero

— Les signes, mère, insista à nouveau Titrit, tout en
observant son état.

L'esprit de Markounda était toujours en relation avec
une autre réalité, imperceptible pour l'instant à la reine
Titrit, mais petit à petit, elle sembla émerger et parvint à
parler.

— Ton fils sera le réunificateur de notre nation. Ses
amis deviendront ses ennemis qui attenteront à sa vie.
Les flots seront son salut alors qu'il sera entre la vie et la
mort. Blessé, traqué, il retrouvera refuge et réconfort dans
le territoire de nos ancêtres. Il y pansera ses blessures et
finira par rétablir le royaume d'Aylimas le grand !

Markounda se tut, ferma les yeux puis les rouvrit sur sa
fille, mais ne semblait pas la voir encore. Elle était toujours
dans cet ailleurs qui communiquait avec elle. Elle parut
soudain interloquée.

— Non ! Cela ne doit pas être ainsi ! s'exclama-t-elle
avant de se taire pendant un long moment.

— Qu'y a-t-il, mère ?

— Cela n'est pas possible, répéta plusieurs fois
Markounda, intriguant cette fois sa fille.

— Mère tu dois tout me révéler. Je suis venue te
consulter pour connaître la vérité, pas pour assister à des
effarouchements, insista Titrit au bord de l'emportement.

Markounda ferma à nouveau les yeux. Elle resta quelques
instants puis finit par ouvrir un œil, puis l'autre. Elle se
rendit immédiatement compte de l'effroi qu'elle provoquait

en regardant l'état de sa fille et l'inquiétude dans son regard interrogateur.

— Patience, ma fille. Ces signes expriment une volonté des mondes infernaux, je ne peux pas les expliquer sur un coup de vent, lâcha-t-elle en essayant de retrouver le sens de la réalité et une respiration normale.

— Qu'importe, je te le répète encore une fois, mère. Je veux tout savoir !

— Tout savoir ! En es-tu sûr, mon enfant adorée ?

— Oui ! Tout savoir de cette volonté qui me contrarie dans mes pensées au point de troubler mes nuits, car je suis assaillie d'images récurrentes que je n'arrive pas à remettre dans l'ordre, ni en place !

— Ton pouvoir s'amoindrit, car tes visites au sanctuaire se font de plus en plus rares !

— Tu connais mes charges au palais, se justifia-t-elle

— Et tu comptes sur moi pour reconstituer le puzzle qui angoisse tes nuits ?

— Et même mes journées sont difficiles à supporter, ajouta Titrit. Alors je t'écoute, parle et surtout ne me cache rien !

— Soit, si telle est ta volonté. Voici ce que j'ai vu mon enfant. Les forces en question sont aux portes du royaume des ancêtres et réclament le droit d'entrer dans celui des vivants.

— Et qu'est-ce qui les empêche de le faire ? Serait-ce moi ?

— Attends un peu, patience. Les forces d'ici détiennent la clé de cette porte.

— Ce sont les ancêtres qui expriment ces volontés ?

— Non ! Les ancêtres eux-mêmes ne les contrôlent pas !

— Et qu'attendent-elles de moi ?

— Elles exigent un sacrifice.

— Quel en serait le dessein ?

— Apaiser leur tourment et calmer les peines de leur long et inquiétant voyage.

— Un sacrifice ? Je le conçois.

— Pas n'importe lequel…

— De quel genre ?

La prophétesse se tut brusquement et ferma les yeux. Elle se mit à trembler des membres supérieurs jusqu'aux épaules, qu'elle tenait droites devant elle, comme si elle voulait se saisir de quelque chose sans y parvenir.

Elle n'ouvrit plus la bouche, se contentant de retrouver le calme dans son esprit et le chemin vers ses cordes vocales, pour parler par sa bouche. La reine s'impatienta. Elle risqua encore cette même question qui lui brûlait les lèvres depuis la récente révélation de la voyante.

— Quel sacrifice, alors ?

Retrouvant ces esprits, Markounda n'osa pas affronter la reine ou ne sut pas comment placer des mots sur ses visions. Tout était une question d'interprétation des signes. Elle se résigna à parler enfin.

— Le sacrifice d'un être proche, trancha-t-elle.

— Proche ?

— Oui, très proche.

— Pas Massen ? s'alarma la reine en relevant ses mains sur sa poitrine pour contenir son angoisse soudaine. C'est toi qui l'as mis au monde !

— Ce n'est pas ma volonté !

— Il n'y a pas de doute possible, mère ?

— Je le crains, mais les signes ne le désignent pas explicitement !

— Qu'est-ce que tu veux me faire comprendre ?

— Les signes désignent quelqu'un de bien plus cher à ton cœur, reprit la prophétesse, toujours avec révérence, mais avec une certaine affliction dans la voix.

— Alors qu'ils prennent ma vie ! s'écria-t-elle, ainsi mon parcours dans cette vie aura été bref et serait arrivé à son terme !

— Non ! Pas la tienne, ton destin n'est pas encore scellé, ma fille, ma joie de vivre !

— Parle en toute franchise, je suis venu te consulter pour ça ! avisa la reine avec détermination.

Markounda portait à présent un poids sur la conscience. Le doute ne l'effleurait jamais quand il s'agissait d'interpréter les signes pour quelqu'un d'extérieur à sa famille. Mais là, il s'agissait de sa fille, la chair de sa chair. Elle savait aussi bien que Titrit combien il était difficile de capter avec certitude la parole des morts qui interféraient continuellement avec le monde des vivants. Elle savait également combien il était difficile de la restituer telle quelle, sans fioriture.

Elle s'obligea à rappeler à sa fille, initiée comme elle l'avait été par le même ordre spirituel, que le destin n'était jamais inscrit sur de la pierre et que les messages interceptés n'étaient parfois que des signaux d'alerte envoyés par les bons esprits pour prévenir les vivants et les préparer à affronter les dangers de la vie.

— Il ne s'agit pas de mon petit-fils.

— Quelle vie est appelée à être sacrifiée ? insista à nouveau Titrit.

— Celle de ton époux, le père du prince ! présagea la prophétesse sans hésitation et sans finesse cette fois-ci. Le père doit mourir pour que le fils vive !

— Qu'est-ce que cela signifie ? Que le père doit mourir...

— C'est dans la nature des choses, non ? coupa Titrit, à moitié éberluée par la sentence de l'oracle.

— Tout dépend de l'imminence de l'acte, reprit avec pondération Markounda.

Sur cette sentence intemporelle, elle sortit d'une sorte
de torpeur de l'esprit, et paracheva sa transe en ouvrant
des yeux aussi bleus que ceux du ciel printanier sur une
reine effrayée, mais résignée, qui avait hérité des mêmes
yeux que sa mère. Titrit répéta les mots qui résonnèrent
désormais dans sa tête comme une sentence irrévocable.
— Le père doit mourir pour que vive le fils !
Titrit comprit de toute façon à ces signes, qu'il était
inutile de poser d'autres questions. Elle contint désormais
en elle, cette angoisse des présages qui ne s'accordaient
pas du tout avec sa propre volonté. Habituellement, elle
interprétait cette voix céleste quand elle abondait dans le
sens des présages qu'elle appréhendait. Mais aujourd'hui,
elle s'astreignit à un effort de raison.
Elle empoigna la main encore tremblante de sa mère
et posa délicatement son menton sur son épaule en signe
de respect. Entre prêtresses c'était un symbole de reconnaissance, entre mère et fille, un réconfort nécessaire et
agréable en ces moments de vérités brutales.
— Je te remercie, mère ! Je dois faire avec cela à présent
que j'y vois plus clair.
— Tu aurais fait la même chose pour moi, non ?
— En douterais-tu ? répondit Titrit en haussant les
épaules.
Elle sortit ensuite précipitamment du sanctuaire, laissant
sa mère dans son antre et enfourchant sa monture avec une
agilité de félin, galopa vers le palais royal, talonnée de près
par son garde gétule, le ténébreux Amalut.
Pendant qu'elle chevauchait sur le chemin du retour, les
mots résonnaient encore, se faisant l'écho de la sentence
des anciens. Arrivée au palais royal, elle traversa la grande
salle sans prendre le temps de se demander si on avait
besoin d'elle. Le roi et son fils étaient sortis et ne rentreraient pas avant le lendemain soir. Elle demanda à ne pas
se faire servir le repas et se cantonna dans sa chambre, seul

endroit où elle se sentait bien et qui pouvait lui apporter
un réconfort, maintenant qu'elle avait identifié la source
de ses inquiétudes.

Elle resta au lit tout l'après-midi, sans voir quiconque à
part Taghrid, la nièce d'Aberkan et sa dame de compagnie.
Puis vint la nuit qui s'annonça très longue et annonciatrice
de calamités pour la reine ! Elle eut beau essayer de trouver
le sommeil, elle passa de longues heures à fixer le plafond de
la chambre depuis le fond d'un lit qui ne la rassurait guère
plus qu'un tombeau de pierre. Elle était pourtant consciente
d'être là, au milieu de quelque part où la position allongée
de son corps offrait une trêve diurne à son agitation. Cette
infatigable femme, en position horizontale, avait pourtant
de quoi mériter un repos serein et réparateur. Mais elle
restait là, scrutant ce plafond immobile, comparable à un
écran de fumée sur lequel elle peinait à identifier des bribes
d'images que son inconscient lui renvoyait sans aucune
restriction, sans aucun tabou.

— Est-ce moi que les ancêtres veulent punir pour avoir
désobéi à leur rituel ridicule et sans fondement ? Mais qui
es-tu pour juger ce qui est et ce qui a été ? interrogea-t-elle
sa conscience.

Les paroles de sa mère, la grande prophétesse Markounda,
résonnaient en elle comme pour harceler le seuil de son
sommeil et percuter sa conscience à la manière d'un
marteau. Ils avaient même fait le siège de sa conscience
et torturaient sa mémoire : le père doit mourir pour que
le fils vive !

— Mais, se demanda-telle, est-ce une sentence de mort
ou bien un avertissement émanant des anciens ?

Elle s'interrogea sur la meilleure façon d'interpréter les
visions de la mère spirituelle, à l'aide des éléments en sa
possession. Son esprit vif et avisé lui recommandait de se
rendre ailleurs, mentalement, afin d'y puiser le meilleur
de son intuition et l'utiliser par la suite pour élaborer

sa propre vision et y trouver ses propres réponses. Cela pourrait apaiser ses tourments.

— Je suis allongée, ma posture favorite, par conséquent je suis rongée par le temps ! pensa-t-elle sans trop y réfléchir, au moment où l'Aguellid était dehors à courir des dangers en compagnie de son fils, celui qui n'était pas censé régner après lui selon les coutumes que ces vieux débris du Conseil des Anciens protégeaient et observaient à la lettre, comme si cela était écrit dans la pierre.

— Cela ne devait pas être la volonté d'Aylimas de priver sa nation d'un grand et valeureux aguellid et lui préférer un estropié ! se disait-elle. Et pourtant, j'aime Kabassen, comme mon propre fils, tu n'en doutes pas. Mais, lui qui a beaucoup de peine à se guider lui-même, malgré les efforts qu'il fait pour surmonter son handicap, comment serait-il capable de guider une nation tout entière vers son destin et, de surcroît, dans l'adversité ?

Cette reine, soucieuse de préserver les équilibres des forces des enfants d'Yles, continua à voyager dans sa tête, les yeux fixés sur la pendule de la vie qui constamment lui rappelait les limites à admettre entre ce qui doit être et ce qui devrait être avec un petit coup de pouce d'une aide providentielle.

— Quelles sont donc ces forces que les ancêtres ne contrôlent pas ? Sont-elles utiles à mes desseins ? continua-t-elle à se questionner. Si les ancêtres ne les contrôlent pas, pourquoi devrais-je me soumettre à leur volonté ? Que la mienne s'accomplisse et s'impose donc et je brandirai le bras de ma justice au nom de ma déesse Afrika. Et je le ferai pour le bien de ma nation.

Il pleuvait toujours. Elle prêta l'oreille à ces corpuscules d'eau pour entendre quelque chose d'autre que leur martèlement. Un message, une prophétie, un présage...

— Et à quoi peuvent donc servir toutes ces gouttes d'eau à part asperger, voire inonder la campagne et tout ce qu'elle fait pousser sur cette terre ?

Quelle est pitoyable, cette envie d'une œuvre toute faite, née de la terre et grandie au ciel, pour disparaître dans les creux, et pour les plus chanceuses d'entre elles, partir en vapeur et renaître ailleurs, autrement !

— Pourtant je ne comprends rien à ces sons qu'elles produisent en tombant sur les dalles de marbre de la grande cour du palais royal ! Dois-je les interpréter ou bien les inviter à rejoindre ce tumulte en moi ? Ou encore dois-je tenter d'en saisir les intentions ? s'entendit-elle implorer dans sa tête qu'elle sentait sur le point d'exploser.

En entendant ces cris, qui n'étaient pas uniquement émis de l'intérieur, mais jaillissaient aussi par sa bouche, Taghrid, sa dame de compagnie fit irruption dans la chambre de la reine prophétesse et se porta au plus vite à son chevet. Elle avait l'habitude de voir sa reine dans ses états, aussi intervint-elle sans panique pour lui apporter un réconfort.

La reine était en sueur aussi fiévreuse qu'une feuille d'oliviers sous les assauts des vents étésiens. Taghrid, dans sa hâte, ne referma pas complètement la porte. Titrit aperçut dans l'entrebâillement Amalut le ténébreux qui gardait fidèlement l'entrée de la chambre. Elle aperçut sa main empoignant le pommeau de son épée, prêt à intervenir au moindre signe de sa reine.

— Je n'ai envie de voir personne en ce moment, ferme donc cette porte ! lui lança cette dernière.

— J'ai eu si peur pour toi que je suis entrée précipitamment sans la refermer. Pardonne-moi, ma reine, pour cette négligence. Je te prépare une infusion ?

— Je te pardonne, ma fille. Je te pardonne ! Ma solitude m'interdit tout contact avec ce qui est chaud et ce qui est humide, tu le sais.

Cette solitude que la reine s'imposait dans ces moments d'exaltation ne la satisfaisait pas, car elle sentait qu'elle ne possédait plus son corps. Seul son esprit demeurait suspendu entre ce monde et celui des morts et lui procurait une sensation d'éréthisme, de fébrilité proche de l'ivresse.

— Elle ne m'enlace jamais, elle ne m'embrasse pas, elle ne me fait pas l'amour et pourtant elle sait me faire atteindre l'extase autrement ! se dit-elle dans sa tête.

Cette apothéose, c'était celle de son âme lorsqu'elle entrait en contact avec le monde des morts. C'était une sublimation sous forme de jouissance qui la révélait en tant que femme et qui lui donnait une bonne raison de perdurer en sa condition de reine et de·prophétesse auprès de son Aguellid Gaïa.

— Le père doit donc mourir, pour le salut de mon fils, soit ! finit-elle par se dire, résignée, mais pas dépitée.

Elle projeta son regard au loin, aussi loin que pouvaient porter ses yeux, vers les ténèbres de sa conscience qui menait en cet instant même un combat avec son intuition légendaire.

— Nul ne sait quand ! Nul ne sait comment ! répétait l'écho de la nuit noire.

À ces paroles de déférence qui revenaient avec apaisement caresser le début de son sommeil, Titrit prit enfin du repos, mettant enfin un terme à cette longue nuit d'amertume.

*C'est sur des flots agités que l'on reconnaît
la solidité du bois d'un bateau.*
Corsaire Amiral Amayas −297/ vers −250

*Les deux princes s'affrontaient régulièrement dans des
combats musclés pour exercer leur habileté au corps à corps et
aux armes de poing. Leurs javelots en bois s'entrechoquaient
violemment plusieurs fois, puis sous la pression que chacun
d'eux exerçait sur son arme, finissaient par céder. Depuis
une semaine, il n'avait pas cessé de pleuvoir sur Hibboune la
royale et les deux princes avaient profité de cette éclaircie pour
s'entraîner hors du palais.*

Ils se regardèrent un bref moment, visages crispés,
perlant de sueur mélangée à de la boue séchée. Les mains
tendues par l'effort de la lutte, ils restèrent un instant
évaluant leurs chances de poursuivre leur joute au milieu
d'un terrain qui avait gardé les traces de l'orage de la veille.
Un moment, Kabassen sentit son pied se dérober dans la
boue et Massinissa en profita pour lui prendre son javelot
et placer le sien sous son menton.

— Tu as encore glissé ? lança Massinissa usant d'un ton
de défi, mais néanmoins amical.

— Déjà que je ne suis pas doué pour marcher en
terrain sec, dans la boue c'est pire ! répliqua Kabassen en
se relevant, aidé par le bras puissant de Massinissa.

— On recommence ? osa le fils de Gaïa en remettant
le javelot de son cousin entre ses mains.

— Si tu insistes, mais c'est uniquement pour te faire plaisir ! concéda Kabassen un peu penaud.

Ils se remirent en garde puis s'élancèrent à nouveau dans un fracas retentissant, accompagné de bouts de terre qui voltigeaient au-dessus de leurs têtes et souillaient leurs habits princiers trempés de boue et de sueur. Encore une fois, le prince Massinissa eut le dessus, cette fois-ci grâce à son endurance au combat et à sa résistance à l'effort. Devant la résignation de Kabassen, ils décidèrent d'arrêter le duel et d'aller se faire un brin de toilette avant de se présenter au palais pour le déjeuner.

— Peut-être une prochaine fois, cousin Kabassen ?

— Oui ! bien sûr, et tu seras encore vainqueur, je le sais déjà !

— Alors, si tu désespères un jour de prendre le dessus...

— Je ne désespère pas, coupa Kabassen. Je me rends simplement à l'évidence, tu es meilleur que moi à cet exercice ! Tu es d'ailleurs le meilleur de nous tous.

— En attendant, cela nous permet de nous entraîner, non ? répondit Massinissa esquivant cette dernière remarque avec modestie.

— Tu as raison ! Mais jamais je ne pourrais t'égaler, ni demain, ni après-demain, ni un autre jour ! Ou alors avec tes mains attachées dans le dos. Puis il rit à l'idée que cela serait possible.

— On essayera la prochaine fois, les mains dans le dos, plaisanta le fils de Gaïa en mimant la situation. Il constata que pour un court instant, il avait réussi à faire sortir son cousin de sa morosité chronique.

— Et les pieds aussi ? surenchérit Kabassen.

Ils partirent tous deux d'un fou rire interminable jusqu'à se laisser tomber en arrière et s'étaler de tout leur long sur le sol boueux.

— Il faut sans doute songer à rentrer maintenant ! avisa Kabassen qui retrouva son sérieux habituel aussi vite qu'il l'avait perdu en cherchant du regard son cheval.

— Tu devrais changer ta façon de penser !

— Comment ça ? demanda Kabassen décontenancé.

— Tu penses que tout est dans les muscles, alors qu'un peu d'adresse pourrait t'aider à maîtriser ton adversaire, fit remarquer Massinissa pour le réconforter.

— Allons, cousin ! De toute évidence, je ne serai jamais un combattant ! Regarde-moi et dis-moi qui d'entre les Massylès voudrait d'un infirme dans son armée ?

— Il n'appartient pas aux Massylès d'en décider !

— Pas plus qu'à toi-même, répliqua Kabassen.

— Ne te sous-estime pas cousin et surtout cesse de t'apitoyer sur ton sort d'infirme. Tu ne chercherais pas plutôt un moyen détourné pour implorer ma pitié ?

— Ton amitié me suffit, je n'ai pas besoin d'implorer ta pitié pour savoir qui je suis, vraiment !

— Si, si ! Tu joues à la victime pour solliciter mon indulgence au prochain combat ou alors tu joues avec mes sentiments ?

— Ni l'un ni l'autre, Massinissa ! Je me confronte simplement à la dure réalité, voilà tout !

— L'infirmité dont tu crois souffrir est essentiellement dans ta tête, car dans certaines circonstances, tu ne la fais pas prévaloir !

— Quelles circonstances ?

— Lorsque tu as faim, tu cours aussi vite que moi aux cuisines, je le sais ! ironisa Massinissa.

— Ça, c'est vrai ! Et quand le danger est derrière moi, j'ai tendance à courir plus vite que mon destin ! Je le reconnais !

— Tu vois ! Il te faut seulement une motivation pour surmonter ce que tu penses être un handicap.

— Je n'ai pas cette âme guerrière qui t'anime, cousin ! Et ce pied me rappelle combien le sort a été injuste envers moi dès l'entrée dans la vie, dit Kabassen en désignant son pied. Si ce mal n'est plus physique, le manque d'amour maternel m'a frustré davantage que ça !

— Je reconnais que le remariage de ton père avec cette Karthaginoise ne t'a pas permis de vivre la vie idéale dont tu rêvais, mais n'as-tu pas trouvé chez ta tante Menza et ma mère Titrit de quoi compenser ton manque d'affection?

— C'est ce que je me plais à croire. Menza a remplacé la mère que je n'ai pas eue. Cependant, je n'aurais jamais dû savoir que ma mère est morte en me donnant la vie, car je me sentirai à jamais responsable. Quant à ta mère Titrit, elle est trop gentille avec moi et c'est justement ce qui me rappelle tout le temps que je suis orphelin de mère !

— Tu ne seras jamais content ! répliqua Massinissa en repérant à son tour son cheval. Titrit est bonne avec tous les enfants !

Ils continuèrent à marcher côte à côte vers leurs chevaux.

— Menza a compensé pour un temps ce vide qui me pesait dans le cœur, jusqu'à ce que ton oncle refasse sa vie avec une coquette aristocrate de Karthage. Ma blessure s'est ouverte alors qu'elle avait cicatrisé depuis un moment.

— Tu ne la portes pas dans ton cœur, n'est-ce pas ?

— Elle non plus, rassure-toi. Être la nièce du grand Hannibal, c'est un poids qu'elle-même a du mal à porter, en plus de son bébé ! Mais mon père Oulzasen se contente des plaisirs qu'elle lui procure.

— Dis-toi bien que c'était un mariage de raison. Et si mon oncle y trouve en plus du plaisir, qu'y a-t-il de mal à cela ?

— Je ne la porte pas en haute estime, elle est trop sophistiquée, trop préoccupée par ses toilettes.

— Je comprends. Mais sache aussi que ce mariage avait aussi des raisons politiques. C'était pour le bien de notre petit royaume. Cela mérite de la compassion.

— Compassion pour elle ? Ah non, je n'y arrive pas ! Elle me rappelle que j'ai perdu ma mère au moment où j'avais tant besoin d'elle !

— Titrit te considère comme son fils et parfois elle en fait plus pour toi que pour moi. C'est aussi la reine et la grande prophétesse et ces charges lui laissent peu de temps à consacrer à de jeunes adolescents, argumenta Massinissa.

— Je sais tout ça, cousin. Je ne reproche rien à ta mère, au contraire. Je suis triste parce que bientôt tu vas nous quitter pour Karthage et je resterai seul ici, contraint à assumer la tâche de prince héritier au lieu de t'accompagner et étancher ma soif de connaissance.

— Tu ne seras pas seul ici, voyons ! N'obscurcis pas la situation davantage pour me rendre le départ pénible.

— J'aurais tant aimé t'accompagner !

Tout en parlant, ils arrivèrent à leurs chevaux, l'esprit chargé d'amertume. Le destin avait été bien cruel, il y a environ seize années auparavant.

Le prince des Massylès se reprit, arrangea sa tenue délabrée et sauta sur Tamasda qui n'attendait que ce moment pour galoper. Massinissa en fit de même avec Tzil et les deux juments volèrent vers le palais de Kirtha. Les deux princes eurent tôt fait d'arriver dans la cour du palais, devant les écuries.

Kabassen revint à la charge sitôt qu'il eut mis pied à terre :

— N'empêche que ce pied ne me permet pas d'être à ta hauteur et ne le serai jamais ! Tu le sais pourtant, mais tu insistes à chaque fois pour te mesurer à moi ! Choisis donc plutôt Amadour, tu ne le trouves pas à ta mesure, cousin ?

Massinissa ne répondit pas. Il confia la bride de Tzil à Mezhian qui les attendait et prit le temps de réfléchir un bref moment puis baissa la tête en signe d'acquiescement.

— Vous êtes dans un drôle d'état, mes princes, qui d'entre vous a perdu cette fois ?

— Ta sœur ! répondirent-ils à l'unisson. Et ils partirent tous les deux d'un fou rire énorme, au point que Kabassen en avait mal partout, quand ils virent la tronche que faisait Mezhian.

Quelques minutes plus tard, ils entraient précipitamment dans la salle du conseil restreint, habituellement vide, où ils furent surpris de trouver l'Aguellid Gaïa et une autre personne bien distinguée en grande conversation devant une carte étalée sous leurs yeux.

— Pardonne-moi, Père ! Je ne savais pas que tu recevais ! s'excusa Massinissa en s'apercevant qu'il dérangeait les deux hommes. Il amorça un mouvement de recul stoppant ainsi son cousin Kabassen qui déboulait derrière lui.

L'Aguellid Gaïa releva la tête et fit signe à son fils de s'approcher. Kabassen ne se sentant pas concerné rebroussa chemin et se rendit dans les cuisines du palais auprès de Menza, qui avait l'habitude d'accueillir les jeunes princes avec une jarre de lait frais et des gâteaux fourrés aux dates pilées.

*

— Général Azrou Baal, je te présente mon fils Massinissa !

Le général karthaginois leva le nez de la carte, le temps de saluer le fils de son hôte puis replongea son attention sur le précieux document étalé sur la table en thuya montée sur des pieds en ivoire. L'Aguellid interpella son fils, sans toutefois quitter la carte des yeux.

— Approche donc, Massinissa. Je n'ai pas de secrets pour toi. Même si tu es jeune, je sais à quel point tu te consacres à ta préparation guerrière avec courage et détermination.

Azrou Baal fils de Giscon parut surpris de la confiance que le roi, son hôte, témoignait à ce jeune fils, sachant à quel point étaient secrets les préparatifs qu'ils étaient en train de mettre au point pour leur offensive commune contre Syphax.

— N'est-il pas prématuré d'imposer à ces jeunes épaules de telles responsabilités ? interrogea-t-il.

— Je vois en lui ce que j'étais moi-même à son âge ! répondit fièrement l'Aguellid, en faisant signe au prince d'approcher de plus près.

Quand Massinissa fut à la hauteur du général karthaginois, ce dernier le dévisagea longuement et comprit rapidement à qui il avait affaire : Type extraverti, alliant spontanéité et puissance. Son regard trahit l'impatience d'en découdre. Il est de la race de ceux qui s'imposent, de ceux qui aiment la lutte, jugea le général karthaginois, qui s'y connaissait en hommes. Il dit :

— En effet ! Un jour prochain, il sera appelé à poursuivre l'œuvre que tu as entreprise, Aguellid !

— Je m'occupe personnellement de lui faire son apprentissage guerrier ! répliqua fièrement Gaïa.

— Nous avons à Karthage la meilleure des académies militaires où il pourra poursuivre ton travail, dit alors Azrou Baal. J'y ai moi-même accompli ma formation, comme Hanni Baal d'ailleurs.

— Nous en parlerons le temps venu, l'avis de la reine sur cette question n'est pas encore tranché.

— Tu dis vrai Aguellid ! Allons ! Regardons ces plans avec soin et agissons vite, car je dois repartir pour accompagner nos renforts qui vont rejoindre nos armées en Ibérie. Aguellid Gaïa, pour t'exposer mon point de vue d'une manière succincte et sincère, j'en suis arrivé à conclure que Rome et Karthage ne peuvent plus coexister. Les cités sont obligées de se faire la guerre, et cela finira par la destruction de l'une ou de l'autre !

— J'en suis convaincu aussi, général ! Cependant cela demandera beaucoup de temps et coûtera la vie de beaucoup d'hommes et énormément de moyens.

Massinissa s'approcha de la table du conseil et jeta un rapide coup d'œil, très intéressé, à la carte sur laquelle son père et le général étaient penchés. Il reconnut les contours de l'Afrique ainsi que ceux des possessions karthaginoises, avec des signes qu'il ne réussit pas à déchiffrer, mais qu'il devina être des positions armées et des instructions de mouvements.

La pénombre commençait à envahir la salle et le jeune prince fut pris d'un moment d'absence, comme si quelqu'un essayait de lui transmettre un message. Les voix de son père et du général karthaginois devinrent confuses et entremêlées de paroles qu'il ne chercha même pas à comprendre, ni à expliquer.

— Il faut toucher au cœur de Rome ! déclara Massinissa, sans se douter de la portée prophétique de ses mots et de l'effet qu'ils produisirent sur son père et son hôte.

L'Aguellid cru entendre sa propre épouse, lors de ses moments de divination et le général karthaginois laissa tomber malencontreusement sur le sol la dague dont il se servait pour pointer la carte. Sa pointe brillante et bien acérée indiqua le nord.

— Cet enfant est clairvoyant, Aguellid ! Ce sont les dieux qui parlent par sa bouche. Puis s'adressant à Massinissa.

— Comment as-tu deviné nos plans, jeune prince ? Ecoutais-tu à la porte ?

— Je n'ai pas deviné. J'ai vu ce qu'il fallait faire, protesta Massinissa, vexé qu'on puisse le prendre pour un « traîneur d'oreille ».

— Même si notre flotte est de loin supérieure à celle de Rome, les victoires en mer sont imprécises, elles permettent tout au plus de paralyser temporairement un ennemi.

— Le coup doit être porté sur terre ! prophétisa le jeune prince en se rapprochant de la carte avec assurance.

— Oui ! Mais sans le commandement absolu de la mer, cela ne peut pas être réalisable, insista Azrou Baal, comme s'il parlait à un de ses officiers.

— C'est aussi l'avis de mon cousin Mahar Baal, le chef de la cavalerie numide auprès du général Hanni Baal.

— Je sais, jeune prince ! J'ai eu l'occasion d'apprécier la bravoure de celui qui sert fidèlement notre général au-delà des mers.

— C'est pourquoi j'ai décidé de lui envoyer des renforts avec Archobanès, intervint Gaïa. C'est lui qui prendra le commandement d'un escadron de cavalerie en renfort pour rejoindre nos troupes en Espagne.

— C'est un grand honneur que tu lui fais, général Azrou Baal, reconnut le jeune prince. J'ai hâte d'en faire autant, comme mon cousin Naar Baal.

— Pour qui j'ai un très grand respect dû à sa fidélité envers Karthage et à son intégration dans notre culture. N'était-ce son accent, qui le trahit parfois, on aurait pu le prendre pour un notable débarquant de Tyr !

— C'est ce qui fait notre charme, général Azrou Baal. Notre accent. Nous y tenons beaucoup pour marquer notre différence, répliqua Massinissa.

— Aberkan avait fait de l'excellent travail, pensa l'Aguellid Gaïa. Il n'y avait pas lieu de ressentir un complexe de langue. Il est le fils d'une Karthaginoise, l'épouse de mon frère Masigrada ! Même s'il est attaché à sa Numidie natale, il est à moitié des vôtres, général !

— Décidément, il me plaît de plus en plus ce jeune prince ! En effet, j'avais oublié ce détail Aguellid ! Merci de me le rappeler, j'ai un immense plaisir à penser que les princes Naar Baal et Mahar Baal sont à moitié des nôtres, grâce au génie du regretté d'Abdmelkart.

— Naar Baal est le gendre du grand général Abdmelkart Barak et aussi son neveu ! rappela Massinissa, fier d'exhiber cette relation maritale.

— Je le sais bien, jeune prince ! D'ailleurs, je peux t'avouer entre nous que j'adhère complètement à la vision de son regretté beau-père. Abdmelkart Barak avait déjà l'intention de faire de l'Espagne sa base pour marcher à travers la Gaule méridionale sur les Alpes vers le pays de ses ennemis, l'Italie.

— Il avait l'intention de porter la guerre jusqu'aux portes de Rome ? s'enquit le jeune prince.

— C'était bien son projet, Massinissa. Hélas ! La mort le surprit à l'âge de la soixantaine, et son gendre préféra négocier un traité avec les Romains pour s'assurer un empire familial, sans égard pour les intérêts de Karthage, sa cité mère !

— C'était une entreprise gigantesque et hasardeuse, vue d'ici, admit Gaïa.

— Gigantesque, oui ! Mais hasardeuse, je ne le pense pas !

— Le hasard est entre les mains du divin, général.

— Tu es dans le vrai, Aguellid. Mais avec nos forces navales renforcées comme jadis et des troupes terrestres pour envahir le sud de l'Italie, il est possible d'obtenir des renforts sur place de la part des cités qui n'obéissent à Rome que sous la contrainte. Nous pouvons aussi envisager de mener tous les combattants africains jusqu'aux portes de Rome, précisa Azrou Baal, emporté par son rêve de conquête.

— Pour combattre les Romains sur leur propre terrain ? insista encore une fois Massinissa, fasciné par les détails fournis par le général Azrou Baal.

— Telle est en effet mon intention ! Nous avons déjà envoyé des agents auprès des Gaulois et les tribus du nord de l'Italie qui rejoindront, je l'espère, les troupes d'Hanni Baal dans la guerre contre notre ennemi commun.

— L'entreprise est énorme, mais pas impossible, affirma Gaïa, finalement convaincu, par l'assurance du Karthaginois.

— Si elle réussit, Rome sera détruite et Karthage régnera sans aucun rival pour entraver ses projets commerciaux.

— L'idée venait d'Abdmelkart Barak, mais il revient à son fils de la réaliser avec notre aide ! répondit Gaïa.

— Les sénateurs en ont décidé ainsi, oui, Aguellid Gaïa !

— C'est un grand plan, en effet ! s'exclama Massinissa avec enthousiasme. Je ne doute pas de sa réussite.

— Un grand plan certes, mais les difficultés semblent énormes, répliqua son père, soucieux de tempérer quelque peu son ardeur.

— Les difficultés sont faites pour être surmontées par des hommes courageux, intervint Azrou Baal. Il est vrai que les Alpes sont le plus grand obstacle, mais nos agents nous ont informés qu'il n'est pas insurmontable, même pour les éléphants.

— Compterais-tu faire traverser les montagnes d'Europe aux éléphants d'Afrique ? s'étonna Gaïa.

— Bien sûr, mon ami ! Et c'est là où tu vas jouer un rôle essentiel !

— Je veux bien que tu m'expliques comment !

— Eh bien, ce seront tes éléphants ! répondit calmement Azrou Baal.

L'Aguellid Gaïa comprit l'allusion du Karthaginois et se tourna alors vers son fils Massinissa et lui lança un regard vif suivi d'un clin d'œil complice.

— Nous allons bientôt partir à la chasse, fiston !

A ces mots, un frisson de plaisir parcourut l'échine dorsale du jeune prince. L'idée d'une action prochaine anima son visage et ses yeux brillèrent d'une joie féroce.

Le père perçut cette réaction et acquiesça du menton. Il s'adressa alors au général Karthaginois : Combien d'éléphants te faut-il, puisque c'était aussi l'objet de ton séjour parmi nous ?

Azrou Baal connaissait déjà la réponse. Il avait préparé ce voyage avec minutie, sous les auspices de ses confrères trésoriers qui comptaient les deniers de la république aussi vite qu'ils les amassaient. Il prit néanmoins une attitude vague, qui contrastait avec sa posture droite et souveraine.

— Je dirais une trentaine environ, Aguellid ! En combien de temps peux-tu me les livrer ?

L'Aguellid Gaïa se mit à réfléchir, prit une profonde inspiration sans quitter son interlocuteur du regard. Puis il se mit à calculer mentalement en s'aidant de ses doigts.

— Dans deux lunaisons, ils seront à toi ! Je t'indiquerai l'endroit de la livraison, finit-il par répondre.

— Marché conclu, Aguellid ! À présent mes amis, je dois vous quitter. Avant de prendre la route pour les colonnes de Melkart, je dois superviser demain matin le recrutement de soldats pour notre armée. Jeune prince ! Nous nous reverrons à Karthage. Officiellement, j'ai été désigné par le sénat pour être ton protecteur pendant ton séjour.

— Au revoir général. Puissent les dieux de cette demeure sceller notre accord et ceux de l'Afrique protéger ton voyage et assurer le succès de nos entreprises, répondit Gaïa, en raccompagnant son hôte jusqu'à la porte de la salle des audiences du palais d'Hibboune la royale.

Massinissa était à ses côtés. Père et fils avaient savouré cette entrevue avec le général karthaginois. Les espions de Syphax n'allaient pas manquer d'avertir leur maître que, désormais, ses ambitions se heurteraient à un solide pacte d'amitié entre la cité de Karthage et le petit royaume des Massylès.

Pour bien apprendre, il est nécessaire
d'oublier plusieurs fois.
Suffète Massylès Amessan −292/−202

Le lendemain de l'arrivée du général Azrou Baal fils de
Giscon à Hibboune la Royale, les jeunes princes se rendirent
sur la grande place du marché où les Karthaginois recrutaient
des hommes pour le front ibérique. La majorité des recrues
allait être envoyée là où se trouvait le front des batailles qui
opposaient les Karthaginois depuis quelques années à leur
ennemi romain.
    — Quelle est la destination de ces troupes fraîches ?
    — Elles vont rejoindre l'armée de Sadar Baal Barak,
l'actuel gouverneur de Karthagène.
    — Hanni Baal a donc cédé sa place à son jeune frère ?
    — Oui, il a pris la direction de l'Italie. Les recrues vont
renforcer l'armée d'Espagne pour s'opposer, conjointement
avec l'armée d'Hanni Baal, aux projets des Romains Scipion
et de leurs alliés.
    Le général Azrou Baal était assis sur un siège élevé. A ses
côtés, un officier secrétaire tenait un registre où il notait
les noms des volontaires qu'il appelait ensuite afin que
chacun, une fois approuvé par le général, se mette en rang
derrière l'officier. La république avait convenu de fournir
à l'armée d'Espagne six mille hommes pour la cavalerie et
l'infanterie.

— Ils ne sont pas armés de la même manière, fit observer Kabassen en donnant un coup de coude à son cousin Massinissa.

— Ce sont des soldats de l'infanterie. Tu vois, ils sont répartis en trois groupes. Ceux qui sont lourdement armés sont les *hoplites*. Ceux dont les armes sont moins lourdes on les appelle les *peltastes*. Les autres sont allégés de toute armure gênante pour le combat.

— Comment sais-tu tout cela ? interrogea Kabassen, admiratif.

— J'ai étudié la composition des armées karthaginoises. Tiens, regarde Kabassen ! Les hoplites sont équipés d'armes défensives comme le casque, la cuirasse, le bouclier et ils portent des bottines qui leur couvrent la partie antérieure de la jambe. Ils sont équipés de piques et d'une épée.

— Je suppose que ceux qui sont armés à la légère sont destinés à lancer des javelots ou des flèches, dit le jeune prince Kabassen.

— C'est bien ça ! Et puis les autres, ceux qu'on appelle les peltastes, portent un javelot et le *pelta*, le petit bouclier numide que portent aussi nos cavaliers, d'où leur appellation.

— Ils sont joliment décorés ces boucliers en demi-lune. Ils ressemblent beaucoup à ceux que portent les amazones.

— Ah, oui ! Tu as déjà vu des amazones en porter ?

— Mais non, je n'ai pas vu des amazones, rassura Kabassen. J'ai vu des dessins d'amazones portant des boucliers en forme de moitié de cercle, comme les peltas.

L'explication parut satisfaire le jeune prince Massinissa, car le mythe des Amazones était une légende des anciens temps que seules les prêtresses continuaient à raconter aux enfants. Les hommes ne parlaient plus de ce sujet qui était devenu tabou, surtout au sein de l'assemblée des anciens qui n'appréciaient pas d'évoquer ces fameuses guerrières qui régnaient il y a fort longtemps autour du lac Triton.

— Les peltas sont presque tous en bois de saule ou en osier, dit Massinissa. Les ornements en couleur sont des emblèmes qui indiquent leur origine. Pour nos soldats numides, c'est le signe de vie qui a été choisi comme inscription.

Dans la foule qui assistait à la revue sur la place du marché, un homme d'un certain âge palabrait avec son compagnon à haute voix pour être entendu par tout son entourage et surtout par les deux jeunes princes proches de lui.

— Je faisais partie de cette malheureuse expédition de Sicile, il y a plus d'un demi-siècle. Je servais sous les ordres du général Abdmelkart !

— Toi, un vétéran ? Tu aurais servi sous les ordres du général que l'on surnomme la foudre ?

— Eh oui, mon gars, répondit le vétéran en bombant le torse. Tu as sans doute entendu parler de la richesse d'Abdmelkart ?

— J'ai surtout entendu parler de son courage qui inspirait autant de terreur à ses ennemis, qu'à ses propres hommes !

— Je confirme ce que tu dis. Son armure était des plus impressionnantes. L'or et la pourpre décoraient son bouclier.

— On dit que celle de son gendre, Astour Baal le beau, représentait une tête de Gorgone, cela est-il exact ?

— Tout à fait, mon garçon.

*

Sur la place, le général Azrou Baal se présenta en personne devant les soldats. Il fut accueilli par les commandants des unités de l'infanterie, debout devant leurs hommes. Les acclamations de la foule se mêlèrent à ceux des soldats qui firent un triomphe à leur chef au fur et à mesure qu'il

s'approchait de l'estrade au milieu de la place où attendait
Tamaghen, l'instructeur militaire du général karthaginois.

— Je te félicite pour les changements que tu as intro-
duits dans les armes des hoplites. Ils étaient nécessaires !

— Merci général ! Je n'ai fait que suivre tes conseils.
En effet c'était nécessaire, car la phalange accablée sous
le poids des armes obéissait avec peine aux mouvements
qu'on lui commandait de faire !

— Ainsi, les soldats ont plus de facilité pour parer les
coups de l'ennemi que pour lui en porter, dit le général
karthaginois qui avait pris des dispositions pour remplacer
les cuirasses de métal par des cuirasses de toile et les énormes
boucliers par de plus petits et plus légers.

Il descendit de l'estrade et alla vérifier auprès de ses
hommes l'efficacité de ses mesures, talonné par Tamaghen.

— Soldat ! s'adressa-t-il à un hoplite dans les rangs.
Content du changement ?

— Oui, général ! Content d'être débarrassé de ces
énormes boucliers qui à force de nous protéger, nous
ravissaient notre liberté !

Le général karthaginois avait aussi donné des instructions pour que la pique soit rallongée du tiers et que l'épée
soit raccourcie presque de moitié. Il s'assura que les soldats
admettaient bien ses mesures comme un moyen de les
rendre plus souples et plus efficaces sur le terrain.

— Il faut rendre les hoplites plus redoutables, expliqua
Azrou Baal à Tamaghen. Ne sont-ils pas pour l'armée ce
qu'est la poitrine pour le corps humain ?

Et comme Tamaghen était pleinement d'accord avec son
général, il surenchérit en comparant le général à la tête, la
cavalerie aux pieds et les troupes légères aux mains. Puis
vint le serment de fidélité à Karthage et à sa république
qu'il dicta à voix haute pour être répété par toutes les
nouvelles recrues.

— Je ne déshonorerai jamais ces armes sacrées et je combattrai pour les dieux de Karthage Baal et Tanit en tête ! Les soldats répétèrent mot pour mot le serment de Tamaghen qui avait parlé haut et fort en cherchant des yeux des signes d'approbation du général. Il poursuivit :

— J'obéirai à l'autorité et à la sagesse de mes chefs ! Je combattrai de toutes mes forces quiconque cherchera à renverser leur puissance.

Quand il eut terminé, il laissa la place au général qui se leva de son siège et prononça un discours de bienvenue à l'adresse de ses nouvelles recrues.

— Soldats ! Vous qui avez le privilège de faire partie de la première armée du monde, vous allez rejoindre et renforcer des troupes invaincues à ce jour ! Vous vous êtes engagés de plein gré pour accroître votre renommée et votre gloire. Vous ne manquerez de rien et vous aurez soin de vérifier par vous-mêmes la générosité légendaire de Karthage vis-à-vis de ses soldats ! Vous rentrerez au pays, à la fin de cette guerre, avec des biens et des valeurs qui feront regretter ceux qui ont hésité à vous rejoindre aujourd'hui ! Vos femmes et vos enfants seront à l'abri du besoin et vous coulerez vos vieux jours dans une retraite paisible. Et si c'est la mort qui vous attend sur le champ de bataille, elle sera digne et vous aurez l'éternelle reconnaissance de Karthage pour avoir été à ses côtés le jour de votre délivrance !

— Quartier libre ! hurla presque Tamaghen. Je vous attends à partir de demain matin au camp établi en dehors de la cité !

Après leur enrôlement, les recrues se répandirent en tumulte dans les rues et dans les places publiques, revêtues de leurs nouvelles armes, fières de leur nouveau statut et contentes de la solde prochaine, sur laquelle l'officier chargé de la trésorerie du camp leur fit une petite avance, juste assez pour fêter l'évènement.

Ce que le vieux voit couché, même debout
le jeune ne peut l'apercevoir.
Suffète Mastanabal −292/−218

Avisé de la commande spéciale d'Azrou Baal fils de Giscon,
l'Aguellid Gaïa envoya aussitôt un émissaire vers le sud,
dans le pays des Gétules. Son allié, le chef gétule Isalkas, fut
immédiatement averti de la venue prochaine de l'Aguellid
des Massylès pour une partie de chasse aux éléphants sur son
territoire : la cité de Theveste. Le message précisait qu'il serait
accompagné de Laminias, son fils.

— Laminias sera ravi de revoir son père, affirma
Massinissa, réjoui par la nouvelle.

— Je n'en doute pas un instant, mon fils, répondit Gaïa.
Nous partons demain à l'aube, alors va prévenir Laminias,
vous avez juste le temps de vous préparer pour le voyage.

— J'y cours, père !

Entre les Massylès et les Gétules existait un traité de
paix, depuis que les tribus du désert, poussées par l'ari-
dité constante de la steppe et l'avancée des sables sur
leurs maigres pâturages les avaient conduits à opérer de
fréquentes razzias sur les cités situées au sud du royaume
des Massylès. Nul doute que le but de ces razzias était pour
assurer leur survie. Après les avoir combattus et vaincus une
première fois, l'Aguellid Gaïa entra en négociation avec
Isalkas, l'un des principaux chefs des tribus de pasteurs.
Il lui offrit de se sédentariser pendant les saisons chaudes

autour de la cité fertile de Theveste à condition de lui prêter un serment d'allégeance. Ce qu'Isalkas accepta. Pour sceller ce pacte d'alliance, il confia son fils aîné Laminias au bon service de Gaïa, pour qu'il séjourne auprès des Massylès et un suffète massylès eut la charge des affaires administratives et commerciales de la cité de Theveste.

Ainsi Laminias fut confié à Aberkan afin qu'il lui donne l'instruction et l'enseignement nécessaires pour que le jeune otage puisse s'adapter à la vie citadine et se familiariser avec les mœurs des Massylès.

— Pas trop vite, Massen, nous avons du temps devant nous ! dit Gaïa devant l'allure affolée de son fils.

L'Aguellid avait deux mois pour présenter au général Azrou Baal fils de Giscon, une trentaine d'éléphants, qui iraient grossir les rangs de ceux qui étaient déjà à Karthage d'où quelques-uns des pachydermes seraient embarqués pour l'Ibérie pour renforcer l'armée karthaginoise.

Très tôt, ils sortirent du palais en petite formation.

Le roi était accompagné de Meskala, le chef des éclaireurs royaux et de son ami Masitanis, le chasseur officiel du royaume. Massinissa suivait avec Laminias. Derrière eux une petite troupe de cavaliers appartenant à la garde royale, chargée de leur protection. Ils longèrent toute la matinée la Seybouse, puis prirent le chemin du sud-est, laissant à leur droite la route de Kalama. Après une pause, à la mi-journée, ils abordèrent une cuvette entourée de montagnes boisées, traversée par les eaux de la Medjerda. C'était là que se trouvait la cité de Thagaste. Ils arrivèrent aux pieds des remparts de la cité un peu avant la tombée de la nuit.

La petite troupe royale fut accueillie par Antalas, suffète et gouverneur de la cité ainsi que l'Amghar chargé des affaires agricoles, car parmi toutes les régions du royaume, Thagaste était considérée comme le grenier de céréales et l'Amghar était le deuxième personnage le plus important de la cité.

Située sur les hauts plateaux du royaume des Massylès, au sud-est d'Hibboune la royale, Thagaste était un carrefour commercial important qui suscita bien des convoitises affichées de la part du pouvoir karthaginois. La raison en est qu'en plus de l'exploitation des richesses agricoles, la cité de Thagaste exploitait également ses richesses animales. Elle était réputée pour être la région de la chasse aux lions, aux guépards et aux ours qui habitaient les grandes forêts des alentours.

Pendant le repas, servi dans la demeure du gouverneur Antalas, le jeune prince Massinissa s'empressa de poser de nombreuses questions sur la pratique ancestrale de cette chasse.

— Nous chassons aussi d'autres animaux sauvages comme l'autruche qui est assez abondante dans le coin, ainsi que l'antilope bubale ou le sanglier des marais. Au nord du territoire, nous chassons le raton, le porc-épic et la loutre nombreux le long des cours d'eau. Plus au sud, on chasse les gazelles qui se groupent en troupeaux de plusieurs centaines de têtes.

Massinissa s'intéressa particulièrement à la chasse au lion. La Numidie était un territoire où les grands fauves sévissaient un peu partout. Les chasseurs les capturaient pour les vendre aux marchands karthaginois qui se chargeaient à leur tour de les revendre par l'intermédiaire de leurs différents comptoirs, éparpillés tout le long de la mer intérieure.

— Depuis qu'il a adopté un lion, il s'est amouraché de ces fauves ! s'excusa Gaïa de l'insistance maladroite de son fils auprès de leur hôte. D'ailleurs, je te conseille de lui dire ce que tu sais sinon il ne s'arrêtera pas !

— Dans la région, on chasse le lion et la panthère. On les capture en utilisant une chèvre comme appât. Quand l'animal est pris au piège, les chasseurs se mettent en cercle autour de lui et le rabattent vers un long filet dissimulé par des branchages, expliqua le gouverneur Antalas.

— Les chasseurs ne craignent pas que le lion les sème ou les attaque ? demanda Massinissa, l'esprit absorbé par le récit.

— La peur ! Oui, sans doute. Mais ils se protègent à l'aide de boucliers, puis se tiennent au coude à coude en formant un mur continu qu'ils poussent devant eux. De l'autre main, ils brandissent un fouet à long manche portant de nombreuses lanières pour obliger l'animal à reculer et à se rabattre sur le filet.

— Comment font-ils pour les capturer ensuite ?

— Des cavaliers à cheval, légèrement en retrait, se tiennent toujours prêts à utiliser leurs javelots si le fauve est tenté de s'échapper du piège, qui se referme peu à peu sur lui.

— Les chars attelés de deux chevaux que j'ai vus en arrivant et qui portent une cage, c'est pour accueillir l'animal capturé ?

— Par les cornes d'Ammon ! Ton fils, Aguellid Gaïa, est un observateur avisé ! On ne peut rien lui cacher. Bravo, prince !

— J'aimerais bien un jour participer à une chasse au lion de Thagaste ! dit Massinissa.

— Je comprends ton enthousiasme, mon fils ! Mais souviens-toi, nous avons d'abord une commande à honorer pour nos alliés de Karthage. Un jour prochain, nous irons chasser le lion à Thagaste, promis !

— Compte sur moi pour te rappeler ta promesse, père !

Gaïa acquiesça d'un signe de la tête puis se leva.

— Il nous faut prendre du repos, car demain la route du sud sera aussi longue que celle du nord. Theveste est encore à une journée de route. Mais avant d'aller rejoindre ma couche, j'ai à m'entretenir en particulier avec toi, chef Antalas. Allons dehors, faire quelques pas.

Antalas était un homme intègre qui rendait compte régulièrement à son Aguellid. Mais, à la manière dont l'Aguellid avait posé sa main royale sur ses épaules, il comprit que le sujet était particulièrement sérieux et qu'il ne l'impliquait pas personnellement.

— Mon roi aurait-il quelque inquiétude au sujet de la cité ?

— Oui, Antalas, en effet. C'est une démarche et une requête que je partage avec la reine Titrit, mon épouse et grande prêtresse.

Avant de quitter Hibboune la royale, la grande prêtresse Titrit avait évoqué à son époux l'horrible trafic qui se pratiquait aux dépens des éléphants. Certains chasseurs ne proposaient pas seulement de prendre ces animaux vivants, mais les besoins toujours croissants du commerce lucratif de l'ivoire leur en faisaient tuer un grand nombre, au mépris de la tradition ancestrale que respectaient les Massylès.

La quête de l'ivoire poussait les chasseurs à prélever les défenses des animaux abattus et à les troquer aux peuples de l'extrême Occident, par l'intermédiaire des marchands karthaginois. La peau des pachydermes constituait aussi une matière très recherchée pour la fabrication des boucliers.

La reine avait insisté auprès de son époux, invoquant le respect de la nature même de l'environnement où vivaient et s'épanouissaient les pachydermes.

— Ils sont victimes de chasseurs. Et ces profiteurs ne sont pas conscients qu'en les pourchassant et en les mettant à mort, ils modifient dangereusement le milieu où ils vivent ! La déesse Afrika est triste d'assister à cette hécatombe, elle l'exprime par ma voix.

— Bien, mon épouse. Je respecterai la volonté de la déesse Afrika qui s'exprime par ta bouche. Ce commerce illicite porte atteinte aussi à notre économie, car il nous échappe. Je ferai le nécessaire pour le stopper. Je t'en fais le serment par les dieux de ce palais !

En effet, les Numides nourrissaient une vénération presque religieuse pour les éléphants. Ils croyaient même que si les dieux avaient mis tant de puissance dans ces animaux c'était pour la mettre œuvre sur les champs de bataille.

Les éléphants étaient une arme de dissuasion lors des affrontements armés. Ces bêtes puissantes terrifiaient les troupes adverses et semaient la panique sur les champs de bataille. On les utilisait aussi pour détruire les palissades entourant les camps des armées en campagne. En temps de paix, on s'en servait pour les transports ou la construction, entre autres, car leur force, leur poids, leur intelligence et leur longévité en faisaient pour les hommes de précieux auxiliaires dans les travaux agricoles et forestiers lourds. Ils étaient sous la protection de la déesse Afrika qui avait adopté leur symbole de fécondité. Elle portait sur sa tête une dépouille d'éléphant armée de deux défenses. La grande prêtresse ne pouvait pas rester insensible à l'exploitation abusive de son animal fétiche.

— Antalas, mon ami ! Reste vigilant en surveillant davantage la voie commerciale. Recrute des gardes supplémentaires pour contrôler les marchands qui parcourent la route des caravanes en direction du nord. C'est par là que transite le plus gros du trafic.

— Je puis t'assurer que cela ne vient pas des Massylès, mon roi. Il faut voir plutôt du côté des Gétules. Malgré nos accords, je ne leur fais pas totalement confiance !

— J'ai confiance en Isalkas, coupa Gaïa avec une détermination qui ne laissait aucun doute sur sa relation avec le chef gétule. Il est cependant entouré de chefs peu scrupuleux et hors de contrôle, qui pourraient être tentés par ce commerce lucratif de se faire de l'argent facile. Il te revient de surveiller étroitement la route qu'empruntent les trafiquants et de saisir toute marchandise interdite. Cela les dissuadera dans un premier temps !

— Je ferai selon ta volonté, Aguellid ! Je ne décevrai pas non plus la grande prêtresse, ton épouse. Je sais à quel point sa requête est à considérer tel un ordre divin !

— Il faut prendre conscience que cette chasse sauvage provoquera leur disparition inévitablement d'autant qu'ils se reproduisent lentement. Sais-tu Antalas, que la gestation du vingt-deux mois !

— C'est ça, Aguellid ! Si on ne fait rien, en effet, ils subiront le même sort que la licorne et le griffon !

— Sans aucun doute. De mon côté je profiterai de mon séjour chez Isalkas pour obtenir plus d'informations et te les communiquer. Cela pourra te servir dans cette lutte, car mes espions soupçonnent aussi les Garamantes d'être dans le coup.

— Si c'est effectivement les Garamantes, nous n'avons alors aucune emprise sur eux !

— Détrompe-toi, chef Antalas ! Ils empruntent aussi la route des caravanes qui traversent notre territoire. Nous devons contrôler cette route qui aboutit nécessairement au caravansérail de Madaure.

— Les routes des contrebandiers ne sont pas celles qui figurent sur nos cartes, Aguellid !

Par cette observation, Antalas tentait maladroitement d'éloigner les soupçons sur le beau-frère du roi, chef de la cité de Madaure.

— Les points d'eau, si ! Ils ont besoin d'y passer pour abreuver leurs montures. C'est là que nous pouvons les contrôler, recommanda énergiquement Gaïa.

— Très juste Aguellid. Ta connaissance du territoire est judicieuse. Dès demain je mettrai des gardes autour de toutes les oasis du territoire.

— C'est très bien pour commencer. Ce que je voudrais identifier en priorité, c'est la tête du réseau des trafiquants. C'est là où il faudra frapper !

Ils se quittèrent sur ces mots. L'un pour retrouver un lit empaillé afin d'y chercher son sommeil, l'autre pour réfléchir à la façon de s'acquitter de sa nouvelle mission qui consistait à traquer les ennemis d'Afrika, la déesse qui trônait aux côtés du soleil et de la lune, dans la cité de Thagaste. Les bruits couraient que le frère de Titrit fermait volontairement les yeux sur un trafic venant du sud qui transitait par sa ville. D'où une extrême prudence dans ses propos avec l'Aguellid Gaïa.

Cette nuit-là, Gaïa eut du mal à s'endormir, non à cause des ronflements de Masitanès qui dormait à côté, partageant la même couche que Meskala, mais à cause des recommandations de son épouse.

Il vit en songe la déesse Afrika qui le conjurait de mener un troupeau d'éléphants vers une source située au pied du mont Atlas, en plein territoire ennemi de Syphax. Un cauchemar !

Au matin, après avoir pris un léger repas, fait de galette de froment fumante et de petit lait, la troupe s'ébranla en direction du sud, vers la célèbre cité de Madaure. Le roi comptait s'y rendre pour la mi-journée et y faire une halte avant de reprendre la longue route vers Theveste.

Les chevaux longèrent une belle route en lacets à travers une région prospère où les champs de céréales alternaient avec des pentes boisées entrecoupées de bourgs agricoles à moitié tapis au milieu d'une végétation luxuriante. De colline en colline s'ouvrait un vaste horizon qui dévoilait de lointaines montagnes suspendues dans les brumes du matin. Les rayons du soleil pénétraient progressivement cette monotonie et la lueur du jour naissant éclairait une éblouissante nature qui faisait frémir voluptueusement les cavaliers et leurs chevaux. La brise matinale se dissipa tout à coup.

Ils arrivèrent au fort qui commandait le passage vers la cité de Madaure. Le roi fit stopper la troupe et ordonna une halte au bord de cette plaine avant d'entamer la traversée des hauts plateaux rocailleux et assez escarpés. Ce fort indiquait l'importance stratégique de la cité de Madaure avec les arêtes vives de ses murailles qui s'élançaient vers le ciel comme un temple. Il contrôlait un défilé par lequel passait la route numide en direction de Madaure reconnaissable aux dallages sillonnés par les roues des chars.

Les cavaliers passèrent entre les deux murailles de verdure qui bordaient la route, amorcèrent une descente assez longue sur la pente de la montagne, puis un col assez étroit perdu dans les brumes lumineuses de la matinée. Ils entrèrent à Madaure en longeant à leur droite le cimetière, défendu par une porte basse fermée d'une herse de fer.

— Nous allons faire une surprise à ton oncle Matanès, annonça le roi Gaïa à son fils qui chevauchait à ses côtés.

— Le frère de Titrit ?

— Et qui d'autre ? répondit le roi, laconiquement.

— Il est ici, père ?

— Pas de son plein gré, je le crains.

— Et qu'est-ce qu'il y fait ?

— Il gouverne la cité de Madaure en qualité de suffète. Je ne pouvais pas décevoir ta mère !

— Malgré la réputation sulfureuse qu'il avait à Kirthan.

— Tu laisses traîner tes oreilles aux rumeurs, fiston !

— Absolument pas, je le tiens de la bouche de ma mère !

— C'était une âme perdue ! Depuis la mort de ton grand-père Arman, il a succombé à une vie de débauche. Même Karthage me l'a renvoyé comme personne indésirable !

— Aujourd'hui encore ?

— Son affectation ici était un arrangement contre une promesse de rédemption.

— Tient-il sa promesse ?

— Je l'espère, mais son humeur maussade et son caractère aigri n'ont pas disparu pour autant !

— J'ai hâte de le rencontrer ! Je garde de lui ces merveilleux moments de mon enfance quand tu m'envoyais chez grand-père Arman, au cap de la Miséricorde.

— C'est ta mère qui insistait pour que tu découvres son pays natal !

— Je crois qu'elle était bien inspirée, père. J'aime son pays.

— Ton oncle n'est pas prévenu de notre passage, cela intensifiera sa mauvaise humeur ! ricana le roi.

Ils arrivèrent sur une place taillée dans le flanc de la colline autour de laquelle les édifices de la cité avaient été construits, lui donnant un aspect pittoresque et accueillant avec son pavement à larges dalles. Bordée de portiques au fond et sur les flancs, elle s'appuyait du côté opposé sur une série de voûtes qui servaient de boutiques et d'échoppes.

Cependant, Matanès fut averti aussitôt de l'arrivée de cavaliers royaux venant du nord. Dès qu'il fut sur la place, il reconnut immédiatement les couleurs de son beau-frère. Méfiant, il s'approcha avec précaution du roi qu'il salua respectueusement en se rappelant que c'était lui la cause de son éloignement de la cité de Kirthan. Gaïa lui rendit les salutations rituelles et l'interpella aussitôt.

— Présente aussi tes salutations à ton neveu Massinissa, que voilà !

Oubliant le protocole, Massinissa sauta de cheval et se jeta dans les bras de son oncle, qu'il n'avait pas revu depuis plus d'une dizaine d'années.

— C'est toi, Massen ? Fichtre, je n'en reviens pas ! bredouilla Matanès en serrant fort son neveu, jusqu'à le soulever de terre.

— C'est bien moi, mon oncle adoré ! J'ai terminé mon *ergaz*, maintenant tu peux m'appeler Massinissa !

— Très bien, dois-je t'appeler prince aussi ? répliqua Matanès en desserrant brutalement son étreinte.

— Mais non, mon oncle, juste Massinissa.

— Bien, Massinissa. Alors arrête de m'appeler mon oncle, cela me donne l'impression d'être vieux ! plaisanta Matanès en tournant son regard vers l'Aguellid Gaïa.

Pendant que des serviteurs s'occupaient des chevaux, Matanès pria ses invités de le suivre à l'intérieur de sa demeure.

— Vous n'avez pas encore mangé ?

— Pas encore, répondit spontanément Massinissa, sous l'œil amusé de son père

— Alors vous êtes invités à ma table ! décida Matanès à l'intention du roi et de sa suite.

Pendant le repas, une fois informé de la mission du roi, il se proposa de les accompagner.

— Cela me donnera l'occasion de passer du temps avec ce neveu qui a grandi bien vite !

— Nous repartons aussitôt, prévint l'Aguellid Gaïa, qui n'avait pas prévu cette initiative.

— Le temps de désigner le chef de la police pour me remplacer et je suis prêt !

L'Aguellid Gaïa réfléchit quelques secondes avant de donner son accord.

— Entendu. Tu nous accompagnes. Ta présence sera précieuse pour moi aussi.

En réalité, Matanès naturellement méfiant vis-à-vis de son beau-frère, voulait s'assurer que la visite du roi n'avait pas d'autres buts que celui de se rendre à Theveste afin de remplir son contrat signé avec le général karthaginois.

Après le déjeuner, ils prirent donc tous ensemble la route du sud.

Le soleil déclinait quand ils arrivèrent devant les remparts de la cité de Theveste. Posée à la jonction de deux voies, la monumentale porte d'entrée possédait la forme d'un carré

parfait, avec quatre baies en croix. Le roi fut accueilli à ce
niveau par une délégation de la cité, à sa tête de roi Isalkas
en personne, accompagné de tous les notables de la cité
que l'on appelait aussi la porte du désert.

— Aguellid ! Sois le bienvenu. Tu me ramènes donc
mon fils ?

— Oh non, je le garde encore chez nous. Mais voudra-
t-il rester ici ?

— Par Ammon, il nous manque ! Mais sa mère et moi
sommes rassurés, car nous le savons entre de bonnes mains.

Laminias retrouva les siens et surtout sa mère qu'il avait
quittés voilà presque deux années. La rencontre avec son
père avait été très formelle, les Gétules n'étant pas enclins
aux effusions sentimentales, surtout devant des étrangers.

Pour accueillir la troupe des Massylès, le roi Isalkas avait
fait installer des tentes dans un campement au pied des
remparts de Theveste. L'endroit choisi était un espace qui
rappelait à tous ces cavaliers des moments de nostalgie,
même pour les plus jeunes qui n'avaient connu ces périodes
de liberté que par la bouche des anciens. En face, la steppe
surplombait les dunes de sable infinies où les regards se
perdaient à l'horizon et derrière eux, les montagnes boisées
complétaient le site pittoresque et sacré de Theveste.

C'est là que le roi Isalkas invita Gaïa et sa suite à prendre
le repas du soir dans la tente royale, en plein milieu du
campement.

Confectionnée par les femmes gétules, à partir d'un
assemblage de bandes de laine et de bandes de tissus en poil
de dromadaire et décorée de plusieurs motifs géométriques,
la toile de la tente était fixée sur des piquets en bois. De
couleur ocre rouge, elle se confondait parfaitement avec la
teinte du soleil couchant. Une natte était fixée autour du
toit afin de conserver l'intimité des convives et la protéger
du vent et surtout des tempêtes de sable. À l'intérieur,
l'espace était divisé. Vers le sud, la partie intime était

réservée aux femmes et l'autre ouverte pour les hommes. C'était là que furent accueillis les hôtes du roi Isalkas à qui on offrit un thé brûlant en signe de bienvenue. Le sol était couvert de tapis et de nattes aux couleurs vives et chaleureuses, disposés avec un soin particulier avec d'autres objets de décoration.

— En plus d'y accueillir nos invités, notre habitat est aussi un espace pour célébrer tous les évènements forts de notre vie, comme les mariages ou les naissances, expliqua Isalkas à ses invités. Elle sert enfin de lieu de recueillement ! ajouta-t-il en croisant ses jambes en position du tailleur.

Les invités l'imitèrent et chacun prit place autour des écuelles en bois remplies de couscous à la viande de mouton rôtie.

Pendant le repas, le roi Isalkas parla de la chasse pratiquée dans sa région et des différents animaux qui composent la faune des forêts de Theveste, précisant :

— A côté de ces nombreux fauves qui pullulent dans les forêts et les steppes de la Numidie, l'animal le plus fascinant est sans conteste l'éléphant !

— Mais comment faites-vous pour capturer ces énormes créatures ? demanda Massinissa.

— Oh, c'est assez simple ! Il suffit de creuser une tranchée en pente douce, sans issue vers laquelle on rabat l'animal.

— En effet, expliqué de cette manière, c'est assez simple. Mais comment faites-vous pour l'apprivoiser ?

— On le dresse, on ne l'apprivoise pas ! Ce n'est pas un animal sauvage, même s'il peut être dangereux parfois, quand il doit défendre ses petits contre des prédateurs. Pour le dresser, on commence par le priver de nourriture pendant un jour ou deux, puis on désigne un dresseur qui s'occupera de lui durant toute sa vie.

— Je ne comprends pas pourquoi vous devez l'affamer le dresser, intervint Massinissa.

— Oh, jeune prince, c'est grâce à ça que le dresseur peut le faire travailler. Il s'emploie à lui donner à manger peu à peu pour récompenser son obéissance, jusqu'à ce qu'il se crée entre eux une complicité comme celle que tu as pu établir avec ton cheval !

— Tzil !

*

Ils savourèrent cette nuit-là la vraie vie des nomades telle qu'ils la connaissaient tous à travers les récits des anciens. Ils se régalèrent de couscous partagé autour d'un plat commun et la veillée fut animée par des chants au son des flûtes, au rythme des rires et des tambourins des danseuses. Après quoi, ils sortirent de la tente pour observer le ciel étoilé de la Numidie dans lequel ils reconnurent sans hésitation la voie lactée, Orion, le Cygne, le Dragon et surtout Tamanart, que les anciens appelaient aussi Sirius. Ils passèrent ensuite une partie de la nuit à la belle étoile, près d'un grand feu, roulés dans leurs manteaux de laine, autour d'un grand feu. Leur hôte leur raconta plein d'histoires sur la chasse au lion et autres fauves sauvages. Massinissa en voulait toujours plus.

— Que peux-tu m'apprendre sur les éléphants, roi Isalkas ?

— L'éléphant de guerre est toujours un mâle, capturé dans la nature à l'état adulte, car sa croissance lente aurait rendu trop coûteux l'élevage d'éléphanteaux.

— Que vaut-il sur un champ de bataille ?

— Il a surtout l'avantage d'effrayer les cavaleries adverses et de piétiner tout ce qui passe devant lui. Malheureusement, passée la première surprise, il n'est pas invulnérable. Son utilisation s'est avérée à la longue plus difficile que prévu. Son cornac, monté à califourchon est lui-même exposé aux flèches et la bête privée de guide peut alors semer un grand désordre dans ses propres rangs.

— Il devient alors incontrôlable, n'est-ce pas ?

— Exact. Surtout s'il est effrayé !

— Selon toi, il existe bien une complicité entre l'éléphant et son guide, comme celle d'un cavalier et de son cheval ?

— C'est certain ! Dès que la confiance est établie entre le maître et l'éléphant, ce dernier comprend et obeit. Sa mémoire lui permet de se souvenir des manœuvres qui lui ont été enseignées et il les exécute docilement. Sache que les prêtresses d'Afrika vont jusqu'à lui trouver des sentiments d'amour et de passion proches de celles que peut ressentir un humain, ce qui les incite à l'admirer comme l'animal fétiche, c'est pour cette raison qu'elles font l'éloge de son intelligence, sa docilité et sa douceur. Avec sa trompe, l'éléphant écarte les animaux qui sont devant lui pour ne pas les écraser. Ces pachydermes marchent toujours en groupe, détestant la solitude. En amour, ils sont aussi très pudiques. Lorsqu'ils copulent, ils le font dans le plus grand secret. Le mâle est apte à la procréation à cinq ans alors que la femelle l'est vers dix ans. Elle ne reçoit le mâle que tous les deux ans et seulement sur une petite période de cinq jours. Le sixième jour, elle se baigne dans une rivière et va rejoindre le groupe. Elle reste fidèle à son mâle durant toute sa vie.

— Tu parles de ces animaux comme si c'étaient des êtres humains, roi Isalkas.

C'était à cette époque de l'histoire de la Numidie que les éléphants ont été équipés d'une cuirasse et d'une tour placée sur leurs dos pour porter quelques soldats en plus du cornac. La plus grande difficulté pour Karthage était celle de l'approvisionnement en éléphants venus du pays des Gétules où il était difficile pour eux d'établir des contacts pérennes avec ces peuplades à l'humeur changeante.

L'utilisation militaire des éléphants fut pas encouragée trop longtemps pour des raisons de logistique, car leur entretien était trop coûteux et leur utilisation souvent délicate. Mais leur force tranquille en imposait et trouva plus tard une utilisation dans les parades de vainqueurs ou les célébrations solennelles.

Pour ramener ces armes de guerre, l'Aguellid Gaïa partait à chaque fois en personne à la rencontre de son allié le roi gétule Isalkas. Il s'enfonçait dans les terres marécageuses du sud-est, territoire limitrophe des tribus des pasteurs rebelles gétules et avec l'aide d'hommes expérimentés dans la chasse et la capture des éléphants, il remplissait son contrat de fournisseur officiel de Karthage en pachydermes. Ces chasseurs expérimentés savaient repérer l'itinéraire quotidien des éléphants, car ils empruntaient toujours les mêmes pistes pour aller vers l'eau. Là, ils les attendaient à cheval avec une patience de félin pour les poursuivre dès leur arrivée, en poussant des cris de guerre pour les affoler. Talonnés par les cavaliers, les éléphants venaient se rabattre dans une impasse aménagée de fossés, en forme de cul-de-sac, pour les empêcher de fuir. Pris au piège, les pachydermes tournaient en rond et barrissaient de rage et de peur faisant tournoyer autour d'eux des nuages de poussière jusqu'à l'épuisement. Tourmentés ensuite par la faim et la soif, ils finissaient toujours par se résigner et en signe de soumission, acceptaient finalement la branche tendue par la main de celui qui deviendrait leur cornac.

Ensuite, Gaïa se chargeait de les embarquer pour les conduire au lieu de rendez-vous avec Azrou Baal fils de Giscon, qui les acheminait à Karthage où ils étaient dressés au combat pour être envoyés ensuite sur le front ibérique.

*

Dans les forêts massylès, en plein territoire de Theveste, à l'endroit où le fleuve Bagrada formait un bras assez large sur les deux rives, il y avait d'une lagune couverte de grands roseaux. Là venaient s'ébattre d'immenses troupeaux d'éléphants. Gaïa et ses compagnons y arrivèrent au bout d'une demi-journée de marche.

— C'est ici que les éléphants accomplissent un rituel, expliqua Isalkas. Ils se purifient à chaque nouvelle lune dans la partie du fleuve Bagrada que nous appelons ici Amilou. Sous les rayons de la nouvelle lune, ils s'y aspergent, puis disparaissent dans les bois après avoir salué l'astre de la nuit. Les anciens les disent doté d'une sensibilité religieuse.

— Et ils retournent-ils toujours au même endroit, tous les mois ? demanda Massinissa.

— Ils possèdent une mémoire semblable à la nôtre. Ils n'ont jamais manqué ce rendez-vous. Ils y trouvent les quantités abondantes d'eau et d'herbe qui leur permettent de passer la saison sèche sans souffrir de la soif et de la faim, assura le roi Isalkas.

La chasse dura trois semaines. Massinissa apprit tout ce qui concernait les éléphants et leur guide. Laminias et le prince devinrent très proches et le natif du pays se fit une joie de faire découvrir à son hôte les merveilles de sa cité.

— Les anciens disent que sa fondation remonte au temps où Héraclès daigna s'y reposer dans une de ses courses vagabondes à travers le pays. Très tôt dans son histoire, notre cité a été un carrefour de communication important avec les autres cités du royaume Massylès comme Kirtha et Hibboune la royale, mais aussi avec Karthage et les régions du sud, affirma Laminias.

Massinissa visita tous les édifices de Theveste et sa curiosité fut pleinement satisfaite au sujet du forum, du théâtre et de l'amphithéâtre qui se composait de deux demi-cercles ainsi que de l'aqueduc semblable à celui qui alimentait Kirthan. Il s'intéressa particulièrement au temple de la déesse Africa, situé dans une zone en arcades et dont l'entrée était ornée de la statue de la déesse avec une dépouille d'éléphant sur la tête et deux défenses de chaque côté.

— À l'époque de la révolte de ton oncle Mathan contre Karthage, lui rappela Laminias, les insurgés avaient d'abord été dirigés sur Sicca. Le suffète Hannon, chargé de les réduire, les poursuivit jusqu'ici où la plupart d'entre eux trouvèrent refuge et assistance.

— Le général karthaginois en personne assiégea donc la cité ?

— Oui, mais elle se rendit finalement et lui fournit trois mille otages en témoignage de sa soumission. La domination karthaginoise avait duré une cinquantaine d'années avant que ton père, l'Aguellid Gaïa et sa cavalerie ne viennent la libérer.

À la mort du suffète Yaudas, lors des combats, mon père Isalkas accepta la paix avec ton père pour que les nôtres se joignent à la population locale. Mon père finit même par être élu à la tête de la cité.

— Mon père était un visionnaire. Il a eu raison de faire confiance à ton père pour diriger la ville !

— Pour protéger la cité des invasions des autres tribus gétules du sud, il fit construire un rempart qui assura une sécurité pérenne et encouragea les marchands de toute la région à venir s'y installer. Les agriculteurs qui avaient fui les incursions régulières et meurtrières des nomades retournèrent à leurs domaines et les agrandirent en les étendant sur les hauts plateaux à perte de vue. Ils y plantèrent des arbres, dont un grand nombre d'oliviers et encouragèrent l'implantation d'huileries à grande échelle.

Pour entreposer le grain après la récolte, le roi Yaudas avait fait creuser des silos souterrains, reliés entre eux par un réseau de communication qui permettait le passage à hauteur d'homme. C'est là, à Tazbent, que les céréales de toute la région étaient stockées. Son successeur Isalkas, pour accompagner l'essor agricole et artisanal de la cité, fit construire de grands quais qui bordaient le fleuve Bagrada et deux ponts supplémentaires pour faciliter la communication avec le faubourg oriental de la cité qui s'embellit rapidement de belles et luxueuses demeures marquant l'avènement d'une ère de splendeur pour Theveste.

Massinissa et Laminias passèrent un jour au célèbre marché de la cité.

— Le marché est connu au-delà des frontières du royaume des Massylès. C'est un véritable carrefour pour toutes les provinces du sud, du royaume des Massylès et de la république de Karthage.

En effet, géré par le suffète de la cité, il se tenait deux fois par mois et attirait les petits fermiers du voisinage ainsi que les caravaniers qui remontaient du sud. Le suffète veillait à ce que les échanges se fassent avec honnêteté, car il était toujours possible pour certains marchands peu scrupuleux de profiter des circonstances en se procurant du blé dans les moments d'abondance afin de le revendre plus cher dans les moments de disette.

Au moment du départ vers le nord, Dihinna, la mère de Laminias vint en personne dans la tente du prince Massinissa pour lui demander de veiller sur son fils.

— Il est comme ton frère, dit-elle à mi-voix.

— Mais je le considère désormais comme tel, affirma le jeune prince avec sincérité.

— Que les cieux t'entendent et t'accordent une longue vie, prince Massinissa, répondit Dihinna en lui prenant la main droite, tout en l'examinant un bon moment. Gêné, Massinissa voulut la retirer.

— Ma mère lit dans les lignes de la main, assura Laminias. Même si elle renferme un mystère très ancien, la ligne de la main est une source incroyable d'informations.

Fais-lui confiance, elle peut t'éclairer sur ta vie et le monde qui t'entoure.

— Cette courbe est large. Elle indique que tu es quelqu'un de miséricordieux et généreux. Tu aimeras les enfants et tu en auras beaucoup. En quête d'exploration perpétuelle, tu garderas toujours l'esprit ouvert. Très passionné et sensuel, ta relation avec les autres sera un tout, d'une manière fusionnelle, annonça Dihinna.

— Tu as vu tout ça rien que dans ma main ? s'étonna le prince.

— Bien sûr ! Ta soif d'apprendre te conduira là où se trouve la connaissance pour satisfaire ta curiosité naturelle. Tu seras ouvert sur le monde et tu sauras te remettre en question quand il le faudra ! Quant à ta vie, elle sera longue et fructueuse ! Tu seras un grand souverain pour ton peuple.

— C'est dans ma main, ça aussi ? demanda Massinissa.

— Non, dans ton cœur, jeune prince ! lui répondit-elle en posant un baiser sur son épaule droite.

Et les deux jeunes amis promirent de se protéger mutuellement en toute circonstance.

*L'intelligence n'est pas toujours
du ressort des instruits.*
Maître Aberkan : –295/–203

La dernière phase de l'instruction des jeunes numides touchait à sa fin. Aberkan avait fait en sorte que la transition de Kirthan à Hibboune la royale se fasse sans dommage ni pour ses disciples qui retrouvèrent peu à peu leurs repères et anciennes habitudes, ni pour lui-même qui retournait dans son pays natal qu'il avait quitté depuis plus d'une cinquantaine d'années.

— Mes disciples, dit-il, avant de vous laisser entamer votre vie d'adulte et aller chacun sur la voie que vous avez choisie avec vos tuteurs, je vais vous raconter l'histoire de Psaphon qui voulait obtenir de la vie un bonheur facile et ne trouva pas meilleur moyen d'y parvenir qu'en se faisant passer pour un dieu auprès de son peuple.

Les jeunes numides étaient friands des récits et des contes par lesquels le maître les aidait à mémoriser ses enseignements. Aussi, le silence se fit-il immédiatement autour de lui.

— Or donc, dit-il, Psaphon commença par chasser et recueillir un grand nombre de perroquets auxquels il s'employa à faire répéter sans cesse l'expression « Le grand Dieu Psaphon ! » Quand il jugea qu'ils l'avaient apprise, il les lâcha dans la nature. Les volatiles se répandirent aussitôt dans les montagnes environnantes et autour de la cité. Dans leur espace naturel, ils répétèrent ce qu'ils avaient appris aux autres oiseaux jusqu'à ce que tout l'espace retentisse des mots « Le grand Dieu Psaphon ! ». Face à ce phéno-mène, ne doutant pas que les oiseaux étaient inspirés par les dieux, les gens du peuple commencèrent par faire des offrandes à Psaphon et ne tardèrent pas à l'élever au rang d'un dieu ! Moralité, il ne faut jamais se laisser séduire par les apparences, ce qui paraît évident peut être le fruit de la manipulation ! Quand les oracles s'expriment, c'est toujours par des phrases mystérieuses qui accroissent leur pouvoir de manipulation !

— Maître Aberkan ! intervint Kabassen, une mauvaise intention se dissimule-t-elle forcément derrière leurs mystérieuses paroles ?

— On essaye de nous faire croire, jeune prince, que les dieux ne sont pas capables de nous parler dans un langage clair afin qu'on puisse les comprendre et exécuter leurs volontés !

— Et si nous n'étions pas capables de comprendre le même message à cause de nos différences intuitives ! Cela peut expliquer le mystère non ?

— Quel mystère ? C'est toujours les mêmes messages que les oracles prédisent ! Une fois c'est la guerre qui nous menace, une autre fois c'est la terre qui va trembler ou une famine qui va accabler notre peuple ! Mais jamais on ne nous communique le moyen d'empêcher ces fléaux meurtriers ! Pourtant, ces dieux, s'ils se manifestent à travers les bouches des prêtresses, c'est bien pour nous venir en aide non ?

— Si l'intuition exceptionnelle des prêtresses leur permet de comprendre les messages des dieux pour nous les transmettre, comment être sûr que ce sont bien leurs voix qu'on entend quand ils s'adressent à nous par les rêves ? interrogea Samyan.

— En réalité, le doute existera toujours quand il s'agit de distinguer la voix des dieux de celles de nos propres pensées. C'est pour cela qu'il faut travailler sans relâche son intuition, comme je vous ai appris à le faire, depuis que vous êtes devenus mes disciples !

— Les religieux seraient-ils tentés de nous dissimuler la voie du salut ? questionna Atys, sortant du mutisme chronique qu'il observait depuis la mort de ses parents.

— Il serait plus digne des religieux de nous apprendre à améliorer notre sort et à ne pas être obligés de dresser des remparts autour de nos cités et même autour de nos vies !

— Maître Aberkan ! La religion peut-elle empêcher les hommes de se faire la guerre ? demanda Kabassen, de moins en moins porté par des aspirations martiales.

— Non ! Évidemment. Nous avons plutôt besoin de sagesse pour ne pas vivre dans des contradictions qui demeurent à l'avantage d'un ordre mystique. Cet ordre qui fait de notre ignorance un fonds de commerce ! Nous avons besoin de sécurité pour arriver à destination !

— Quelle est cette destination, maître ? interrogea Massinissa qui avait été un peu distrait jusque-là.

— La raison, l'intelligence sont des terres qu'il vous faudra aborder comme un territoire à conquérir ! Inutile de penser réussir d'autres conquêtes si celles-là ne sont pas déjà réussies !

Il se tut, jeta un regard circulaire puis reprit son discours avec la même véhémence.

— Certains d'entre vous vont se séparer. Le prince Massinissa va partir à la conquête de la cité des marchands et découvrir le monde punique tel qu'il est, le prince Kabassen restera ici et devra assumer ses responsabilités de prince héritier, Atys pleure ses parents mais devra reprendre l'atelier de son père, ainsi qu'Amzal, la forge de son père, mais tous, vous avez reçu une éducation droite et vos esprits sont sains ! Ne vous laissez pas éblouir par les lumières de la cupidité au risque de rendre vos corps malades, dépendants d'artifices qui vous feront croire que la vie est meilleure en possédant des produits dont vous n'avez nul besoin élémentaire.

— Même si cela contribuait à nous donner du bonheur ? interrogea à nouveau Atys

— Votre bonheur se trouvera ailleurs, répondit laconiquement maître Aberkan.

— Quel mal y a-t-il à vouloir s'équiper d'artifices pour améliorer sa vie, maître ? demanda Samyan, dont le père faisait déjà à Kirthan le commerce de tous ces objets qui venaient de la cité des marchands.

Maître Aberkan voulut esquiver la réponse et tenta de chercher un moyen pour ne pas blesser l'amour-propre de son disciple, le fils du colporteur.

— Méfiez-vous de certains marchands ! Ils maîtrisent l'art de vous présenter les produits de leur manufacture comme un besoin alors qu'au final, vous vous apercevrez que votre bourse a été allégée juste pour un plaisir éphémère !

— Mais si c'est pour se faire plaisir, cela ne vaut-il pas le coup ? rétorqua le petit Mezhian.

— Il vous faudra renouveler sans cesse cette sensation, sans quoi vous vivrez frustré de ne pas l'obtenir ! Le mal est dans ce cercle vicieux que l'on nomme l'addiction.

— Mais comment résister à la tentation ? insista Kabassen.

Maître Aberkan le regarda profondément et son ton n'avait rien perdu de sa déférence lorsqu'il reprit son exposé :

— Je me suis contenté de vous dispenser un enseignement tout en vous voyant tels que vous existez et non tel que je voulais que vous soyez ! Je n'ai cédé ni à vos parents ni aux recommandations des anciens qui continuent à enfermer le savoir dans leurs sanctuaires. Seule votre volonté peut vous aider à lutter contre l'instinct en aiguisant votre intuition tous les jours jusqu'à en faire une arme efficace. Pour les premiers, il est normal qu'ils projettent leurs propres rêves sur votre avenir, quant aux seconds, détenteurs de la conscience collective, ils ne sont pas familiers avec les révolutions qui vont bientôt bouleverser notre monde, comme jamais il ne l'a été.

En ce dernier face à face, maître Aberkan présenta une synthèse de ses enseignements, e, évoquant son action personnelle et son investissement intellectuel avec le soutien et la complicité de la reine Titrit, car c'était bien elle qui avait initié ce parcours au-delà de la période de l'Ergaz.

— L'intuition c'est la forme supérieure de l'intelligence. La subtilité de l'intuition c'est de sentir les choses avant de pouvoir les expliquer, car les choses n'arrivent pas par hasard, ce dernier n'étant que la somme de nos ignorances.

— Le hasard n'est donc pas associé aux énigmes de la vie ? demanda Kabassen.

Maître Aberkan, comme à son habitude, préféra répondre par une parabole.

— Prenez l'énigme du Sphinx que vous connaissez ! On peut l'expliquer par le symbolisme des quatre éléments, car il a un corps de taureau, c'est l'élément terre, une tête d'homme et des pattes de lion, c'est l'élément feu et porte sur la tête un serpent et un aigle, c'est l'élément eau et air. Vous comprenez que, pour celui qui maitrise le symbolisme astrologique en particulier, il n'y a pas d'énigme en réalité. Qui d'entre vous peut nous rappeler le symbolisme de chaque élément ?

— Le feu est le symbole de l'initiation. L'eau celui de la spiritualité, l'air celui de la quête de la vérité et la terre, celui de la matière, répondit Massinissa.

— Et le symbolisme de la religion ? demanda Kabassen.

— Ah ! Je vois où tu veux en venir, répondit le maître. Méfiez-vous de ceux qui vous parleront de la culpabilité originelle, comme le font les prêtres de la nouvelle religion. Ils s'inspirent des grands mythes religieux des Sémites et il leur semble évident de convaincre les hommes des cités, qui se prétendent civilisés, que tout ce qui avait existé avant était meilleur. De ce fait, ils continuent à perpétrer la croyance, sous forme de tradition à conserver et surtout à transmettre, en un être déchu, fatalement par un être qui lui était supérieur.

— À quoi leur sert-il de mentir ainsi ? N'en éprouvent-ils pas des remords ?

— S'ils le font aujourd'hui, prince Kabassen, c'est sans doute à leur insu, car ils sont eux-mêmes confinés dans une vérité qui leur semble absolue, mais issue originellement d'une manipulation.

— Mais dans quel but, maître ?

— De posséder. De tout posséder. Corps et esprits sont des territoires faciles à conquérir. Il suffit de trouver la bonne méthode pour les attirer, comme la tentation de vivre une vie meilleure dans l'au-delà, répondit Aberkan avec une mélancolie palpable dans la voix

— S'il est acquis que la mort n'est qu'un passage, un sas vers une autre forme d'existence, pourquoi alors certains s'acharnent à posséder plus qu'il n'en faut alors qu'il leur suffit du peu pour se contenter d'y arriver ? interrogea Kabassen, exprimant son ressentiment.

— Cela ne leur suffit pas ! confirma maître Aberkan, toujours sur le ton de l'âcreté. Puis il se ravisa. Pour la dernière leçon, il avait choisi de marquer leurs esprits par une note de gaieté. La fin de votre cycle d'enseignement sera couronnée par une fête au palais, ce soir !

Telles furent les dernières recommandations que les disciples d'Aberkan entendirent de la bouche de leur maître au sein de leur école du progrès. Ils achevèrent ainsi leur seizième année avec pour chacun d'eux des projets et des destins différents qui allaient les plonger dans des univers merveilleux pour les uns et d'affliction pour les autres.

Qui a étudié les hommes a appris à les connaître.
Aguellid Aylimas 2 : –350/–285

La communauté hébraïque était installée dans le faubourg
sud-est de Kirthan. Rav Jacob Elli Yamin était le guide spiri-
tuel de la trentaine de familles qui la composait. Il assurait
un enseignement religieux, prononçait des sermons, célébrait
mariages et obsèques mais, par-dessus tout, jouait un rôle
social et politique en prenant part au dialogue interreligieux
institué depuis son accession au trône par l'Aguellid Aylimas,
le père d'Ylès.

Les Cananéens, installés à Sarim Batim, sur l'autre
rive du rocher de Kirthan, avaient toujours exprimé une
aversion inexplicable pour ces nomades venus se sédentariser aux alentours de la cité, quelques siècles auparavant.
Certes, leurs religions étaient différentes mais, à quelques
mots près, leur langue était la même. Les Cananéens
avaient leur temple dédié au dieu Moloch, et les Hébreux
leur propre temple, en plein milieu de leur bourg. Ils y
honoraient leur divinité unique, El.

Amessan avait été chargé par le Conseil des Anciens de
maintenir le dialogue entre les communautés réunies autour
de Kirthan, ce qui l'amenait à rendre aussi souvent que
possible, visite à leurs chefs spirituels. Ces visites étaient
destinées à s'assurer de leur confort, à échanger des idées et
se rapprocher des autres spiritualités. Les Hébreux avaient

choisi de suivre les Massylès dans leur terre de repli, à Hibboune la royale.

Un jour, Amessan demanda à maître Aberkan, qu'il savait instruit dans les spiritualités étrangères sans pour autant adhérer à aucune d'entre elles en particulier, s'il pouvait l'accompagner lors de la prochaine visite, avec un de ses disciples, de préférence celui qui aspirerait à reprendre cette charge établie avec les communautés étrangères.

— Le plus érudit de mes disciples sur ces questions est sans conteste le prince Kabassen, assura Aberkan. C'est celui qui manifeste le plus d'intérêt pour les affaires spirituelles, du moins plus que tous les autres disciples.

— Tu acceptes donc l'invitation ?

— Oui, mais je dois d'abord en informer le prince.

— Entendu, mais je veux ta réponse avant demain soir.

Kabassen fut enchanté d'aller à la rencontre de cette communauté réputée hermétique et discrète. Tous trois furent donc reçus, par un après-midi ensoleillés, à l'extérieur du temple, dans un cadre aussi austère que l'accoutrement de leur hôte qui fit montre d'une convivialité très marquée. Le Rabbin Jacob Elli Yamin était entouré de deux jeunes prêtres qu'il présenta comme étant l'un l'*Hazan* et l'autre le *Dayan* de sa communauté et qui restèrent silencieux durant l'entretien. Ce fut le Rabbin qui donna des explications sommaires sur leurs fonctions respectives à la demande d'Amessan.

— Lui, c'est notre chantre. C'est lui qui lit la Tora et entraîne notre communauté lors de l'office et lui c'est un des juges qui dirigent notre *Beth-din*, notre tribunal.

Les Hébreux se montrèrent intéressés par la qualité du jeune visiteur qu'Amessan présenta comme le prince héritier et, par conséquent, le futur aguellid du royaume des Massylès.

La discussion eut lieu à l'ombre d'une vigne grimpante. Amessan s'informa d'abord des conditions dans lesquelles ils se trouvaient dans leur nouvelle cité portuaire et insista au nom du conseil des anciens pour que la communauté des Hébreux ne reste pas enfermée dans son bourg, comme c'était le cas à Kirthan et souhaita qu'elle participe davantage à la vie de la cité, comme le faisaient les Cananéens, par ailleurs, qui étaient venus les rejoindre à leur tour dès qu'ils avaient compris que Syphax ne leur apporterait rien de meilleur que Gaïa. L'Aguellid les avait fait installer sur le seul terrain disponible et à l'abri des vents septentrionaux, non loin du bourg des Hébreux.

À l'évocation des Cananéens, Amessan perçut un certain malaise chez le Rabbin Jacob qui prit à son tour à la parole pour exprimer sa contrariété :

— Nous vivons selon nos lois, qui diffèrent de celles des Cananéens, c'est pourquoi cette proximité nous dérange un peu, se plaignit-il.

Aberkan eut la même impression, ayant senti la réticence du Rabbin à se rapprocher des autres peuples. Ce qui était possible à Kirthan ne l'était malheureusement pas sur un terrain ouvert et évasé comme celui d'Hibboune la royale. Jacob alla même jusqu'à justifier son attitude comme une recommandation de leur dieu El, qui les empêchait d'aller à la rencontre des autres religions, et particulièrement celle des Numides qu'il qualifia d'aussi mystérieuse qu'étrange. Il tenta de démontrer à ses visiteurs que toute démarche ou quête vers Dieu appelait une attitude basée sur la nécessaire soumission à Dieu. Ce à quoi Amessan répliqua :

— Notre attachement à la spiritualité ne dérive d'aucune crainte, que ce soit celle de la divinité ou celle de la mort.

Le propos fit vivement réagir Jacob.

— La crainte du Seigneur est pourtant le commencement de la sagesse et de la foi ! dit-il N'est-ce pas un poète égyptien qui affirmait il y a longtemps déjà que la crainte fut jadis la matrice des dieux ?

— Si la croyance religieuse doit résulter d'une telle crainte, elle ne peut se concevoir ainsi chez les hommes libres. Car nous ne nous percevons pas comme les créatures d'une divinité et nous ne concevons pas non plus le monde comme l'œuvre d'un dieu créateur, dit Amessan.

— Et comment concevez-vous la création du monde si ce n'est comme le fait d'un Dieu tout puissant ? interrogea Jacob en faisant mine de faire un effort visible pour comprendre la religion des Numides, aussi singulière soit-elle.

Jacob, convaincu de détenir la vérité, il s'employa à démontrer l'absolue nécessité de recourir à une puissance suprême qui a mis le monde à la disposition de l'homme mais Amessan redoutant cet attachement au dogme, le fixa droit dans les yeux, et reprit :

— Pour nous, le monde est davantage un ordre intemporel dans lequel tant les dieux que les hommes ont leur place, leur temps et leur fonction.

— Vous ne croyez donc pas à la création du monde par un dieu, rétorqua son interlocuteur, mais que dites-vous de la fin du monde, car il y en a bien une, n'est-ce pas ?

— Nous avons eu connaissance des idées babyloniennes de la création et de la fin du monde avec un jugement dernier inaugurant un règne nouveau de dieu au cours duquel tout sera transformé de fond en comble...

— Et ces idées sont incompatibles avec vos croyances ancestrales ?

— Profondément, oui ! Nous croyons à une succession sans début et sans fin des naissances et des déclins du monde. Les crépuscules destructeurs seront fatalement suivis d'aurores rénovatrices.

Il s'interrompit pour reprendre son souffle et vérifier en même temps si son hôte et les deux prêtres suivaient toujours son raisonnement.

— Poursuis donc, Amessan, nous essayons de comprendre tes paroles, mais mes assistants ne te répondront pas aujourd'hui.

— Notre livre sacré décrit d'ailleurs ce sentiment avec une véracité poignante, enchaîna Amessan, sans trop dévoiler le fond de sa pensée. L'occasion pour lui de solliciter l'immense souvenir de la lecture de ce passage dans le livre.

— Tu fais référence au codex d'Aylimas, dont tu m'as déjà parlé ?

— C'est exact, Jacob.

— Bien. Mais pourquoi ce codex n'est-il pas accessible aux non-initiés à votre religion ? Ne peut-on pas le lire et le commenter ?

— Hélas, Jacob ! Non, ce n'est pas possible.

— Et pourquoi cela ?

— Parce que toute vérité n'est pas bonne à dire à quiconque n'a pas encore eu le besoin de savoir, lâcha Amessan, en choisissant ses mots avec mesure pour ne pas heurter son hôte.

— La vérité ne peut émaner que de Dieu, l'unique ! Bon, vous prétendez détenir une vérité, mais laquelle ? Comment peut-on y accéder si personne d'autre que vous ne peut pas la découvrir ?

— Penses-tu obtenir de moi quelque passe-droit pour accéder à des connaissances vieilles comme le monde, sans en payer le prix ? répliqua Amessan, qui se disait que Jacob nourrissait à son encontre le même soupçon de sectarisme que lui-même avait évoqué au début de leur rencontre à propos des Hébreux.

— S'il faut payer pour cela, dites-moi plutôt combien cela me coûterait, insinua le Rabbin accompagnant sa parole d'un geste d'impatience.

— La question n'est pas marchande, Jacob ! coupa sèchement Amessan. Ce n'est pas combien qu'il conviendrait de
dire, mais en cette circonstance, plutôt quoi !

— Comment ça quoi ? Je ne comprends plus du tout
notre propos Amessan qui sait tout. Jacob fit mine de
s'emporter en levant les bras vers le ciel comme pour
prendre son dieu à témoin.

— Tu te trompes encore une fois Jacob, Amessan veut
dire celui qui sait, mais pas celui qui sait tout. De toute
façon, je n'ai jamais eu cette prétention face à l'immense
savoir de nos anciens ni de détenir la totalité de leurs
connaissances.

Il se tut et prit le temps de réfléchir un moment à la
manière de reprendre le fil de son raisonnement. Il tenta
de chasser de son esprit l'envie de ne pas donner entière
satisfaction à Jacob, tout en évitant de se prêter à un débat
d'idées stérile, comme le sont tous les débats prosélytes. Ce
fut le moment que choisit maître Aberkan pour prendre la
parole avant qu'Amessan n'intervienne à nouveau et avec
son approbation.

— Rabbin Jacob, nous croyons, comme les Héllènes
d'ailleurs, à des cataclysmes successifs, suivis de nouveaux
dieux et de nouveaux mondes. Ainsi pour nous il n'y a
pas représentation d'une unique fin du monde à venir,
d'une fin du monde qui serait précédée de la venue d'un
sauveur annonciateur d'un jugement dernier.

— Très juste, mon ami. Mais dis-moi, qui vous a parlé
du Messie et de son retour à la fin des temps ? Vous me
paraissez bien plus instruit que vous ne le laissiez paraître,
mon ami !

— J'ai passé une partie de ma jeunesse à voyager, en
quête de vérité ! J'ai effectué un séjour en orient et je suis
resté quelque temps en Perse où j'ai cru comprendre que
serait née cette vision religieuse que vous avez du déclin du

monde. Vous semblez vous en attribuer la paternité alors
qu'elle fut implantée bien plus tard dans le monde judaïque.

La phrase eut le don d'irriter Jacob.

— Notre foi ne peut avoir ses origines chez les Perses,
dit-il.

— La foi peut-être pas, mais ses mythes fondateurs…

— Et même s'ils ont été nos libérateurs jadis, l'interrompit Jacob dans un sursaut d'amour-propre, réagissant
comme s'il se rendait compte que son interlocuteur n'était
certes pas initié à sa propre religion mais était doté de
solides connaissances et d'un savoir ancien.

— Éclaire-nous donc, Jacob. En quoi se résume votre
foi ? interrogea Amessan, qui ne voulait pas mettre son
hôte mal à l'aise à propos de l'antériorité des croyances,
chaque peuple prétendant être à l'origine de ses propres
vérités.

— Eh bien, Amessan, mon ami, puisque tu me poses
la question directement, je te répondrai que notre foi ne
peut se transmettre sans la soumission à un dieu unique,
le dieu d'Abraham et de Moïse. C'est un préalable à tout
enseignement religieux sur lequel on doit bâtir un socle
de croyances communautaires.

— Et vous restez soumis à votre dieu, malgré toutes
les calamités que vous avez subies depuis des siècles par sa
volonté ? intervint Aberkan, resté sur sa faim.

— Évidemment ! Notre survie à Babylone en dépendait
jusqu'à ce que les Perses nous libèrent de l'esclavage auquel
l'éternel Dieu nous a volontairement soumis à cause de
notre manque de foi en lui, argumenta Jacob en prenant
un air affligé et regardant vers le ciel pour implorer un
secours providentiel.

Puis il fixa à nouveau ses invités. Il constata que Kabassen
manifestait un intérêt très particulier pour la conversation
et prenait de temps à autre des notes sur un parchemin. Il
décida de détourner l'attention sur lui.

— Prince Kabassen, tu ne sens pas le besoin vital de te soumettre à un dieu ?

Le jeune prince fut surpris par la question, mais répondit presque sans réfléchir, tant cette pensée avait déjà été maintes fois ressassée dans son esprit avec Titrit et même avec son maître, présent.

— Nous ne concevons pas notre monde comme la création d'un dieu auquel il faut absolument se soumettre !

— Nous ne nous considérons pas non plus comme ses créatures, ajouta Aberkan. Nous ne sommes donc pas liés, ni déterminés par la volonté de quiconque.

— C'est ce qui fait de nous des hommes libres de toute tutelle, compléta le prince Kabassen.

— Bien, admit Jacob. Alors comment pouvez-vous témoigner votre religiosité vis-à-vis de Dieu et lui manifester votre piété si vous niez tout lien entre lui et vous ?

— Mais rien de plus simple, mon ami Jacob, expliqua Amessan. C'est qu'aucune de nos manifestations religieuses ne perçoit l'homme libre comme un esclave soumis à un dieu absolu. La soumission servile de l'homme à Dieu est une caractéristique de peuples sémitiques, comme le vôtre. Nous constatons que les noms de Baal, Moloch et autres désignent des avatars d'un dieu absolu devant lequel doivent se prosterner, le front collé au sol, des hommes esclaves : ses créatures ! Alors que pour nous, au contraire, honorer Dieu, prier une divinité, c'est encourager et cultiver toutes les impulsions nobles de l'homme, parce qu'il n'est pas serviteur ou esclave d'un dieu jaloux et absolu.

Jacob avait déjà entendu parler des croyances païennes, mais cette spiritualité lui était jusque-là inconnue. Aberkan en profita pour ajouter quelques mots à ce que venait de dire Amessan.

— Vois-tu, mon ami Jacob, nous ne prions pas à genoux ou ployé en direction de la terre, mais debout et le regard tourné vers le haut, les bras tendus vers le ciel.

— Et que dites-vous dans vos prières ?

— Nous honorons le ciel qui est notre père, celui qui nous a engendrés. Nous honorons aussi notre famille céleste qui fut notre origine avant d'être implantés sur la terre, notre mère ! récita de mémoire Kabassen, ravi de pouvoir revenir dans le débat.

— Et si le ciel a engendré la terre, quels sont alors selon vous, les fruits de cette union ? demanda Jacob, sincèrement perplexe.

— Le père féconda son épouse pour donner naissance aux hommes, tous les hommes sans exception ! précisa Kabassen, voyant naître dans le regard du rabbin une question à venir.

— Ainsi, vous prétendez descendre d'une origine divine ?

— Bien entendu ! confirma Amessan. L'homme descend du divin et son âme émane du monde céleste. C'est cela le fondement de notre croyance. Le corps est le produit de cette fécondation céleste.

— Amessan ! Par le dieu d'Abraham, tu me parles d'un mystère que j'ignore et que je ne peux pas comprendre pour l'heure. Je dois étudier la question dans mes livres pour y voir plus clair !

— Inutile de faire cela pour moi, Jacob, je ne cherchais pas à t'embrouiller l'esprit, mais à l'éclairer grâce à cet échange !

— Mon esprit est assez clair, ne t'inquiète pas pour lui, Amessan ! C'est ma compréhension qui n'est pas disposée à accepter des vérités qui contredisent les miennes. Ça, tu peux le comprendre, non ?

— Sans doute parce que ces vérités qui nous semblent évidentes sont emprisonnées dans cette foi dogmatique, immuable, alors que tout autour de nous est vivant, muable et éphémère !

— Tout bouge, en effet, sauf l'Eternel qui Lui est immuable, intemporel et omniprésent !

— Il est le maître du temps et de l'espace, il est le maître de l'invisible et de l'infini, récita Amessan, comme une litanie qui surprit Jacob. Celui-ci, resté une seconde bouche bée, se tourna vers les deux jeunes prêtres qui le regardèrent à leur tour, interrogatifs, mais aucun d'eux ne dit mot, se contentant de secouer la tête et de hausser les épaules.

— Est-ce là une de tes prières ? finit-il par demander.

— Plutôt une évocation, oui ! Celle du peuple de la terre, qui vénère Tamanart, l'étoile d'origine ! Cette prière si tu veux, évoque notre dieu caché, celui dont on ne peut révéler le nom. C'est le dieu des mystères et des renaissances.

— Mais quand vous lui adressez vos prières, vous le nommez ?

— Non, jamais, seuls les initiés en ont le droit.

— Il ne porte donc pas de nom ?

— Encore une fois non ! Chacun de nous peut s'identifier à lui, à condition de trouver le chemin qui remonte vers sa source.

— Il existe donc bien pour vous un chemin pour remonter vers Dieu ?

— Plusieurs chemins peuvent mener à lui, mais à la fin du parcours l'initié se retrouve face à des choix multiples, y compris celui de renouveler son expérience sur terre.

— Tu insinues que vous croyez, comme nous, à la réincarnation ?

— Plus ou moins Jacob. Ce n'est pas dieu qui décide de notre destin, c'est notre esprit qui est en communion avec lui, qui choisit sereinement de revenir sur terre ou de connaître une nouvelle expérience, ailleurs.

— Drôle de croyance en effet, commenta laconiquement Jacob.

C'est le moment que choisit Amessan pour se lever afin de mettre un terme à l'entretien.

— Bien, Rabbin Jacob, nous te remercions de ton accueil et des moments d'érudition que nous avons eus pendant cet échange. Nous allons vous laisser à vos occupations et espérons vous retrouver une prochaine fois.

— Notre porte vous sera toujours ouverte, répondit poliment Jacob.

— Encore une fois, mon Aguellid Gaïa vous assure de son soutien et n'hésitez pas à venir solliciter notre aide au besoin.

— Votre générosité vous honore, je te ferai signe quand cela s'avèrera nécessaire. Remerciez votre roi pour sa générosité et assurez-lui qu'il est présent dans nos prières quotidiennes.

Sur le chemin du retour vers le palais d'Hibboune la royale, Amessan voulut savoir ce que pensait Aberkan de cette entrevue.

— Je te trouve bien silencieux, voire étrangement inquiétant, toi d'habitude si prompt à donner ton avis en toutes circonstances, lui lança-t-il chemin faisant.

Maître Aberkan parut dubitatif un instant. Il prit le prince Kabassen par les épaules, comme s'il voulait lui communiquer un message capital, mais uniquement à lui.

— Prince, il n'y a pas de pire espèce d'hommes que ceux qui se prétendent détenteurs d'une vérité. Surtout lorsqu'ils prétendent de surcroît que cette vérité vient des cieux ! Cette vérité, par-dessus le marché, que personne ne peut opposer à la raison, ni à la logique !

Ce fut Amessan qui lui donna la réplique. Il savait à quel point les mots qu'il prononçait à l'intention de Kabassen étaient importants pour la suite de son apprentissage.

— Je connais ton point de vue sur les dogmes, sage Aberkan, dit-il, nullement offensé par la réaction du maître,

et j'adhère aussi à l'idée que l'esprit enfermé dans des règles
ne peut pas se libérer, ni s'émanciper librement.

— Fanatiques et sectaires, voilà ce que je pense de
cette communauté ! répondit Aberkan, sans détour. Sa
prolifération est sans aucun doute dangereuse au sein de
notre société.

— Pourtant ses membres évitent la proximité des autres
communautés, fit remarquer Kabassen. Quel danger repré-
senterait-elle dans ce cas ?

— Un danger égal à celui des Karthaginois ? surenchérit
Amessan, dont l'opinion n'était pas encore ferme à ce sujet.

— Sans doute, oui jeune prince ! Même s'ils ne se
mélangent pas aux autres, crois-moi ! J'ai eu l'occasion
de les côtoyer lors de mon séjour à Alexandrie où ils
sont plus nombreux, et je te garantie que je suis objectif
en te déclarant que les idées des sectes religieuses toutes
obédiences confondues sont dangereuses pour l'élévation
de notre esprit d'homme libre. Néanmoins, pour l'instant,
il nous faut d'abord contenir un autre fléau, plus ravageur,
celui de l'attrait qu'exerce sur notre jeunesse la religion des
Karthaginois. Car l'austérité des Hébreux attire moins que
les strass et paillettes des marchands.

— Je vois ! Le travail que tu as accompli avec nos
enfants prend un autre sens à mes yeux, maintenant que
tu en parles.

— Absolument ! Il faut enseigner à tous nos enfants
les vérités cachées des ancêtres et ne pas instruire les seuls
initiés. C'est d'ailleurs la volonté de la reine Titrit qui m'a
encouragé à œuvrer dans ce sens tout en ménageant la
susceptibilité des anciens !

— Mais cela est contraire à notre loi ! Nous ne sommes
pas autorisés à braver cet interdit ! fit Amessan, qui devinait
à quoi faisait allusion Aberkan.

— Encore d'autres dogmes, mon ami, qu'il nous faudra casser au risque de voir disparaître notre merveilleux monde !

— Selon toi, alors, la fin de notre monde serait imminente et nous vivons la fin d'une ère ! Quelle drôle de vie tout de même !

— Je sais ! Amessan, je ne le sais que trop, confirma Aberkan amèrement en posant la main sur l'épaule du prince Kabassen. Mais nous n'allons pas baisser les bras. N'est-ce pas ? Nous avons encore du travail à faire pour empêcher ce monde de s'écrouler sur nous !

Sur ces tristes appréhensions, tous les trois entrèrent dans le palais avec la certitude qu'une nouvelle page de leur histoire était en train de s'écrire, quelque part, là où ils n'avaient plus leur mot à dire.

*Le meilleur hommage que l'on puisse rendre
à la vie c'est de croire qu'elle est éternelle.*
Dicton populaire numide.

*Alors que Sadar Baal Barak, récemment revenu d'Espagne,
assurait la protection de Karthage, sur l'ordre de son frère
Hanni Baal, un autre général karthaginois, Azrou Baal
fils de Giscon, était chargé par le sénat de coordonner avec
l'Aguellid Gaïa une stratégie face à la menace que représentait la nouvelle armée de Syphax. Entre-temps, Maztoul
faisait le va-et-vient entre les deux capitales pour le compte
des Massaeylès.*

— Je m'attendais à une vraie bataille et voilà que Gaïa
s'est éclipsé comme un couard, pesta Syphax, frustré d'une
victoire facilement acquise.

— Te plaindrais-tu d'avoir pu ainsi épargner des vies ?

— Non Maztoul. Tu ne peux pas comprendre mes
motivations. Je voulais soumettre Gaïa, mais la guerre n'est
pas finie, des poches de résistance se manifestent partout
sur le territoire Massylès et je suis obligé de les réduire
avant de relancer la suite de mon projet.

— Assiéger Karthage, c'est cela ?

— Tu es bien informé. Vermina ne sait pas garder un
secret.

— Nous sommes devenus amis, c'est sûr. Il aime à
m'entendre parler de Karthage et ne rate aucune occasion
de réaffirmer notre confiance mutuelle.

— Je t'ai nommé à la tête des marchands kirthéens, n'est-ce pas suffisant comme marque de confiance ?

— Je n'en demandais pas tant et je te remercie encore une fois pour ce geste généreux. Je suis conscient de t'être redevable…

— C'est vrai que tu as le sens du commerce dans le sang, pour un mi-Numide, l'interrompit l'Aguellid.

— Tu voulais dire un demi-Karthaginois, Aguellid ! crut bon de corriger Maztoul.

— Si tu veux ! Quelle raison as-tu de marquer autant de dévouement à mon service, je me le demande encore !

— Rien de plus simple. Je ne suis pas un Karthaginois et tout le monde là-bas ne cesse de me le rappeler et je ne suis pas un Numide, mes cousins se chargent aussi d'en faire autant. Je me sens plus utile à servir un Aguellid massaeylès qui rêve d'unifier l'Afrique sous sa bannière.

— Ce que tu nommes là va disparaître bientôt, crois-moi.

— Quand les Massylès disparaîtront, pas avant !

— Il n'y aura plus que des Numides, comme au temps de nos aïeux !

— Il te faudra mettre la main sur le codex d'Aylimas, c'est la clé de ton pouvoir.

— J'y travaille, j'y travaille. Mais pour l'instant, j'ai d'autres préoccupations. Quand retournes-tu à Hibboune ?

— Quand tu me l'ordonneras, Aguellid.

— Dans ce cas, tiens-toi prêt à partir bientôt, chargé d'une mission de haute importance.

— Je suis à tes ordres, Aguellid Syphax.

Depuis qu'il s'était installé sur le rocher de la cité de Kirthan, l'Aguellid des Massaeylès mettait moins de zèle à repartir en guerre contre ses voisins de l'Est. N'était-ce la pression constante des Romains qui le rappelaient à ses engagements, ceux de les aider à détruire Karthage, il se serait contenté de ses possessions actuelles et aurait profité encore longtemps de ses acquis.

*

Quand Maztoul arriva à Hibboune la royale, il trouva bien des changements. L'Aguellid de Gaïa était préoccupé par le comportement inhabituel de son épouse et celui des tribus belliqueuses du sud du royaume, confrontées à un été si torride qu'il avait décimé une grande partie de leurs troupeaux, ce qui signifiait d'ordinaire le début d'une période de troubles qu'il fallait prévenir en renforçant la sécurité des cités massylès au sud, car les Gétules pouvaient se livrer à des invasions dévastatrices.

Gaïa pressentait que quelque chose n'allait pas chez son épouse. Malgré sa rudesse de guerrier et sa carapace invincible de chef, il était capable de ressentir quand quelque chose perturbait sa reine. À ses côtés il avait appris à développer un sens particulier de l'observation, non pas avec les yeux, car il la voyait comme en ce premier jour où il était tombé amoureux d'elle, mais avec les yeux de l'esprit, les yeux de l'intérieur. Un lien inébranlable les unissait, aussi avait-il développé une disposition à reconnaître à quel moment il fallait éviter de contrarier les projets de sa reine, spécialement lorsque les voix des anciens s'interposaient entre sa volonté de chef de famille et des tribus et l'intuition de la prophétesse qu'il savait prédominante, surtout dans les situations de prémonition.

Il s'accommodait des petits désagréments que cela pouvait lui causer. Parfois il feignait l'ignorance et attendait patiemment le moment où elle décidait elle-même de lui parler de ses visions et des messages sacrés qui lui parvenaient de l'au-delà.

Bien sûr, il lui arrivait de la comprendre sans qu'elle eût à se justifier. Il tiendrait sa promesse de la laisser partir avec le prince à Karthage, mais ce qu'il craignait le plus, c'est ce zèle exagéré qu'elle manifestait à l'égard de leur fils. Ce qu'il craignait par-dessus tout c'était qu'à force de le couver et d'être trop présente autour de lui, elle risquait d'inciter le prince à vouloir se libérer du cocon familial avec brutalité, juste pour marquer son indépendance et son envie de couper le cordon ombilical, d'autant plus qu'elle était parfois excessivement autoritaire avec lui.

Depuis la fin de l'*Ergaz* des enfants, Titrit lui donnait l'impression qu'elle ne lui faisait plus confiance comme avant. Elle hésitait à se confier à lui et surtout, en protégeant le prince, elle risquait d'étouffer ce dernier dans l'expression de sa propre volonté et de la maîtrise de son propre destin. Alors, c'était lui qui apportait à son fils l'équilibre affectif dont il avait besoin. Cela tombait bien, car chez les Numides, les fils étaient très proches de leur père, qui se chargeait de leur transmettre son savoir afin de maintenir le lien naturel entre les générations.

L'Aguellid Gaïa était pris par ces réflexions matinales et son regard était aussi sombre que le plumage des corbeaux de l'abîme. Au moment où il s'apprêtait à faire appeler maître Aberkan pour le tenir informé de sa décision, un garde royal vint lui annoncer qu'un émissaire arrivé des territoires du sud était dans la cour attendant d'être reçu pour remettre un message. Il était fourbu pour avoir galopé à bride abattue pendant de longues heures.

*

Prenant possession du document, Gaïa reconnut le sceau du chef de la tribu des Maxis, qui régnait au nord de la cité Massylès de Theveste. Il lut :

« Nous sommes envahis par les pasteurs gétules. Isalkas ne tiendra pas la cité longtemps. Besoin d'aide de toute urgence. Signé : Aguellid Yaudas. Chef des Maxis. »

Sans perdre de temps, l'Aguellid convoqua son scribe et lui dicta un message à envoyer immédiatement aux sept cités du sud dont il lui donna la liste.

« La cité de Theveste est assiégée par les tribus gétules. Besoin de renfort de cavalerie. Rendez-vous dans cinq jours au poste avancé des Orphelins, au sud de Madaure. Je vous y attends avec mes cavaliers. Daté et signé : Aguellid Gaïa. Roi des Massylès et maître des tribus intérieures.»

Les cités étaient choisies en fonction de leur proximité et leur fidélité infaillible au roi. Il s'agissait de Kalama, Zama, Thibilis, Thugga, Sicca, Thagaste et Madaure. Ainsi en décida le roi Gaïa.

— Que les messagers partent sur-le-champ !

Il alla ensuite en informer la reine et lui annoncer qu'il allait partir incessamment à la tête de sa cavalerie.

— Accepterais-tu que Massinissa m'accompagne pour cette campagne ?

— Et tu ne voudrais pas de ma compagnie ?

— Non, tu dois rester pour gérer les affaires du royaume. Ta fonction de grande prêtresse t'interdit de donner la mort !

— Mais d'où sors-tu des idées pareilles ! Il n'est dit nulle part qu'une prêtresse n'a pas le droit de se défendre contre ses ennemis !

— Laisse-moi plutôt ce rôle, car je l'ai choisi et prends soin de notre peuple pendant mon absence. Je pense qu'il est temps d'associer pleinement le prince à mes activités guerrières. Mes sujets ont besoin de se savoir soutenus par leur Aguellid et sa descendance.

Elle ferma les yeux et fit appel à son intuition de prêtresse. La porte s'ouvrit instantanément sur l'autre rive où elle atterrit sur un rivage calme. L'horizon était dégagé de tous nuages et une jeune campagnarde vint à sa rencontre avec une jarre de lait de brebis qu'elle lui tendit en lui souhaitant la bienvenue sur la terre de ses origines.

— Tu peux emmener le prince guerroyer pour ce bout de désert, dit-elle comme émergeant d'un songe éveillé. Il n'y a aucune danger dans cette guerre, ni pour toi, ni pour lui. Tu sortiras grandi et vainqueur non seulement de tes ennemis, mais de leurs cœurs aussi, prophétisa-t-elle.

— Tu as mérité une accolade, ma tendre épouse !

— Ne profite pas de la situation ! Va plutôt annoncer cette bonne nouvelle à ton fils. Il n'attend que ça !

Il la prit dans ses bras et la serra fort pendant un moment. Gaïa était sensible au parfum fleuri et boisé de son épouse ; il lui titillait les narines et stimulait sa libido en réveillant des souvenirs de bien-être. Il se laissa aller à goûter une saveur éphémère avant que Titrit ne se retire de son étreinte.

— Tu es la plus belle et la plus intelligente dame du royaume, lui chuchota-t-il à l'oreille.

— Garde tes compliments pour tes concubines, je sais ce que tu ressens pour moi !

— Tu es toujours sur tes gardes en ce moment !

— Moi aussi je t'aime, roi pervers !

Ils se séparèrent ainsi, comme un couple donnant l'air d'être blasé par les sentiments réciproques, mais qui étaient attachés l'un à l'autre par un lien béni des dieux, sous la protection de la déesse Afrika en personne.

Gaïa avait la certitude que cette fois-ci, les Gétules remontaient au nord avec la ferme intention de porter le malheur et la désolation dans son royaume. Il ne prit pas la menace à la légère. Au cinquième jour, comme convenu, une multitude de cavaliers arrivèrent au fortin des Orphelins, appelé ainsi à cause des deux uniques collines qui l'entouraient. Collines où rien ne poussait, mais qui gardaient le seul défilé que les chevaux pouvaient emprunter pour se rendre à Theveste.

La rencontre se fit dans un climat de liesse et de retrouvailles, certains ayant l'habitude de se croiser lors des tournois, y compris les jeunes princes et fils des chefs massylès. Les sept cités sollicitées pour leur aide avaient répondu présentes à l'appel, honorant une nouvelle fois leur fidélité à leur Aguellid.

Ils bivouaquèrent là, avant de prendre la route pour Theveste, espérant des nouvelles du messager parti annoncer leur propre arrivée au roi Isalkas. Un messager arriva du sud et rendit compte de la situation dans la cité de Theveste où le roi Isalkas résistait toujours bravement aux attaques des pillards gétules et espérait l'arrivée des renforts.

Le soleil venait à peine de se lever lorsque l'Aguellid Gaïa sortit de sa tente. Cela faisait plusieurs jours qu'ils avaient chevauché à l'intérieur du territoire, s'enfonçant dans la steppe avec grand bruit. Il ne cherchait nullement à cacher aux Gétules qu'une armée de cavaliers du nord se dirigeait vers la cité de Theveste pour soutenir la résistance du roi Isalkas. Une belle journée s'annonçait, baignant le campement d'une douce lumière matinale tandis que les autres cavaliers sortaient de leurs tentes petit à petit.

— Magnifique journée, père ! dit Massinissa, émergeant à son tour de la tente.

— Elle le sera, sans doute !

Des éclaireurs gétules avaient surveillé durant une partie de la nuit le campement, sans oser s'en approcher et au lever du jour, ils avaient quitté leur poste.

— Les voilà avertis de notre arrivée !

— Qui donc, père ? demanda le prince.

— Les Gétules. Leurs guetteurs ne sont plus là !

— Nous avons été épiés ?

— Oui !

— Et tu n'as pas cherché à les arrêter ou les poursuivre ?

— Pourquoi l'aurais-je fait ?

— Pour ne pas dévoiler notre position !

— Au contraire. Maintenant l'ennemi sait combien nous sommes et connaît aussi notre détermination. Le combat en sera plus facile.

— Nous n'aurons pas l'avantage de l'effet de surprise, alors ?

— Pas besoin. Ce sont des pillards qui n'ont pas de stratégie. Couards comme ils sont, la peur est à présent dans leur camp.

— Je comprends, père, dit Massinissa avec un éclat de malice dans l'œil

— Alors, viens ! Allons rendre hommage au Soleil et prier pour qu'il nous accorde une victoire à la mesure de nos peines.

Ils s'éloignèrent de la tente, suivis par d'autres cavaliers et l'Aguellid Gaïa commença le rituel de la prière à l'astre vivant et créateur de vie.

— Roi-Soleil, tes rayons bénissent les fils que tu aimes ! Tu nous guides dans les ténèbres et éclaires nos vies même dans les nuits les plus sombres. Tu nous tiens éveillés, debout sur nos pieds en répandant tes rayons sur notre terre. Tu verdis les arbres et les herbes que nos troupeaux broutent pour nourrir nos entrailles. Les animaux, ceux qui volent et ceux qui marchent et même les poissons remontant la rivière vivent de ton énergie et dépendent de ta puissance vitale. La semence de l'homme rencontre l'embryon de la femme par cette même énergie qui donne vie à l'enfant dans la matrice originelle. Tu nous donnes la vie et nous te sommes reconnaissants pour tes bienfaits. Dieu unique sans égal, tu as créé l'univers selon ta volonté pour que nous puissions y vivre éternellement en hommes libres.

— Hommes libres ! Hommes libres ! répondirent en chœur les cavaliers, marquant la fin de la cérémonie.

L'Aguellid remercia tous les chefs de tribus venus le rejoindre et les chefs de cavalerie qui avaient remplacé ceux qui n'avaient pas pu être présents. Avant le départ des cavaliers, au nombre de deux mille, il s'adressa à ses troupes :

— Hommes libres ! Notre présence en ce lieu est une démonstration de force. Les envahisseurs du sud ont besoin d'une leçon et nous allons leur en donner une, des plus mémorables, car nul ne doute que Syphax n'est pas étranger à leur apparition en ce lieu et à ce moment. Le roi Isalkas combat ses propres cousins et résiste pour défendre ce que nous lui avons offert il y a longtemps par un pacte sacré et à ce jour inviolé. Il a besoin de nos bras et de nos épées pour réduire les attaques incessantes des nomades du sud habitués aux razzias et à l'activité malhonnête du pillage. Ils encouragent l'esclavage en chassant des hommes dans le grand désert pour les vendre aux Karthaginois. Nous n'accepterons jamais ce commerce sur notre territoire, car nous sommes des hommes libres !

— Hommes libres ! Hommes libres ! reprirent en chœur tous les cavaliers, sur le pied de guerre.

À peine allaient-ils enfourcher leurs chevaux, qu'un guetteur à l'arrière signala un nuage de poussière arrivant du nord.

— C'est une troupe de cavaliers, Aguellid.

— Tenez-vous sur vos gardes ! ordonna Gaïa.

— Deux ou trois cents chevaux, tout au plus, au galop !

Un cavalier seul, portant un message pour l'Aguellid, devançant la troupe, annonça l'arrivée du prince Naar Baal à la tête d'un escadron de cavalerie lourde.

— C'est un jour de bonheur ! Merci à toi Soleil éternel ! s'écria Gaïa, qui n'espérait plus dans la promesse d'Azrou Baal fils de Giscon de lui envoyer des renforts.

— Tu vas le rencontrer ton grand cousin ! annonça le roi à son fils.

— Je n'aurais raté cela pour rien au monde !

— On va les accueillir, recommanda le roi à ses cavaliers, en descendant de cheval.

Les cavaliers en firent autant et attendirent les ordres.

Parvenu à leur hauteur, Naar Baal s'excusa pour son retard.

— Nous arrivons à temps, oncle Gaïa !

— À temps pour la fête ! plaisanta le roi. Nous étions sur le point de partir.

— Salut à toi, grand cousin !

— Massen ! Comme tu as grandi ! Viens chevaucher à côté de moi, lui demanda son grand cousin. Tu me parleras de toi à loisir !

*

Derrière les remparts de Theveste régnait une grande agitation. Toute la population participait comme elle pouvait à la résistance de la cité. Personne ne pensa à se reposer avant d'avoir pris ses ordres du roi Isalkas. Tous avaient entendu évoquer le sort que réservaient les Gétules rebelles à ceux qui tombaient entre leurs mains, mais face à l'horreur des mauvaises nouvelles qui arrivaient du sud, chacun tenta d'occuper son esprit en mettant la main à la pâte. Les habitants de la cité prirent leur courage à deux mains et aidèrent les soldats à défendre leurs vies et leurs biens.

— Cela aide à penser à autre chose, reconnut un des volontaires.

— Triste sort que celui réservé à leurs captifs ! Au moins si nous devons mourir, nous le ferons les armes à la main et non en victimes d'un boucher, lui répondit un autre.

Le roi Isalkas était à la hauteur de la tâche. Lui et Masitanis, le chasseur royal de Gaïa qui avait précédé les secours, étaient les derniers espoirs des habitants de Theveste qui se tournaient vers eux, sans contester leurs

instructions, car face à si peu d'espoir, ils étaient l'unique
chance de salut à l'intérieur des remparts de la cité.

— Sur tes épaules pèse une lourde responsabilité ! dit
Masitanis.

— Sur les tiennes aussi, mon ami ! répondit le roi Isalkas.
Et quelle responsabilité, en effet ! Face aux innombrables
troupes de nomades gétules, ils firent ce qu'ils purent.
Isalkas tenta de former des groupes de miliciens afin de
grossir les rangs des soldats réguliers qui étaient dans la
garnison de la ville avec lesquels il put instaurer des tours
de garde sur les côtés névralgiques des remparts.

De son côté, Masitanis tenta de former très rapidement des archers pour protéger les remparts, sans ignorer
que cela ne serait pas suffisant. Tous deux savaient qu'il y
avait peu de chance de résister longtemps aux assauts des
Gétules, même si leur cité possédait des remparts solides
et dissuasifs. Les hommes et la logistique des chefs gétules
ne manquaient pas et si personne ne pouvait venir à leur
aide, les pillards finiraient par prendre Theveste. N'ayant
pas le culte du martyre, Isalkas ne comptait pas sacrifier ses
hommes. Intelligent et pragmatique à la fois, il avait une
solution de repli et comptait faire durer la résistance assez
longtemps pour permettre aux cavaliers du nord d'arriver
à temps avant que la ville ne tombe.

— Avec mes cavaliers, nous allons défier pour un temps
les cavaliers gétules, harasser leurs arrières puis aussi vite que
nous lançons nos attaques, nous retirer du jeu et revenir
à l'abri des remparts.

— Je soutiendrai ta retraite par des tirs d'archers pour
dissuader les poursuivants, ajouta Masitanis.

Tel était le plan d'Isalkas en attendant l'arrivée des
secours.

Et Gaïa arriva avec les renforts.

— Entrons dans la ville en formation militaire ! ordonna-t-il. Nous sommes attendus sur les remparts au sud de
la cité de Theveste. »

La charge de la cavalerie fut foudroyante. Rejoint par
Gaïa et ses cavaliers, Isalkas put sortir de la cité, se lancer
à la poursuit des pillards et en capturer les chefs. Il se
souvint avoir bénéficié autrefois de la part de l'Aguellid
Gaïa d'une clémence qui lui avait valu d'être aujourd'hui
le roi de Theveste, aussi proposa-t-il le même marché à ses
prisonniers. Ceux qui acceptèrent eurent la vie sauve et
purent entrer dans la ville sans armes, soumis à l'autorité
de leur nouveau chef, Isalkas. Les autres furent passés au
fil de l'épée, afin de dissuader toute volonté de récidive au
sein des tribus gétules, rebelles à toute forme d'autorité.

Une semaine de festivités et de réjouissances fut
organisée pour célébrer cette victoire. Ce fut l'occasion
pour l'Aguellid Gaïa et son fils Massinissa de parader dans
les sept cités massylès qui contribuèrent à la victoire sur
les Gétules. Ils y furent accueillis par des manifestations
de bonheur et de gratitude. Toutes les populations des
territoires qu'ils traversèrent en remontant vers la capitale
Hibboune la royale, débordèrent de sentiments de reconnaissance pour leur souverain.

Cette action d'héroïsme contribuait à consolider le
petit royaume des Massylès, en attendant de repousser les
envahisseurs Massaeylès.

Si Theveste avait beaucoup souffert, Gaïa était convaincu
qu'Isalkas, à la tête de la cité, était le meilleur des chefs
pour aider la population à retrouver leur confiance en lui
et à reprendre les activités commerciales et agricoles qui
faisaient la fierté de la ville et de toute la région.

Cette victoire eut pour conséquence de stopper pour un
temps le trafic de l'ivoire dans lequel trempaient certains
Gétules en cheville avec un réseau de trafiquants karthaginois sans scrupules. Avec l'amplification des contrôles,

surtout sur les points d'eau de la route des caravanes, Gaïa reçut régulièrement des rapports venant de Thagaste et de Madaure confirmant la baisse des quantités de défenses saisies donc des éléphants tués pour leurs défenses et leur peau, car l'ivoire était particulièrement convoité pour servir de matière noble à la confection des statues de divinités qui décoraient les temples et les sanctuaires du monde.

La reine Titrit en pressentit une satisfaction de la déesse Afrika qui s'exprima par des visions moins violentes où les éléphants revêtus de soie et velours pourpre paradaient dans leurs prairies avec des défenses étincelantes. Au retour de son époux, elle le remercia pour tous ses efforts visant à rendre une justice sur terre et que la déesse n'allait pas tarder à récompenser.

*Changer d'idée est une preuve de grande intelligence,
mais libérée de celles des autres.*
Aylimas le grand, vers –450

*Sous le climat des cités du littoral massylès, les nuits fraîches
succédaient à des jours brûlants jusqu'au soir qui apportait
une extrême humidité. Dans un premier temps, Titrit eut du
mal à s'y habituer au point de passer souvent des nuits agitées.*

« Le prince deviendra Roi ! » Elle crut avoir crié de
toute la puissance de sa voix, mais personne ne l'entendit.
Elle ouvrit soudainement les yeux. Elle avait un étrange
sentiment, comme celui qu'elle avait déjà eu la veille du
départ de son fils Massinissa pour la forêt de l'oubli pour
y subir son initiation à l'Ergaz.

Elle avait énormément de mal à s'habituer à l'air de la
nouvelle capitale, Hibboune la royale. Au début elle ne
trouva le sommeil qu'après de longues séances de méditation et de prières au nouveau temple d'Afrika sur les
hauteurs de la cité que présidait sa propre mère, la grande
prêtresse Markounda, la grand-mère maternelle du prince
Massinissa.

— Quelque chose s'est produit cette nuit ! se disait-elle,
en fronçant les sourcils.

Elle tenta de rassembler les bribes de ses souvenirs
oniriques et sentit aussitôt les battements de son cœur
soulever son buste et sa respiration devenir anormalement

saccadée. Elle porta la main droite à sa poitrine, là où une douleur soudaine cherchait à s'introduire.

— Quelque chose cherche à pénétrer mes entrailles ! soupira-t-elle, en essayant de se lever.

Elle se redressa sur le lit et porta son regard en direction du grand miroir qui ornait majestueusement sa chambre. Elle contempla ce reflet étrange que lui rendait son image. Quelques gouttes de sueur ruisselaient sur son visage et ses mains tremblaient.

Ses efforts pour reprendre ses esprits et retrouver son calme ne parvinrent pas à endiguer les bouffées de chaleur qui envahissaient son corps, de plus en plus fortes, de plus en plus intenses, consumant jusqu'à son âme troublée par les visions. Elle baissa ses yeux sur ses mains moites puis inspira profondément. Peu à peu, son esprit reprit le contrôle de son corps et sa respiration devint plus calme. Le rythme de son cœur devint régulier et son esprit redevint perméable aux images qui s'étaient insidieusement imprimées dans sa mémoire. L'instinct surprenant qui la guidait depuis sa tendre enfance se révéla enfin à la manière d'une marmite en ébullition, dont le couvercle était encore maintenu par une main providentielle.

— Je dois prévenir le roi !

Quelques instants après, elle descendit les marches et se dirigea vers les cuisines où s'agitaient quelques servantes, occupées à servir l'Aguellid dans la salle à manger.

Taghrid vint à la rencontre de Titrit et s'inclina devant elle en signe de salut.

— Le salut sur toi, Grande Prêtresse ! Le roi est déjà à table, veux-tu que je te serve ton déjeuner maintenant ?

— Je veux bien, apporte-moi aussi deux jaunes d'œufs frais ! répondit Titrit en se rendant auprès de son époux.

Gaïa se rendit compte immédiatement que sa reine n'était pas dans son état normal.

— Que t'arrive-t-il donc ma reine ? Je t'ai laissée dans un sommeil si paisible !

Elle ne sut pas quoi dire sur le moment. Les mots ne venaient pas, tout était encore confus dans son esprit, beaucoup d'images se précipitaient dans sa tête sans qu'elle puisse leur donner un sens.

— Titrit, mon étoile ! Dis-moi quelque chose, ton état m'inquiète, je t'ai rarement vue comme ça !

Elle essaya de se contenir, de paraître comme à l'accoutumée, mais ne réussit qu'à augmenter l'inquiétude du roi. Après un instant de silence qui parut interminable pour Gaïa, elle finit par lui parler.

— Rien de grave ! Du moins pour l'instant. N'aurais-tu pas aperçu Massen ce matin ?

— Rien de grave, dis-tu ? Ton attitude n'est pas rassurante à voir ta mine ! Veux-tu que je le fasse mander ?

Titrit ne répondit pas, mais son regard trahissait son désir de voir son fils instamment.

— Je l'ai appelé plusieurs fois, mais il ne doit pas être dans sa chambre ! répondit Gaïa, visiblement agacé.

— Pardonne-moi, mon roi, je me sens un peu dépassée ces temps-ci, je le reconnais ! Mais cette charge que tu veux confier à notre fils est cruciale pour lui, car il voudra se surpasser juste pour te prouver qu'il est à la hauteur...

— Et il l'est assurément ! affirma Gaïa sans quitter son épouse des yeux.

— Et le cœur d'une mère ne peut se réjouir d'une telle épreuve !

— Il aura aussi son lot, comme nous tous ! répondit Gaïa.

— Cette épreuve marquera l'envol du petit vers d'autres horizons ! laissa échapper Titrit avec une profonde tristesse, sans même regarder son époux.

— Même toi, tu ne peux changer l'ordre des choses, c'est ainsi ! Les termes de nos alliances exigent que l'on confie nos princes aux bons soins des Karthaginois !

— Mais pourquoi lui, précisément ?

— Parce qu'il est notre fils et que nous voulons le meilleur pour lui. Je te le répète, ma reine adorée, tu ne peux pas changer les choses selon tes désirs !

— Soit, je ne peux changer l'ordre des choses ! J'accepte. Cependant je vais te demander une faveur en retour : je veux accompagner notre fils !

— Quoi, comment ? Tu veux aller avec lui à Karthage ?

— Oui ! Tu m'as bien entendue ! Je veux m'assurer que c'est bien vers sa destinée que son père l'envoie quérir sa renommée !

— Aurais-tu des doutes sur mes bonnes intentions ?

— Non aucune ! Je voudrais que ta bénédiction m'accompagne, quel que que soit l'endroit où il sera, je serai, ajoute-t-elle avec fermeté en réponse à son air dubitatif.

— Donne-moi le temps d'y réfléchir. Mais en as-tu déjà parlé avec Massen ?

— Je ne veux pas revenir sur ma décision, je veux juste que tu acceptes ce choix !

— Choix dicté par ton intuition plutôt que par ta raison ! répondit Gaïa, embarrassé.

Titrit reprit son habituel air ténébreux et énigmatique. Jusque-là, elle avait toujours été un soutien pour son mari et roi, d'une manière constante sans faiblir, sans faillir. Mais elle le faisait pour maintenir l'équilibre dont son fils avait un besoin vital pour s'épanouir au sein de sa famille. Elle n'aimait pas que son époux la taquine à propos de son intuition, mais cette fois-ci, elle refusa de relever l'allusion à ses pouvoirs.

— C'est exact, cher époux !

L'Aguellid se contenta de cette réponse laconique. L'intuition légendaire de son épouse l'embarrassait parfois, surtout quand elle prenait conscience du malheur des autres et qu'elle tentait, autant qu'elle le pouvait, de leur venir en aide, tant elle devinait leur source d'inquiétude. Aujourd'hui, c'était elle qui était au centre de ses propres tourments. Le roi ne pouvait pas lui venir en aide, occupé qu'il était par ses chantiers et cette nouvelle alliance avec Karthage. Par ces visions nocturnes, les anciens tentaient à leur tour de transmettre un message à la reine, mais sans méditation, elle n'arriverait pas à en déchiffrer le contenu.

La réticence de l'Aguellid Gaïa ne dépendait pas de leur relation intime et conjugale, il avait à sa disposition de nombreuses concubines qui se chargeaient de réchauffer sa couche nocturne, avec la bénédiction de la reine. Sa réticence venait du fait que le récent déménagement de la cour de Kirthan à Hibboune la royale nécessitait la présence de son épouse qui supervisait les travaux d'aménagement du palais avec les détails qui étaient de son ressort. Ce travail était loin d'être achevé !

Ils tombèrent néanmoins d'accord sur le fait d'en parler au principal intéressé, leurs fils Massinissa. Taghrid revint à ce moment-là des cuisines avec le petit-déjeuner de la reine.

— Prends ton repas tranquillement, il te sera plus facile de convaincre ton fils le ventre plein, n'est-ce pas, ma reine adorée ?

— Je sais le prix qu'il te coûtera de nous laisser partir et tu me pardonneras ta solitude quand tu sauras pourquoi je dois absolument être à ses côtés dans cette putain de cité !

Il arrivait à la grande prêtresse Titrit d'user d'un langage grossier lorsqu'elle était seule avec son époux et que la situation lui échappât un peu ; le sujet du départ de son fils pour Karthage était des plus sérieux et des plus difficiles à admettre.

Après le repas du matin, elle se retira dans sa chambre pour y faire sa toilette. Dans le bain que lui versa Taghrid, elle se laissa aller à ses pensées obscures afin de les évacuer de son esprit et chercher une explication possible à ses angoisses de mère.

— J'ai beau chercher à comprendre, il n'y a aucune raison d'user de logique dans cette situation ! pensa-t-elle.

Elle s'habilla puis alla vers la fenêtre, attirée par un bruit de galop. Les princes royaux rentraient au palais. Massinissa était devenu un beau garçon et Titrit n'aimait pas trop toutes ces filles qui lui tournaient autour comme des vautours à la recherche d'une proie. Beaucoup de ces filles prétentieuses l'aimaient sans aucun doute et espéraient qu'il leur accorde, du moins pour un temps, son attention. À dix-sept ans, il avait déjà l'allure d'un adulte et son air confiant et assuré n'était pas du tout feint.

— Quel beau jeune homme à présent ! soupira Titrit en détaillant son fils depuis la fenêtre de sa chambre.

Massinissa était un adolescent robuste et de grande taille. Ses épaules musclées et larges, ses mains massives, ses jambes élancées et aussi musclées que les membres supérieurs traduisaient vigueur et dynamisme. Ses gestes alliaient la grâce et la souplesse tant il était rompu à l'exercice physique. Le teint brun, hâlé par les longues chevauchées sous le soleil d'Afrique, était en harmonie avec ses cheveux châtains ondulés, qui regorgeaient de vitalité. Il avait le front large et ses yeux bleus étincelants et flamboyants étaient ceux d'un homme franc et résolu. La bouche était mince avec des joues aux pommettes symétriques et un menton pointu, orné maintenant de poils juvéniles. Sa démarche était majestueuse, pleine de grâce, élégante et tout dans sa personnalité inspirait confiance et respect.

— Quel beau jeune homme ! répéta-t-elle sans le quitter des yeux.

C'est à ce moment-là que Gaïa entra dans la chambre. Il s'approcha et se glissa derrière elle puis se pencha à son tour pour voir l'objet de son émerveillement. Il aperçut son fils et son neveu, au milieu de la cour en grande discussion avec des jeunes de leur âge qu'il connaissait tous.

A peine les princes eurent-ils mis pied à terre qu'ils furent entourés par un groupe de jeunes filles du palais avec lesquelles ils disparurent dans les ombrages du jardin royal.

Titrit soupira.

— Il mérite bien mieux que ces filles numides qui cherchent uniquement un homme pour réchauffer leurs flancs et leur donner à l'occasion quelques enfants pour justifier leur maternité !

— Je te trouve bien amère aujourd'hui, mon étoile du matin. Penserais-tu déjà à marier notre fils ?

— Pourquoi pas ! répondit Titrit en écartant les bras que son mari avait posés autour de sa taille. Elle alla s'assoir devant sa commode, faisant mine de s'admirer.

— Tu lui aurais trouvé une princesse numide ?

— Massen vaut mieux que nos princesses, il mérite une femme à la hauteur de sa personne, de son destin, celui qui est écrit dans le livre des anciens, répondit-elle en observant Gaïa dans le reflet du miroir.

— Une femme pour sûr, mais tel que je te connais, tu as une idée derrière la tête !

Elle se contenta de soupirer et d'incliner son visage vers le roi, toujours avec un air soucieux.

— Pas derrière, mon cher époux, mais dans la tête, et pour m'en assurer, il n'y a qu'un seul moyen !

— Je t'écoute, mon étoile adorée.

— Je dois l'accompagner à Karthage !

— Soit ! Cette idée qui est dans ta tête, je ne pourrais pas te l'extirper, car je la sens ancrée comme de l'alfa ! Soit, j'ai dit ! Tu partiras donc avec ton fils !

— Merci mon roi et époux adoré ! Je peux te dire à présent pourquoi.

— Mais de mon côté aussi, j'impose une condition !

— Et laquelle ?

— Que maître Aberkan vous accompagne ! J'ai confiance en ton jugement et en tes intuitions, mais le pragmatisme du précepteur de ton fils ne peut que me rassurer davantage. Qu'en dis-tu ?

— J'accepte volontiers, d'autant plus que sa sagesse sera un rempart de plus contre les tentations qu'offre ouvertement cette prostituée à ceux qui se laissent prendre, plaida Titrit dont l'air d'affliction venait tout à coup de se dissiper.

Son visage se dérida. Sous les yeux de son époux, elle venait de rajeunir de dix ans, retrouvant l'air radieux que le roi lui connaissait dans ses phases triomphantes. Il en fut partiellement rassuré.

— Tu veux bien me dire pourquoi, à présent ?

— Parce que tous les chemins mènent à Karthage !

Celui qui est choisi par la foule n'est pas pour autant un sage.
Conseil de Sheshonq 1er Pharaon berbère.
Mort en −924

Après les exercices quotidiens d'adresse et de tir, les princes massylès retournaient au palais royal pour se restaurer. Depuis peu, ils avaient rendez-vous tous les après-midi avec maître Aberkan pour des cours de perfectionnement réservés à des élus de la tribu. Six d'entre eux avaient été choisis pour participer à une sorte de programme d'élévation de l'esprit, pour le plus grand plaisir de Kabassen.

— Jeune prince, la méditation est un moyen qui te permettra d'ouvrir les portes de la connaissance. Mais comprends-moi bien, il ne s'agit pas de vouloir entrer dans le néant pour faire n'importe quoi !

Ces séances d'initiation étaient l'occasion pour le prince héritier de se montrer très impliqué et sans doute motivé plus que les autres. L'occasion d'apartés réguliers avec son maître.

— C'est comme une clé, alors ?

— Une clé ? s'étonna faussement le maître.

— Oui, une clé pour ouvrir ces portes !

— Oui, on peut dire cela ! La méditation est un moyen de laisser entrer en soi l'énergie qui va pouvoir ouvrir ces portes, véritables gardiennes du savoir humain.

— Cette clé il faut donc la chercher !

— Certainement, mais où ?

Silence du maître.

— Elle est en nous ?

— Et nulle part ailleurs, ne l'oublie jamais, Kabassen.

— Il me faut donc aller la chercher au fond de moi !

— Trouver cette clé est en soi un énorme travail de concentration. Tu dois d'abord reconnaître et canaliser la force intérieure qui va animer cette introspection avant de parvenir à utiliser cette force pour te guider et te surpasser.

— Me surpasser ?

— Oui, bien sûr. La finalité de ce travail est de te permettre un jour prochain d'atteindre l'illumination. C'est ainsi que tu deviendras un aguellid éclairé.

— L'illumination serait donc le but à atteindre ?

— Il t'appartient d'identifier les informations qu'il te faut pour alimenter ton mental et construire ton intelligence.

— L'illumination n'est donc pas une fin en soi !

— Très juste ! Afin d'évoluer, tu as besoin d'aller toujours de l'avant dans ta quête.

— Alors je vais accueillir cette lumière avec sérénité, même si je n'ai pas beaucoup étudié ?

— Même si tu n'as jamais étudié dans cette vie, la connaissance est là, quelque part en toi.

— Comment est-ce possible, maître Aberkan ?

— Laisse-toi simplement faire et tu assisteras à l'éveil de ton énergie et de ta mémoire.

— Qu'est-ce que j'en ferais après ?

— Tu pourras devenir ce que tu as vraiment envie d'être. N'as-tu pas déjà une idée, jeune prince ?

— Je voudrais être un grand maître, comme toi.

— Tu veux dire un enseignant !

— Non, un enseigneur !

— Très juste ! L'enseigneur se réfère toujours à sa puissance supérieure pour donner plus de connaissance au monde. Et tu trouves que ce monde souffre d'un manque d'enseigneurs ?

— J'en suis persuadé, maître.

— Eh bien, tu peux devenir un enseigneur de la lumière ! Tu possèdes en toi, à l'intérieur de toi, cette capacité de communiquer avec ton être de lumière. Il sait tout et a tout pouvoir. Laisse-le descendre en toi, laisse-le se manifester dans ta vie !

— Est-ce possible sans faire d'efforts ?

— Fais confiance à ton moi supérieur, fais confiance à ton esprit ! Il est capable de tout !

— Un jour, tu m'as révélé que nous ne sommes pas tous égaux. Qu'est-ce qui me différencie des autres apprenants ?

Ils firent encore quelques pas seuls avant de rejoindre les autres enfants, occupés à l'étude de textes sacrés. Cette fois le maître réserva sa réponse à tout le monde et son audience fut très attentive.

— La différence entre vous se fera tout naturellement en fonction de la vitesse que mettra cette énergie à descendre en vous. Plus vous la ressentirez en vous et plus votre présence se manifestera dans votre vie quotidienne. Certains d'entre vous monteront en vibrations et connaîtront l'Ascension. C'est la manifestation du divin en vous d'une manière plus grandiose et plus présente.

— Nous sommes au terme de votre initiation. Je vous ai appris à reconnaître cette dimension, le moment où vous serez prêts à l'accepter. Il vous suffit d'être simplement dans la réception de ces informations et dans l'assurance de votre réussite. Alors à présent vous n'avez plus qu'à honorer le chemin de votre splendeur.

— Oui, vous êtes tous des êtres d'amour, des êtres de lumière.

— Tu nous quittes, maître ?

— Oui, mais je continuerai à vous envoyer chaque jour des ondes vibratoires. Vous pourrez les capter et les utiliser dans votre vie de tous les jours. Soyez honorés, fils de lumière. Mon enseignement prend fin en ce jour.

Le bonheur et le malheur ont toujours une cause,
même si on l'ignore.
Maître Aberkan : −285/−203

Le pacte d'alliance entre les Massylès et la république de
Karthage comprenait une clause concernant le rapprochement
de la famille royale avec ses voisins puniques. C'était devenu
une tradition depuis les accords des Massylès avec le général
Abdmelkart Barak. Cette clause contraignait de fait l'Aguellid
en titre à envoyer ses héritiers ainsi que d'autres membres de
sa famille à Karthage pour y étudier.
Massinissa et Kabassen allaient fêter leur dix-septième
année en pleine saison estivale, entre les chaleurs étouffantes
et l'amour de leurs parents. Lorsque l'Aguellid Gaïa informa
Aberkan du départ de Massinissa pour Karthage et lui annonça
qu'il souhaitait le voir accompagner son fils dans cet exil, le
maître entra d'abord dans une violente colère.
— Ah, l'odieux chantage que voilà !
— Tu ne peux pas me refuser cela ! dit l'Aguellid.
Maître Aberkan, proche de ses soixante-dix ans, ne
pensait plus quitter sa terre natale, encore moins pour une
cité qu'il ne portait plus dans son cœur.
— Aguellid ! Tu sais bien que cette coutume nous a
été imposée et que nul ne te contraint d'y souscrire ! Le
but avoué est d'encourager notre jeunesse à aimer nos
voisins alors qu'en réalité il s'agit bien de les assimiler plus

amplement aux coutumes et au mode de vie des marchands tyriens.

— Nous savons tout cela, mon ami. Nos ancêtres ont négocié ces accords et nous y avons à maintes reprises trouvé notre compte. Nous nous sommes ainsi familiarisés avec les lois puniques.

Maître Aberkan resta sceptique quant au profit tiré de cette alliance et tenta de l'exprimer sans détours, mais l'Aguellid Gaïa resta ferme sur sa décision. Son fils irait s'instruire à Karthage. Le prince héritier en était exempté à cause de sa charge politique qui exigeait de lui une présence assidue auprès de l'Aguellid à qui il est appelé à succéder.

— Je ne t'ai pas tout dit ! ajouta l'Aguellid. La reine veut y aller avec son fils et j'ai accepté à condition que tu les accompagnes.

— Titrit va partir à Karthage ? s'étonna maître Aberkan, plus surpris que fâché.

— Oui ! Elle m'a imposé ce choix et tu la connais, elle ne reviendra pas dans cette décision.

— Surtout quand il s'agit de son fils unique, concéda Aberkan. Je ne le sais que trop !

Il y avait dans ses yeux un mélange de rage et de consternation. Il se sentait presque heureux que le sort eût décidé de le faire revenir à Hibboune la royale et d'y mourir, et voilà qu'il fallait à présent repartir. Il tenta néanmoins une dernière esquive.

— Demande plutôt à Mastanabal, lui qui a participé dans sa prime jeunesse à la révolte des mercenaires sous les ordres de Mathos, avant de rejoindre les cavaliers de Naar Baal. Je suis sûr que cela lui ferait plaisir de retourner chez les marchands.

— Sois sérieux Aberkan ! Toi seul représentes la caution que mon fils ne se perdra pas, et sa mère partage mon avis !

— Vous vous êtes ligués contre moi, à ce que vois !

— De cette contrainte, il ne sortira que du bien, je le perçois ainsi, affirma son royal interlocuteur, très souvent inspiré par les messages d'origine divine de son épouse.

— Ce sont tout de même des otages ! Les Karthaginois ne se gêneront pas de les utiliser pour exercer une plus lourde pression sur nos frêles épaules, répliqua le vieux sage, avec un air de résignation qui relevait autant de la méfiance que du compromis.

— J'ai confiance en mon fils, il est de bonne souche. Il a grandi à l'ombre de ta grande sagesse et tu continueras à lui être utile à Karthage. Si Mastanabal a été un grand guerrier autrefois et Karthage a eu maintes fois l'occasion d'aiguiser ses tentations, j'ai plus besoin de lui ici à mes côtés. Toi, tu es resté toi-même fidèle à ta patrie, à ta famille. Regarde un peu aujourd'hui, tu guides notre jeunesse et notre nation quand les ténèbres obscurcissent nos esprits.

— J'ai accompli ma mission pour le bien de notre royaume, je sais tout cela ! J'ai simplement un reste de rancœur vis-à-vis de ces étranges marchands qui se disent civilisés et qui nous prennent pour des éleveurs de moutons, alors que notre savoir est aussi intense et détaché que leur vanité à posséder encore et encore !

— Je ne peux pas t'ordonner d'y aller contre ta volonté. Je te le demande en tant qu'ami. Voudras-tu accompagner mon fils et mon épouse ? demanda humblement Gaïa.

Maître Aberkan ne répondit pas immédiatement mais au fond de lui il connaissait déjà la réponse depuis qu'il avait accepté d'ouvrir son école du progrès avec l'aide de la reine Titrit. Il avait toujours su que son destin ne finirait pas à Kirthan, ni à Hibboune la royale, mais bien plus loin encore.

— Cet enfant est comme le mien, dit-il avec un air circonspect. Évidemment que je vais les accompagner et veiller sur eux dans la cité d'Elyssa.

— Je t'en remercie, mon ami.

— Quand partons-nous ?

— Allons prévenir la reine, elle sera enchantée de ta décision ! Le voyage ne sera pas annoncé officiellement, elle tient à faire une entrée discrète à Karthage. C'est elle qui fixera la date du départ.

Ils quittèrent la salle du conseil pour aller rejoindre la grande prêtresse Titrit, dans ses appartements. Celle-ci, assistée de son fils, était en train de superviser les préparatifs du voyage dans ses moindres détails avec les domestiques du palais. Elle décida du nombre de personnes, soldats et serviteurs, qui devaient l'accompagner, traça deux itinéraires. Le bateau pour elle et sa suite ainsi que le prince et la route pour les autres serviteurs et cavaliers royaux mis à son service par le roi.

— Laminias peut-il nous accompagner, mère !

— Bien sûr, mon fils ! Les autres nous rejoindront par la route.

— Bonne nouvelle, mon épouse, maître Aberkan sera du voyage, annonça l'Aguellid qui fit irruption dans la pièce, accompagné du maître.

— Mais je n'en ai jamais douté, fit simplement la reine en souriant, nullement surprise. C'est Massinissa qui sera ravi de l'apprendre.

— Je ne pourrais donc jamais surprendre ma reine, s'inclina Aberkan. As-tu déjà prévu une date ?

— *L'Hippocampe* appareille après-demain à l'aube. C'est le nom du bateau qui vous emmènera à Karthage, annonça le roi.

L'idée que tout s'arrangeait le rendait presque euphorique. Ce ne fut malheureusement pas le cas de maître Aberkan quand il comprit qu'il devait prendre le bateau pour se rendre à Karthage. Il fit trois pas en arrière, blêmit et se mit à bafouiller.

— Les voyages en mer ne me conviennent pas ! Pas à mon âge, tenta-t-il de se justifier. Vous le savez tous

LE CODEX D'AYLIMAS 323

d'ailleurs. Rappelez-vous de la traversée de Khullu à Hibboune la royale !

— Les bateaux marchands sont moins incommodants que les navires de guerre. Ils pratiquent le cabotage et vont moins vite, tenta de le rassurer le roi Gaïa.

— Peut-être ! Mais selon mon fils, je n'ai pas le pied marin, rechigna énergiquement Aberkan.

Titrit mit fin à ses inquiétudes en lui promettant de lui administrer un remède de sa composition qui allait lui épargner le mal de mer.

— Le voyage par la route serait plus inconfortable pour tes vieux os, dit-elle, plus soucieuse du confort du maître que du sien.

— Nous voyagerons ensemble, argumenta Massinissa.

— Dans quel état arriverai-je à Karthage ! Mort, à quoi te servirais-je mon prince !

— Tout ira bien, tu verras ! N'as-tu plus confiance en mes potions miraculeuses ? insista Titrit.

— En tes potions, oui ! Mais en mon cœur, plus maintenant.

— Ton cœur est aussi solide que le mien. Va plutôt préparer tes affaires, nous partons après-demain.

*

Massinissa retrouva son cousin Kabassen et leurs amis et ils se promirent de s'écrire assez souvent, chacun étant conscient de sa charge et du rôle qu'ils allaient désormais jouer dans leur vie personnelle et dans la vie du royaume.

— Ainsi maître Aberkan t'accompagne ! s'exclama Kabassen.

— Oui, mère sait être convaincante. Laminias m'accompagnera aussi sur le bateau. Sámyan, Azelmad, Aghdim et Amadour suivront par route.

— Je vais me retrouver bien seul !

— Il te restera Atys, Amsad et Mezhian ! Tu exagères un peu, cousin !

— Un déprimé, un fou et un freluquet ! Quelle agréable compagnie !

— Je te laisse Atlas, n'est-ce pas une autre consolation ?

— Tu parles d'une consolation ! Tu sais bien qu'il me fait peur ton lion. Il n'obéit qu'à toi !

— Nourris-le tous les jours et tu verras qu'il finira par te suivre comme un mouton !

— Tu emmènes Ayyur et Tafukt ?

— Oui ! Ces deux-là seraient comme des orphelins sans moi !

— Et toi sans eux !

— Ils sont moins encombrants qu'Atlas et puis si je l'emmenais là-bas, je passerais pour un vrai barbare aux yeux des Karthaginois !

— Ce que tu n'es pas, assurément !

— Non, pas de ton point de vue, cousin.

Aberkan rendit visite à Mastanabal qui lui donna quelques adresses à Karthage où il pouvait trouver de l'aide auprès des anciens vétérans avec qui il était resté en contact depuis la fin de la guerre des mercenaires. Ils étaient devenus des artisans et des marchands et avaient gardé des liens puissants au sein d'une corporation de métiers.

Quant à la reine Titrit, elle se rendit auprès de sa mère, la grande prêtresse Markounda pour l'aider à entrouvrir encore une fois les portes mystérieuses de l'autre monde afin d'y voir quelques lueurs d'espoir et confirmer la destinée choisie par les anciens pour son fils.

— Les cieux sont limpides, mais mon cœur est en peine. Depuis ta dernière prophétie, je me suis détachée du roi pour ne pas supporter le poids de la séparation qui semble imminente. Suivre la voie de Massinissa, telle est à présent ma nouvelle vocation. Je dois lui aplanir toute difficulté sur le reste du chemin !

— Tu as fait le bon choix, ma fille aimée ! Le roi s'habituera à la solitude. Son heure viendra, mais pas de sitôt. Cependant je peux t'annoncer que sa tête ne trouvera pas le réconfort de ta poitrine quand il rendra son dernier souffle, révéla-t-elle.

Il y eut un lourd silence. Une douleur monta dans la poitrine de la reine Titrit, et des flammes embrasèrent son corps tout entier. Markounda posa sa main sur la tête de sa fille, comme elle le faisait pendant son enfance dans les moments où elle intervenait pour atténuer ses souffrances. Aussitôt la douleur, si intense et insupportable, se dissipa lentement et la reine Titrit retrouva sa respiration régulière.

— Et toi, te reverrais-je, mère ?

— Mon adorable fille, nous faisons ici nos adieux. Bientôt je serai aux côtés de ton père. Ces derniers temps, je l'entends souvent m'appeler, comme si ma tâche dans ce sanctuaire le contrariait un peu. De tous mes exils, le moins douloureux sera celui des retrouvailles avec Arman, mon tendre époux.

— Il me manque aussi ce père chéri, parti trop tôt !

— Mon esprit veillera sur toi ici et continuera à le faire là-bas, quand mon corps ne brillera plus et s'éteindra dans cette vie.

— J'honorerai ta mémoire comme une flamme à l'infini. Tant qu'il me restera un souffle de vie, je te serai toujours reconnaissante pour tout l'amour et la tendresse que j'ai obtenus de toi !

— Tu m'en as donné tout autant, mon aimée, dit Markounda en lui ouvrant ses bras.

Elles oublièrent pour un court instant leurs charges spirituelles, leurs statuts et leurs rangs et laissèrent s'exprimer leur profonde tristesse qu'elles ne pouvaient soulager autrement que par des larmes.

BERBÈRES

— C'est ainsi ! soupira Markounda en se libérant de l'étreinte de sa fille. Que les flots t'emportent là où est inscrit ton destin !

Les yeux ne prennent pas de charges,
mais ils savent en mesurer le poids.
Suffète Zelaslan : −296/−229

Très tôt le lendemain, l'Aguellid Gaïa piétinait d'impatience dans cette immense salle du conseil. Malgré son grand âge et sa sagesse légendaire, il était fébrile. C'était le jour du départ de son épouse et de son fils pour Karthage. Il s'assura personnellement que les chariots avaient bien chargé les bagages et particulièrement les meubles que la reine tenait à emporter avec elle.

— Permission de monter à bord, capitaine ? demanda le capitaine Amayas.

— Permission accordée ! répondit l'officier du haut de la passerelle.

Une fois à bord, les officiers se saluèrent.

— Akbarim, pour te servir.

— Amayas, du *Dauphin blanc*. Mon bateau est amarré derrière le tien.

Pour assurer la sécurité du bateau, Gaïa chargea l'amiral Yuksan de désigner un navire de guerre pour accompagner *L'Hippocampe* lors de sa traversée jusqu'aux limites du territoire de la république marchande. Une fois dans les eaux karthaginoises, il était assuré de se retrouver en toute sécurité. Lorsqu'Amayas apprit que son père s'apprêtait à partir pour Karthage, il se porta volontaire pour cette mission d'accompagnement. Pour rien au monde, il n'aurait voulu rater l'occasion de revoir son bien-aimé père. Arrivé plus tôt, il préféra se présenter personnellement à son collègue. Ce dernier tint à lui présenter son bateau :

— *L'Hippocampe* est un navire marchand qui pratique le cabotage par nature, dit-il. Construit en bois avec très peu de métal, il est assez léger pour pouvoir être remonté sur le rivage la nuit. Il est conçu pour emporter de lourdes charges et un équipage réduit, mais qui peut aussi ramer le cas échéant pour les manœuvres au port et par temps calme. Mais sa force motrice est dans sa capacité à capter les vents favorables à l'aide d'un gréement bien adapté.

— Combien de personnes peut-il contenir ?

— En plus de l'équipage ! Une douzaine de passagers répartis pour leur confort, entre deux cabines individuelles et quatre autres dotées de couchages superposés. Tu veux visiter ?

— Oh, je n'ai pas vraiment le temps, désolé ! J'attends mon père d'un moment à un autre ! Je retourne à mon bateau. À bientôt, collègue !

L'Hippocampe était ancré sur la rive droite de la Seybouse, à l'angle du quai principal du port d'Hibboune la royale. Amayas attendait son père, sur le pont de son bateau, le *Dauphin blanc*. Une nuée de marchands ambulants proposait leurs babioles aux passants. Au haut de la passerelle de *L'Hippocampe*, le capitaine attendait ses passagers de prestige. Il était le seul à connaître leurs identités, c'est pour cela qu'il tenait à leur souhaiter la bienvenue en personne. La réputation de la reine Titrit dépassait les frontières du royaume massylès et il n'aurait pas commis la déconvenue de manquer son arrivée à bord. De temps à autre, il jetait un coup d'œil furtif aux dockers du port qui assuraient le chargement de centaines d'amphores d'huile et de jujubier, destinées à un important importateur karthaginois.

Les passagers arrivèrent et après avoir fait leurs adieux à leurs proches venus les accompagner, ils montèrent à bord.

L'Aguellid Gaïa accompagna son épouse et son fils jusqu'au haut de la passerelle, accueilli par le capitaine.

— Je suis très honoré de ta présence sur mon bateau ! dit Akbarim.

— Voici Amayas. Le capitaine du *Dauphin blanc*. Il est chargé de t'escorter jusqu'aux eaux de Karthage à bord d'un navire de ma flotte royale.

— Nous avons fait connaissance, ce tantôt ! répondit Akbarim.

Les deux capitaines discutèrent cette fois de la route maritime et des étapes prévues pour le cabotage, tandis que le roi faisait ses adieux à sa famille.

— Vous ne serez pas seuls longtemps ! annonça-t-il à son fils et à Laminias. Vos amis seront avec vous dans une semaine tout au plus.

Puis, se tournant vers Titrit, il la regarda avec une telle tristesse qu'on aurait dit qu'il avait deviné ses pensées à propos du temps qu'il lui restait à vivre. La reine ne cacha pas sa peine, mais devant les autres, elle se retint de ne pas prolonger ce moment de séparation qu'elle pressentait être le dernier de leur vivant.

— Mon roi, mon ami, se contenta-t-elle de soupirer.

— Au revoir ma reine, mon épouse !

Tels furent les mots qui marquèrent la séparation du couple royal le plus envié du royaume, presque imperceptibles par le jeune prince qui talonnait déjà le capitaine Akbarim en lui posant une multitude de questions.

Bientôt arriva le moment d'appareiller. Le capitaine pria les accompagnateurs de quitter le bateau et donna les ordres pour préparer la manœuvre.

Les amarres furent lâchées par un temps brumeux et le navire glissa hors du port, la proue pointée vers le large. La cité d'Hibboune la royale disparut au regard attendri de maître Aberkan, derrière un rideau de brouillard.

— Adieu ! Terre natale, présagea le vieux sage, empli d'acrimonie.

Le bateau mit le cap sur Utique, la prochaine étape avant Karthage. Le ciel était clair et aucun nuage ne s'annonçait à l'horizon. L'air était léger et la brise gonflait la voile principale. Debout à la proue, Massinissa contemplait les flots qui formaient des écumes au contact du navire. Aberkan, assis à côté de lui, était depuis un moment plongé dans un silence inhabituel.

— La mer est aussi calme que ton cœur est bienveillant, maître ! lui dit-il.

Le vieux précepteur lui jeta un regard attendri.

— Que veux-tu de moi encore, jeune impatient ? répondit-il, l'air agacé.

— Calme ta fureur, vieux sage ! Je sais que la mer te met de mauvaise humeur.

— Et que sais-tu de ma fureur, hein ? menaça Aberkan en montrant ses poings au jeune prince.

Masinissa réfléchit un court instant avant de lui répondre.

— J'en sais un peu plus sur tes pensées, en effet !

— Ah bon ! Voilà maintenant que tu lis dans mes pensées ?

— Non, maître, je ne lis pas, je les devine ! Elles sont toujours justes et à propos, corrigea Massinissa sans flagornerie.

Le vieillard se sentit néanmoins flatté par cette dernière remarque. Il se redressa de toute sa taille, puis s'approcha du jeune prince et lui posa la main sur l'épaule, d'un geste affectueux et paternel.

— Tu maîtrises bien l'art de la parole, jeune prince, lui dit-il. Un jour cette habileté te sera utile !

Il ajouta :

— Surtout là où nous allons !

Sur ces mots, il repartit en direction de la cabine pour y chercher un peu de sommeil. Le prince lui avait cédé la sienne, préférant s'installer avec son ami Laminias dans une autre cabine à couchettes multiples.

Le vieil homme avait besoin de trouver du repos pour supporter son mal de mer. Massinissa l'accompagna, redoutant la démarche vacillante du maître. Une fois Aberkan bien installé dans sa couche, le jeune prince remonta sur le pont, se mêla aux marins et aux autres passagers. Son attention fut attirée par un jeune homme, presque de son âge, en train de lover des cordages avec une attention et une précision si étonnantes qu'il décida de s'approcher pour admirer ses gestes. Il alla s'asseoir sur un des grands rouleaux au-dessous de la voile centrale et le regarda faire pendant quelques instants avant de lui demander, en désignant son ouvrage :

— C'est une technique que tu pratiques depuis longtemps ?

— Assez, oui ! répondit le jeune matelot avec une impétuosité à laquelle le prince n'était pas habitué. C'est mon métier depuis peu, mais déjà petit, j'aimais regarder mon père travailler les cordages. Il travaillait sur ce bateau, maintenant qu'il est mort, je le remplace.

— Tu t'y connais en nœuds alors, il n'y a pas de doute, dit Massinissa, impressionné par l'habileté du marin.

— Bien sûr, répondit le jeune homme fièrement. Quand un nœud est bien fait, ne dit-on pas toujours que c'est un nœud marin ?

— En effet. Ecoute, je m'appelle Massinissa et je trouve cet univers fascinant ! J'aimerais en savoir plus, pourrais-tu m'en parler ?

— Tu veux quoi ? Apprendre à faire des nœuds ?

— Faire des nœuds ! Oui bien sûr, si ce n'est pas un secret de corporation. Mais aussi je voudrais connaître leur histoire. Je me rends à Karthage pour apprendre, autant commencer à apprendre avec toi, non ?

— Apprendre à Karthage ! Tu dois être quelqu'un d'important. Il faut de grands moyens pour vivre dans la ville éternelle !

— Ce sont mes parents qui ont choisi pour moi, éluda Massinissa. Que peux-tu me raconter sur les nœuds ?

— Les nœuds ? Ils remonteraient à des époques très primitives, sans doute bien avant que l'homme ne découvre le feu et les métaux !

— C'est aussi ancien que çà ? s'étonna le prince massylès.

Le jeune marin noua sa dernière boucle, la main droite tenant la glène avec laquelle il fit plusieurs fois le tour avec l'extrémité du cordage. Il termina par une ganse pour capeler le sommet de la glène, puis il tira sur l'extrémité du cordage pour la souquer. Il prit ensuite un bout de corde et vint s'asseoir à côté de Massinissa.

— Je m'appelle Muthas et je suis le gabier sur ce bateau.

— Un gabier ?

— Oui, je suis le spécialiste des nœuds dans l'équipage et je m'occupe de manœuvrer les voiles. C'est pour cela que les nœuds n'ont aucun secret pour moi.

— Vous êtes comme une famille à bord, chacun connaît son métier et obéit à ses supérieurs, comme dans un escadron de cavalerie !

— Ici, c'est notre capitaine qui commande, il est le seul maître à bord !

— Et cet homme au milieu des matelots, qui parle avec autorité ?

— Lui c'est notre bosco. C'est lui le maître de manœuvre et de tout ce qui touche au gréement et au matelotage à bord des navires de guerre ou de commerce.

— L'ordre et la discipline font la force de l'équipage à ce que je vois ! Revenons aux nœuds, alors tu veux bien m'apprendre à en faire, c'est ça ?

— J'ai l'impression que tu sais déjà en faire, je me trompe ? demanda le gabier.

— Je sais en faire quelques-uns, comme pour attacher la bride de mon cheval, ou consolider les branches d'une mapalias*. (* Hutte numide)

— Je m'en doutais bien ! Dans la marine, nous utilisons les nœuds comme un art, regarde ! Ils sont tout à la fois utilisés pour tenir sous des tensions énormes sans se défaire et en même temps très faciles à dénouer.

— Dans quelles matières sont confectionnées les cordes ?

— Pour commencer ta leçon, sache qu'il ne faut jamais utiliser le mot corde à bord d'un bateau, sauf pour désigner le cordage qui permet d'actionner la cloche en cas d'alerte. Ensuite tout bon marin est capable de faire très vite et très bien plusieurs dizaines de nœuds, des nœuds rituels jusqu'aux nœuds d'ornement.

— Je ne demande qu'à apprendre, je te l'ai déjà dit !

— Bien ! Sans être un pro, chacun devrait connaître les nœuds élémentaires, expliqua Muthas en se saisissant de deux bouts d'une corde. Tiens, regarde attentivement. L'extrémité de ce bout va servir à tisser le nœud, il s'appelle le courant. Il faut l'opposer au dormant, qui reste fixe, souvent lié à une pièce du gréement. C'est donc le courant qui servira à faire le nœud. Tu as saisi ?

— Montre-moi plutôt comment tu fais, je retiendrai mieux !

Muthas saisit une deuxième corde et fit une démonstration à Massinissa.

— Voilà un nœud plat. C'est le nœud le plus pratique pour réunir deux cordages. Observe bien comme les boucles coulissent bien l'une dans l'autre. À toi de jouer maintenant !

Massinissa prit les deux cordes et enroula le courant deux fois autour de l'une d'elles puis rabattit son extrémité à l'intérieur de la boucle de l'autre corde.

— Hé ! Tu apprends vite jeune moussaillon, bravo pour ta dextérité !

— C'était assez facile, car j'ai une bonne mémoire et je retiens vite. Allez ! Montre-moi un autre nœud, plus difficile, cette fois !

— D'accord, je vais le faire, mais en échange je veux savoir qui tu es ! Je ne te dévoilerai mon art qu'à cette condition !

— Il n'y a pas de secret autour de ma personne. Je suis Massinissa, fils de l'Aguellid Gaïa, roi des Massylès.

— Oh ! Pardonne-moi mon prince pour mon comportement de tout à l'heure. Je ne voulais surtout pas être irrévérencieux !

— Oublie donc, ce n'est pas si grave que ça ! Je suis prince, mais pas héritier et je n'attache pas d'importance au protocole. Je voyage avec ma mère jusqu'à Karthage et je compte bien profiter de cette traversée pour occuper mon temps. Continue donc à me montrer plus de nœuds, s'il te plaît.

— Mais bien sûr mon prince, tout ce que tu veux ! Voici le nœud en huit. C'est un nœud d'arrêt qui se fait et se défait rapidement, même très serré. Regarde !

Au bout d'un long moment d'apprentissage, le gabier leva les yeux.

— N'est-ce pas ta mère, sur le pont ? Elle semble te chercher.

— Oui, c'est bien elle, répondit Massinissa en faisant un signe de la main à sa mère.

— Alors, fini la leçon !

— Pour aujourd'hui, oui. Je vais la rejoindre. Merci pour tout, Muthas le gabier. J'ai été content de te connaître.

— Moi de même, prince des Massylès. À plus tard, Massinissa et surtout bon vent !

C'est ainsi que, grâce à Muthas, les nœuds n'eurent aucun secret pour le jeune prince qui apprit à faire des nœuds jambe de chien, pour raccourcir une corde, les nœuds plein poing qui servent à supprimer par exemple des bouts de cordes abîmés ou encore des nœuds de chaise dont la boucle ne glisse pas.

*

La première journée de navigation se passa sans incident à part le mal de mer de maître Aberkan qui fut réfractaire aux potions médicinales de la grande prêtresse. Le *Dauphin blanc* talonnait de près *L'Hippocampe* sur la grande bleue et il en fut ainsi jusqu'à l'approche de Tabarka où les deux navires firent escale pour la nuit. Aberkan retrouva son fils et cela apaisa ses souffrances passagères jusqu'à même les faire disparaître totalement, à l'heure du sommeil.

— Demain je suivrai *L'Hippocampe* un bon moment puis je ferai demi-tour en pleine mer pour retourner à ma base ! annonça Amayas à son père.

— Mais pourquoi donc ? interrogea Aberkan.

— Parce qu'au-delà vous ne risquez rien.

— Mais le risque est en tout, mon fils ! Le plaisir a été de te revoir encore une fois avant ce séjour forcé chez les marchands ! Qui sait quand aura lieu notre prochaine rencontre ?

— C'est pour cela que le meilleur souhait que je puisse te faire c'est qu'elle soit longue, ta vie !

— Et que la tienne soit heureuse, mon fils.

Ils reprirent la mer tôt le lendemain matin, après une bonne nuit de sommeil. Les hommes se firent leurs adieux sur la berge. Amayas, Massinissa et Aberkan discutèrent avant de se séparer, laissant le capitaine du *Dauphin Blanc* à ses consignes. Puis *L'Hippocampe* reprit la voile, cap vers l'est, tandis que l'autre bateau, après quelques miles, fit demi-tour et mit les voiles dans la direction opposée.

En voyant les hommes s'affairer sur le pont, Massinissa ne put s'empêcher de constater à quel point le travail de

coordination et de discipline était important pour que le
bateau navigue paisiblement sur l'eau. Il fut interpellé par
un autre voyageur, dont l'accent sentait fort le karthaginois.

— J'admire l'attachement des marins à la grande
bleue ! Ils parcourent sans se lasser les étendues marines
en chantant de bon cœur ! lui dit-il en constatant l'intérêt
qu'il portait à l'activité des matelots.

— C'est exactement ce que je pensais, répondit
Massinissa. Leur mélodie est rythmée, elle ne manque
cependant pas de poésie.

— Je m'appelle Sicharbas et je suis négociant, dit-il dans
un berbère approximatif.

— Et moi Massinissa, répondit le prince en punique.

— Enchanté, jeune Numide. Tu voyages avec ta famille ?

— Oui, répondit le prince sans trop donner de détails
sur le but de son voyage.

Sicharbas nota la réticence du prince et changea de sujet :

— Tu disais qu'il y avait de la poésie dans le chant des
marins…

— Oui, je trouve, en effet ! Leur mélodie cache bien des
complaintes qui proviennent des profondeurs de la mer et
elle raconte leurs histoires, leurs prières. Tu ne trouves pas ?

— J'avoue n'avoir jamais tenté de comprendre ce que
veulent dire ces chants ! Je me contente de les écouter
depuis des années que je voyage avec mes marchandises à
bord de ces énormes embarcations.

— Ils sont passionnés par leur métier ! Leur vie entière
est vouée à la mer, quoi de plus noble !

— J'ai connu un vieux marin qui comparait sa retraite,
après des années de service pourtant bien pénibles, à un
divorce avec la mer. Une fois arrivés à quai, ils débarquent
les passagers et reprennent la mer pour un autre trajet, une
autre aventure ! Sans jamais se tromper de destination.

Laminias arriva à cet instant, envoyé par Titrit qui
demandait à voir son fils.

— Dis à ma mère que j'arrive dans un instant, répondit Massinissa. Puis il se tourna vers le marchand punique et lut dans son regard ce que ce dernier avait deviné.

— Ma mère tient à ce que nous voyagions discrètement. Je te laisse, Sicharbas.

— À plus tard, Massinissa. Je vais inspecter l'état de mes marchandises, répondit Sicharbas en posant son index sur la bouche. Je respecterai ton anonymat, sois sans crainte, jeune prince.

Massinissa rejoignit sa mère ; elle était toujours au chevet de maître Aberkan qui n'arrêtait pas de gémir. Laminias l'aidait à le relever pour lui faire boire une infusion préparée avec soin pour le soulager de son mal.

— Tu as demandé à me voir, mère ?

— Le capitaine Akbarim vient de m'annoncer que nous approchons d'Utique et que nous y ferons escale pour la nuit.

— Je pourrai descendre du bateau, alors !

— Oui, mais pas seul, mon fils chéri. Maître Aberkan a besoin de mes soins. Prends Amalut avec toi, tu te sentiras moins seul !

— Autant aller dans un sanctuaire, mère ! Il est aussi silencieux qu'une ombre, Amalut. Je descends à terre pour m'amuser un peu, non ?

— Silencieux comme une ombre sans doute, je te l'accorde, mais il est aussi rusé qu'un chacal et fort comme un taureau, si tu cherches des comparaisons !

— Je n'irai pas seul, c'est promis ! J'emmène Laminias, ça te va ?

— Va pour Laminias, concéda la reine.

Mais à peine les deux jeunes Numides étaient-ils descendus à terre qu'elle donna des consignes à Amalut.

— Ne les quitte pas des yeux, tu m'as bien compris ! lui ordonna-t-elle. Et surtout, sois aussi discret que possible, je ne voudrais pas qu'il pense de moi que je l'espionne.

Les plumes du poulet cachent bien sa maigreur.
Proverbe populaire numide

La cité marine d'Utique était attirante avec ses boutiques bien achalandées, ses étalages de bijoux en or venus d'orient, ses vêtements de soie et de coton, ses vases richement décorés et bien plus encore. Cependant, ce qu'il y avait de plus attrayant, c'était surtout les femmes qui se promenaient seules dans les rues, toutes d'une beauté inouïe.

— Elles portent toutes des robes en lin assez décolletées montrant audacieusement la naissance de leur gorge et complètement transparentes ! dit Laminias

— On peut facilement deviner leurs formes comme si elles étaient entièrement nues sous leurs tissus, ajouta Massinissa aussi épaté que son compagnon de voyage.

Toutes les femmes que le prince des Massylès croisait dans les rues d'Utique étaient fardées et marchaient, cheveux au vent, avec une élégance provocante, en ondulant du bassin et des hanches comme en un rituel d'invitation à la sensualité féminine. Certaines portaient des robes fendues au niveau de la cuisse, laissant apparaître de fines jambes soigneusement épilées et huilées.

Massinissa chercha à se rappeler ce qu'Aberkan aurait pu dire à ce sujet, mais il semblait bien que l'esprit éclairé de son maître eût tout simplement oublié de mentionner cet aspect des rapports à l'autre sexe. Ils repérèrent une taverne avec des tables à l'extérieur. Sous l'effet d'une fascination inexpliquée, le jeune prince s'y installa à côté de Laminias qui était aussi ébloui que lui par le spectacle enchanteur de la rue et l'exotisme de ses passantes. Il commença à se sentir bien, réussit à se retrouver un équilibre entre le décalage d'Hibboune la royale et cette cité des plaisirs, lorsqu'il fut interpellé par l'une des déesses piétonnes.

— Salut à toi ! Tu n'es pas d'ici, étranger !

— Non, en effet ! Je suis de passage.

— Tu restes quelque temps à Utique ?

— Non, je viens de débarquer du port et le bateau repart demain !

À son accent, elle reconnut ses propres origines, avant qu'elle ne vienne s'installer dans cette cité pour y exercer son métier. Elle voulut en savoir davantage sur ce jeune Massylès bien accoutré et à l'allure noble.

— Tu as donc un peu de temps devant toi ! Tu peux venir chez moi, si tu veux, lui dit-elle en l'invitant à la suivre de la main. J'ai du lotus tout frais ! Meilleur que celui qu'on te servira ici,.

— J'aimerais bien, mais je risque de rater le bateau !

La jeune femme cligna de l'œil :

— Ne t'inquiète pas pour ça, je te libèrerai à temps.

— Je ne dois surtout pas manquer le départ pour Karthage, insista le jeune prince avec assurance tant pour montrer son rang que pour affirmer son autorité. Je peux t'accorder quelques heures, si ça te va !

— Quelques heures ! Autant dire une éternité ! s'exclama-t-elle avec un sourire charmeur. C'est assez pour faire connaissance. Suis-moi, tu ne le regretteras pas.

Massinissa haussa les épaules en désignant du menton son ami. Elle s'en rendit compte.

— Ton ami aussi peut venir ! Il y en a assez pour deux !

— Je ne bois pas de vin ! objecta Laminias, dérangé dans ses contemplations exotiques.

Massinissa lui donna un coup de coude pour le faire taire. La jeune femme s'en amusa et partit d'un grand éclat de rire.

— Venez donc ! Vous n'avez rien à craindre de moi ! J'habite au bout de cette rue !

Je m'appelle Alyssa, comme la reine de Karthage, c'est un nom très répandu par ici !

— Et moi, Massinissa et voici mon ami Laminias. Marche devant, nous te suivons, femme !

Au lieu de prendre la rue, elle s'engouffra dans la taverne qu'elle traversa et sortit par la porte de derrière pour venir emboîter le pas aux deux jeunes Numides.

Amalut qui ne les avait pas quittés des yeux depuis leur descente du bateau tenta de les rattraper, mais la distance qu'il mit entre le prince et lui pour ne pas être repéré lui fit perdre leurs traces. Il resta quelques secondes à guetter dans cette même rue puis eut l'idée de s'adresser au tavernier. Le temps d'observer le prince et le manège de la courtisane des rues, il avait acquis la certitude qu'elle était de mèche avec le tôlier. Aussi, usa-t-il de rudesse en le questionnant.

— Par la porte de derrière ! indiqua le tôlier sous l'œil menaçant du Gétule qui lâcha son homme et courut à la porte. Il l'ouvrit hâtivement et passa sa tête par son entrebâillement, le temps d'apercevoir les trois silhouettes s'engouffrer dans une des maisons de la rue.

— C'était plus court par là ! Voici ma maison, dit Alyssa.

Elle leur sourit à nouveau et les invita à entrer. Dès le seuil de la maison, dans une cour qui servait aussi de vestibule, ils furent accueillis par une esclave qui leur lava les pieds et leur présenta des mules d'intérieur.

— Ce ne sont pas des pieds de marins ! pensa Alyssa, en observant le rituel.

Elle ne s'était pas trompée. Des noms authentiquement berbères, et de bonnes familles. Il fallait qu'elle en sache davantage sur leur présence à Utique, cela pouvait servir à gagner quelques pièces en échange de renseignements. Les espions karthaginois ne manquaient pas dans la ville et leur réputation de générosité n'était plus à défendre. Amalut fut en quelques secondes sur leurs pas. Il s'arrêta devant une somptueuse demeure, bordée de lauriers blancs. Il n'avait rien raté de la scène jusqu'au moment où le prince et son ami étaient entrés l'un derrière l'autre dans la demeure de leur hôtesse.

Alyssa les accueillit dans la pièce principale, vaste et décorée de fresques magnifiques mettant en scène des faits de chasse et de pêche, ou encore des scènes érotiques représentant des postures amoureuses.

Laminias devina d'un coup chez qui ils se trouvaient. Il interrogea le prince du regard.

— Naïf que tu es ! lui signifia discrètement Massinissa.

Alyssa leur désigna des chaises sculptées.

— Asseyez-vous ! À présent, faisons connaissance !

L'esclave entra dans la pièce et déposa sur une table une cruche fraîche de lotus et deux gobelets richement décorés. Puis elle apporta un plateau rempli de gâteaux aux amandes et au miel qu'elle déposa sur une autre table, près de sa maîtresse.

— Je ne bois pas à cette heure-ci de la journée, déclina celle-ci pour rassurer ses invités.

L'esclave emplit les deux gobelets, malgré le refus de Laminias qui fit mine de ne pas aimer le breuvage, mais sur insistance de Massinissa, il ne s'opposa pas davantage. Alyssa était assise sur un divan sur lequel étaient déposés des coussins brodés d'or.

— Buvez tant que c'est frais ! Le lotus tourne vite par cette chaleur. Dites-moi, d'où venez-vous ?

Laminias, tombé sous le charme, s'apprêta à répondre quand il fut coupé par le prince.

— Nous sommes des marins embarqués à bord de *L'Hippocampe* qui vient de faire escale dans le port.

— Je connais bien le capitaine de ce bateau. C'est la première fois que tu viens à Utique ? demanda-t-elle en repliant ses jambes sur le sofa.

— Oui, nous venons de nous engager sur le bateau, répondit Massinissa en faisant discrètement les yeux ronds à Laminias qui semblait perdu dans ses pensées. Elle savait qu'il mentait ; il ne portait pas la tenue des marins ordinaires. Massinissa remarqua son air dubitatif et tenta d'anticiper d'autres questions qui auraient pu le confondre.

— Je suis gabier et Laminias est mon assistant. On travaille sur le même bateau. Mais parlons plutôt de toi !

— De moi ? Que veux-tu savoir ? Ce que je fais ?

— Non, ça je l'ai deviné ! Ce n'est pas le premier port où je rencontre des vendeuses de charmes, mentit le prince.

— Et qu'est-ce que veux-tu savoir à mon sujet ?

— Comment es-tu arrivé ici ? Tu as beau te faire appeler Alyssa, tes origines numides ne peuvent pas être effacées sous ton maquillage.

— Tu n'apprécies donc pas ma beauté ! fit mine de s'insurger Alyssa.

— Je n'ai pas dit ça ! Nul doute que je te trouve belle et attirante. Je ne t'aurais pas suivie si ce n'était pas le cas. Mais chez nous, l'amour ne se monnaye pas, il se donne, il s'offre en échange.

— Tu dis ça parce que tu es un homme. N'as-tu jamais demandé à une femme si elle partageait son plaisir avec toi quand tu la prenais de force ?

— Non ! Jamais, répondit spontanément Massinissa. Je veux dire que je n'ai jamais pris une femme de force. Chez moi cela ne se fait pas.

La vivacité de la réaction le désignait aux yeux de son interlocutrice comme un homme ne faisant pas partie du commun. Elle fit cependant mine de ne pas s'en être rendue compte et répliqua vivement :

— Tu n'es pas chez toi, tu l'as remarqué ! Et puis, dis-moi, de quoi vivrais-je si je ne faisais pas commerce du seul bien que je possède ?

— N'existe-t-il pas de métiers qui conviennent mieux aux belles femmes numides comme toi ?

— Le mien ne te convient pas ? Te permettrais-tu de me juger avant de m'avoir connue ?

— Tu exerçais un métier avant cela ?

— Non, mon cher pilote de bateau ! insista-t-elle pour montrer qu'elle ne le croyait pas. Je ne sais faire que cela. Je suis d'une origine paysanne, si tu veux savoir.

— Tu veux dire que le travail de la ferme t'intéresse moins que ce métier embarrassant ?

— Embarrassant ? Peut-être pour toi. Quant à moi, j'en retire de quoi assurer mes vieux jours !

— Si vieux jours il y aura !

— Comment ça ? Qu'est-ce que tu insinues ? réagit Alyssa.

— Je voulais dire que la ville présente des aspects bien plus dangereux que la campagne.

— Tu parles d'une campagne ! Mes parents y ont trimé toute leur vie pour subvenir aux besoins de mes frères et sœurs et ont fini par y périr sous les coups d'épée des mercenaires !

— C'est donc la haine des Karthaginois qui t'a poussée à venir t'installer en ville ?

— Je n'ai pas de haine. Plus maintenant en tout cas. J'ai même la nostalgie de cette enfance passée dans la boue et la poussière.

— On dirait que tu as tourné la page sur cette partie de ta vie !

— La ville a ses avantages et ses inconvénients et je fais avec. Mais parlons de toi à présent. Tu viens de la ville, non ?

— En effet.

— Laquelle donc ?

— Kirthan, la Cité des Aigles.

— Mais alors, tu es un exilé, comme moi ! fit-elle penaude, avec l'air de connaître toutes les nouvelles qui circulaient dans le pays.

— Moi, un exilé ? Si tu veux. Mon pays aujourd'hui, c'est la mer, continua-t-il à mentir.

Elle présuma que derrière cette apparence se cachait autre chose que l'âme d'un pilote sur un bateau. Cette âme-là était plus noble et plus racée. Elyssa avait appris à connaître les hommes à force d'écouter leurs histoires sur l'oreiller. Elle comprenait ce manque de confiance et ne cherchait pas autre chose qu'à se faire un peu plus d'argent en vendant des informations à droite, à gauche à ceux qui payaient pour les obtenir. Elle ne chercha pas à en savoir davantage sur le compte de ce jeune numide qui avait fait renaître chez elle un besoin irrésistible de se sentir elle-même libre et entière au point de vouloir se donner sans compter.

— Je loue mes services à des clients qui sont bien, tu sais ! C'est mon choix et j'en suis contente, lui confia-t-elle.

— Tu veux dire que tu te complais vraiment dans cette activité ?

— Oh, je n'irais pas jusqu'à l'affirmer, mais je rencontre souvent des gens intéressants, comme toi par exemple. Puis, il y a les habitués, je suis comme leur seconde épouse, mais sans la contrainte familiale. Ils oublient mon existence dès qu'ils ont franchi le seuil de ma porte.

Massinissa jeta un œil sur son compagnon. Laminias avait fini par succomber à sa fatigue de la journée et s'était assoupi sur le sofa.

— Viens ! dit-elle. Prends-moi à la numide. Ce soir, il n'est pas question d'argent. J'ai besoin de me sentir à nouveau berbère. Considère-toi comme mon invité ! Viens !

— Et tu renoncerais volontairement à un profit considérable ?

— Je suis sûr que j'y gagnerai plus tard, je me trompe ? rétorqua-t-elle du tac au tac.

— Tu prends des risques inutiles, j'ai de quoi te récompenser !

— Je t'ai déjà dit non ! Garde ta richesse aujourd'hui et donne-moi juste du plaisir. Viens à présent, ne me fais pas attendre, tu perds de précieux moments.

Massinissa fut amusé par la manière et le ton dont elle usait pour lui parler. Une fermeté inhabituelle de la part d'une femme berbère. Il obtempéra sans rechigner. Le couple abandonna Laminias à ses ronflements et s'engouffra dans la chambre de l'hôtesse, l'antre des plaisirs où se mélangeaient des odeurs familières et exotiques.

Quelques heures plus tard, Massinissa se retrouva dans la rue en traînant Laminias à moitié endormi vers les quais d'Utique. Ils ne remarquèrent pas l'ombre furtive d'Amalut qui les suivait de près jusqu'à la passerelle de L'Hippocampe. Titrit en personne les guettait sur le pont.

— Mais où étais-tu donc, je commençais à m'inquiéter ? gronda-t-elle, presque au seuil de la colère.

Son fils souriait, complètement débraillé.

— Je goûtais aux délices puniques ! avoua le jeune prince. Pourquoi tant d'inquiétude, mère ?

— J'ai envoyé te chercher dans toutes les tavernes du port et personne n'a su où tu étais passé. Ni toi ni Laminias !

— Je mettais en pratique les enseignements de maître Aberkan.

— Je ne veux pas savoir ce que tu as fait ! coupa sèchement Titrit anticipant les arrière-pensées de son fils. Justement, c'est ton maître qui te réclamait.

— Mon maître ! Comment va-t-il, celui-là ?

— Mieux, depuis que je lui ai administré un remède, mais il veut te parler absolument ce soir.

— Quoi, maintenant ? Je ne suis pas en état de recevoir de leçons de morale ni d'instructions. J'ai sommeil.

— Va le voir avant de te coucher, je le lui ai promis ! insista-t-elle impérieusement.

— D'accord, mère ! J'y vais de ce pas.

— Quant à moi, je vais de ce pas me coucher ! finassa Laminias.

— C'est le mieux que tu puisses faire, lui répondit la reine, encore sous l'effet de la colère. Tu ne vaux pas mieux que ton prince !

Quand Amalut passa devant Titrit, celle-ci fit une grimace qu'il interpréta comme un reproche et tenta de se justifier.

— J'ai surveillé comme tu me l'as ordonné, ma reine. Il est sain et sauf !

— Et dire que nous ne sommes pas encore au bout de notre voyage, bougonna-t-elle en retournant dans sa cabine. Mes inquiétudes ont déjà commencé et nous ne serons à Karthage que demain…

Fin du troisième opus.

Achevé d'imprimer en 2021
sur les presses de l'imprimerie
Casbah-Editions
Lot. Saïd Hamdine, Hydra, 16012, Alger - Algérie
Tél. : 021 54 79 10 / 021 54 79 11 / Fax : 021 54 72 77

email : casbaheditions@gmail.com
Alger, 2021

21—